I Jan

Portread o Griffith Davies
(*Trwy ganiatâd caredig Amgueddfa Cymru*)

CYNNWYS

Griffith Davies

GWYDDONWYR CYMRU

Golygyddion y Gyfres

Gareth Ffowc Roberts
Prifysgol Bangor

John V. Tucker
Prifysgol Abertawe

Iwan Rhys Morus
Prifysgol Aberystwyth

GWYDDONWYR CYMRU

Griffith Davies

ARLOESWR A CHYMWYNASWR

HAYDN E. EDWARDS

GWASG PRIFYSGOL CYMRU
2023

www.gwasgprifysgolcymru.org

Mae cofnod catalogio'r gyfrol hon ar gael gan y Llyfrgell Brydeinig

ISBN   978-1-83772-031-6
eISBN   978-1-83772-032-3

Cydnabyddir cymorth ariannol Cyngor Llyfrau Cymru ar gyfer cyhoeddi'r llyfr hwn.

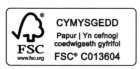

Cysodwyd gan Richard Huw Pritchard
Argraffwyd gan CPI Antony Rowe, Melksham

RHAGAIR GOLYGYDDION Y GYFRES

O'r Oesoedd Canol hyd heddiw, mae gan Gymru hanes hir a phwysig o gyfrannu at ddarganfyddiadau a menter gwyddonol a thechnolegol. O'r ysgolheigion cynharaf i wyddonwyr a pheirianwyr cyfoes, mae Cymry wedi bod yn flaenllaw yn yr ymdrech i ddeall a rheoli'r byd o'n cwmpas. Mae gwyddoniaeth wedi chwarae rôl allweddol o fewn diwylliant Cymreig am ran helaeth o hanes Cymru: arferai'r beirdd llys dynnu ar syniadau gwyddonol yn eu barddoniaeth; roedd gan wŷr y Dadeni ddiddordeb brwd yn y gwyddorau naturiol; ac roedd emynau arweinwyr cynnar Methodistiaeth Gymreig yn llawn cyfeiriadau gwyddonol. Blodeuodd cymdeithasau gwyddonol yn ystod y bedwaredd ganrif ar bymtheg, a thrawsffurfiwyd Cymru gan beirianneg a thechnoleg. Ac, yn ogystal, bu gwyddonwyr Cymreig yn ddylanwadol mewn sawl maes gwyddonol a thechnolegol yn yr ugeinfed ganrif.

Mae llawer o'r hanes gwyddonol Cymreig cyffrous yma wedi hen ddiflannu. Amcan cyfres Gwyddonwyr Cymru yw i danlinellu cyfraniad gwyddoniaeth a thechnoleg yn hanes Cymru, â'i chyfrolau'n olrhain gyrfaoedd a champau gwyddonwyr Cymreig gan osod eu gwaith yn ei gyd-destun diwylliannol. Trwy ddangos sut y cyfrannodd gwyddonwyr a pheirianwyr at greu'r Gymru fodern, dadlennir hefyd sut y mae Cymru wedi chwarae rhan hanfodol yn natblygiad gwyddoniaeth a pheirianneg fodern.

SERIES EDITORS' FOREWORD

Wales has a long and important history of contributions to scientific and technological discovery and innovation stretching from the Middle Ages to the present day. From medieval scholars to contemporary scientists and engineers, Welsh individuals have been at the forefront of efforts to understand and control the world around us. For much of Welsh history, science has played a key role in Welsh culture: bards drew on scientific ideas in their poetry; renaissance gentlemen devoted themselves to natural history; the leaders of early Welsh Methodism filled their hymns with scientific references. During the nineteenth century, scientific societies flourished and Wales was transformed by engineering and technology. In the twentieth century the work of Welsh scientists continued to influence developments in their fields.

Much of this exciting and vibrant Welsh scientific history has now disappeared from historical memory. The aim of the Scientists of Wales series is to resurrect the role of science and technology in Welsh history. Its volumes trace the careers and achievements of Welsh investigators, setting their work within their cultural contexts. They demonstrate how scientists and engineers have contributed to the making of modern Wales as well as showing the ways in which Wales has played a crucial role in the emergence of modern science and engineering.

RHESTR O LUNIAU

DIOLCHIADAU

Yn y rhan yma o'r llyfr rwy'n cael cyfle i gydnabod y cymorth sylweddol a gefais wrth ymchwilio a pharatoi ar gyfer cyhoeddi. Treuliais amser gwerthfawr mewn llyfrgelloedd, amgueddfeydd ac archifau. Cefais gefnogaeth arbennig gan Elen Simpson, pennaeth Archifau a Chasgliadau Arbennig Prifysgol Bangor, ynghyd â nifer o staff eraill yr archifdy, llyfrgell y brifysgol, a Helen Gwerfyl, swyddog casgliadau, Storiel. Yng Ngwynedd hefyd rwy'n ddiolchgar iawn i Dr Dafydd Roberts, ceidwad yr Amgueddfa Lechi Cymru yn Llanberis am ei gymorth parod a'r un modd i Lynn C. Francis, prif archifydd, a staff eraill Archifdy Gwynedd yng Nghaernarfon. Bu Andrew Renton, pennaeth casgliadau dylunio Amgueddfa Cymru, a Beryl Evans, rheolwr gwasanaethau ymchwil y Llyfrgell Genedlaethol, yn gefnogol iawn i'r gwaith hefyd.

Yn Llundain, treuliais amser mewn nifer o ganolfannau ac rwy'n ddiolchgar iawn i'r canlynol am bob cymorth: Amy E. Proctor (archifydd yn Archifdy Metropolitanaidd Llundain), Bef Yigezu (Canolfan Hanes Lleol Islington), Hannah Cleal (Archifdy Banc Lloegr), nifer o lyfrgellwyr yn ystafell ddarllen astudiaethau Asiaidd ac Affricanaidd y Llyfrgell Brydeinig, Haydn Schaare (Ymddiriedolaeth Abney Park), Rupert Baker ac Ellen Embleton (Y Gymdeithas Frenhinol) a staff Yr Archifau Cenedlaethol yn Kew.

Fodd bynnag, bu un yn Llundain o gymorth eithriadol i mi gyda'r gwaith – David Raymont, llyfrgellydd Athrofa'r Actiwarïaid (The Institute and Faculty of Actuaries). Mawr yw fy niolch iddo. Atebodd David fy mynych gwestiynau a'm cynghori ar nifer o faterion. Trefnodd i mi gyfarfod â Trevor Sibbett, cyn-actiwari oedd wedi gweithio drwy'i oes i gwmni'r Guardian ac yn un o brif haneswyr y proffesiwn. Teithiodd Trevor gryn bellter i'm cyfarfod yn Llundain a buom yn gohebu'n rheolaidd. David hefyd wnaeth fy nghyflwyno i'r diweddar Dr Stewart Lyon, cyn-lywydd Athrofa'r Actiwariaid, a chefais nifer o sgyrsiau ffôn defnyddiol am waith actiwari.

Yn ychwanegol i'r sefydliadau a enwir uchod, rwyf hefyd yn hynod ddiolchgar i'r llyfrgelloedd, archifdai, prifysgolion a'r sefydliadau goleuedig hynny sydd wedi digideiddio rhannau o'u casgliadau. Yng nghyfnod y pandemig ni fyddai'r gwaith wedi mynd rhagddo heb yr adnoddau hyn. Braint oedd cael dychwelyd ar ôl y cyfnod clo i rai o'r archifau a'r llyfrgelloedd unwaith eto a chael cyfle i dystio i arbenigedd a sgiliau staff wrth egluro, dehongli a chyfeirio.

Rwy'n ddyledus iawn i nifer o unigolion mewn sawl cylch am rannu eu gwybodaeth ac am eu cymwynasau niferus dros gyfnod yr ymchwil. Cymerodd William J. Parry (cyn-ymgynghorydd orthodonteg Ysbyty Gwynedd) ddiddordeb byw yn yr ymchwil a'm cyfeirio at lawysgrifau gan deuluoedd lleol. Yn yr un modd bu'r Athro Gareth Ffowc Roberts, golygydd y gyfres Gwyddonwyr Cymru, o gymorth ymarferol drwy gydol y gwaith. Bu i mi droi ato nifer o weithiau am gyngor a barn. Pleser hefyd yw cael cydnabod cefnogaeth Nicola Bruton Bennetts, Glennys Hughes, Gwilym R. Hughes, y diweddar Dr J. Elwyn Hughes, Islwyn Humphreys, Dr Gareth Huws, yr Athro E. Wyn James, Dr David Jenkins, Bleddyn Jones, Geraint R. Jones, Peter Lord, Sue Manston, Merfyn Morgan, Iwan Roberts, Maira Rowlands, Angharad Tomos, John Dilwyn Williams, Robyn Williams a Gari Wyn. Diolch i chwi un ac oll.

Mae fy nheulu agosaf, Jan, Mari, Rhys a Gwenno, wedi trafod a darllen drafftiau o'r gwaith ac rwy'n ddiolchgar iddynt am eu sylwadau a'u hanogaeth. Treuliodd Jan a Rhys, yng nghanol eu prysurdeb, amser helaeth yn mynd drwy'r gwaith ysgrifenedig gyda chrib mân. Heb y gefnogaeth deuluol yma ni fyddai'r llyfr wedi gweld golau dydd.

Yn ystod y gwaith byddai'r Athro Derec Llwyd Morgan, fy nghymydog ar gyrion Llangefni, yn holi sut oedd y cofiant yn dod ymlaen a chafwyd aml i sgwrs. Braint i mi oedd i Derec gynnig golygu'r gyfrol ac mae'r cywiriadau a'r gwelliannau a gyflwynodd wedi eu hymgorffori'n llawn. Rwy'n gwerthfawrogi'n fawr iawn ei ddiddordeb a'i garedigrwydd.

Cyflwynais ddrafft olaf o'r deipysgrif, cyn ei hanfon i'r wasg, i Huw Wynne-Griffith, actiwari Cymraeg yn Llundain heddiw. Cafwyd ymateb hael a threiddgar ganddo gan rannu o'i arbenigedd proffesiynol a'i atgofion.

Ar ôl cwblhau'r deipysgrif roedd y gwaith yn trosglwyddo i Wasg Prifysgol Cymru. Rwy'n ddiolchgar iawn i'r darllenydd annibynnol am ei sylwadau a'r trosolwg, ac i Dr Llion Wigley, Dr Dafydd Jones a'r tîm yn y wasg am lywio'r holl broses gyhoeddi mor hwylus.

Comisiynwyd Owain Fôn Williams i lunio'r clawr. Gyda'i ddawn ryfeddol i gymeriadu chwarelwyr a'i ddealltwriaeth drylwyr o'u cynefin, llwyddodd Owain i gyfleu'r hanes am Griffith Davies yn ymarfer ei fathemateg yn chwarel y Cilgwyn. Cyflwynodd y gwaith gorffenedig i mi mewn cyfnod cyffrous yn ei fywyd wrth iddo symud o gadw'r gôl i dîm Dunfermline yn yr Alban i gyfrifoldebau rheolwr cynorthwyol tîm pêl-droed yn nhalaith Colorado, UDA.

Wrth ddiolch a chydnabod cyfraniadau unigolion a sefydliadau fy nghyfrifoldeb i yw unrhyw wallau, gwendidau neu gamgymeriadau ffeithiol.

I gloi, mae fy nyled fwyaf o bell ffordd i'm priod Jan am ei hamynedd a'i chefnogaeth bob amser. Mae wedi dilyn holl droeon y daith – yr uchelfannau a'r tiroedd gwastad. Rwy'n cyflwyno'r llyfr yma iddi hi gan wybod y bydd hyd yn oed yn hapusach na mi fod y gwaith wedi ei orffen.

RHAGAIR

Un o hanesion arwrol ac ysbrydoledig y bedwaredd ganrif ar bymtheg yw bywyd a gwaith Griffith Davies (1788–1855). O deulu tlawd, ym mhlwyf Llandwrog ger Caernarfon, bu'n gweithio ar y tir ac mewn chwareli. Elfennol ac ysbeidiol oedd yr addysg a dderbyniodd. Prin oedd ei wybodaeth fathemategol a bratiog oedd ei Saesneg pan fentrodd i Lundain yn un ar hugain. Yno, ymhen ychydig flynyddoedd, cyhoeddodd ei lyfr cyntaf mewn mathemateg ac yn ei dridegau cynnar fe'i penodwyd i swydd prif actiwari yn un o brif gwmnïau yswiriant y cyfnod. Gosododd sylfaen i'w broffesiwn newydd a derbyniodd lu o anrhydeddau am ei waith. Sefydlodd ysgolion a bu'n darlithio ar bynciau gwyddonol a thechnegol yn y Gymraeg a'r Saesneg. Cyfrannodd yn helaeth i fywyd Cymru yn addysgol a chrefyddol ac roedd ganddo farn bendant am ddatblygiad y Gymraeg y tu hwnt i ffiniau crefydd a diwylliant. Cyfrannodd hefyd i'w hen ardal mewn nifer o ffyrdd, ond bellach prin yw'r cof amdano. Ychydig iawn ym mhlwyf Llandwrog heddiw fyddai wedi clywed ei enw heb sôn am wybod am ei gyfraniad arloesol i addysg a mathemateg.

Treuliais lawer o amser yn ystod fy mhlentyndod gyda'm cyfaill Dan Wyn, Hafod Boeth, gan fynd weithiau at afon Llifon i gribinio'r dail oedd yn tagu'r beipen i'r system trydan dŵr fechan oedd ar dir y fferm. Ychydig a feddyliais ar y pryd fod dyn mor nodedig wedi bod yn byw yno ac ym Meudy Isaf gerllaw. Prin iawn oedd fy ngwybodaeth amdano. Roeddwn wedi clywed dwy ffaith am Griffith Davies – ei fod yn dda hefo 'syms' a'i fod yn perthyn i deulu'r Gilwern, fferm rhwng y Groeslon a Rhostryfan yng Ngwynedd.

Cefais fwy o wybodaeth pan gyfeiriodd John Gwilym Jones yn narlith flynyddol Llyfrgell Penygroes yn y 1970au am hynodrwydd ei bentref genedigol. Roedd y Groeslon, meddai'r llenor gyda balchder, wedi cyfrannu at hanes crefyddol Cymru a hanes mathemateg y byd drwy waith dau unigolyn.

> Ysgrifennodd y ddau lyfr o bwys yr un – Griffith Davies, *A Key to Bonnycastle's Trigonometry*, esoterig, dechnegol; a John Parry lyfr a dreiddiodd i fêr esgyrn cenedl am genedlaethau, y Rhodd Mam. Ni fedrir gwadu na chyfrannodd y Groeslon i ddau begwn personoliaeth dyn, i'w ben a'i galon, i'w reswm oer a'i deimlad cynhyrfus.[1]

Pan ddaeth gwahoddiad i fynd yn ôl i'r Groeslon i draddodi sgwrs yng Nghymdeithas Lenyddol Brynrhos yn Rhagfyr 2016 un testun oedd ar fy meddwl. Byddai darlith ar Griffith Davies yn her ac yn gyfle i ymchwilio a deall mwy am fywyd unigolyn arbennig. Cymerais fantais o'r ffaith fod y We mor hwylus a buan y casglwyd digon o ddeunydd ar gyfer darlith. Profiad unigryw iawn oedd cyflwyno'r wybodaeth i gynulleidfa leol ym Mrynrhos hanner milltir fel hed y frân o fan geni Griffith Davies yn Nhŷ Croes, Hafod Boeth.

Parhaodd y diddordeb. Penderfynais ymweld â phencadlys y proffesiwn – yr Institute and Faculty of Actuaries (Athrofa'r Actiwarïaid) yn Staple Inn, Holborn, Llundain a gweld yr adroddiadau a'r llyfrau oedd yn gynnyrch gwaith technegol a manwl Griffith Davies. Yn Llundain hefyd, euthum i lyfrgell y Gymdeithas Frenhinol yng nghanol ysblander Carlton House Terrace, i weld y llyfr y cyfeiriodd John Gwilym Jones ato a gyhoeddwyd yn 1814, a thystysgrif derbyn Griffith Davies yn Gymrawd o'r Gymdeithas Frenhinol yn 1831. Yn ôl yng Nghymru, ymwelais â storfa Amgueddfa Cymru yn Nhrefforest i weld llun olew o Griffith Davies sy'n rhan o'r casgliad cenedlaethol. Yr ymweliadau hyn yn codi cwr y llen ar fywyd a gwaith unigolyn galluog iawn na chafodd fawr ddim sylw yn lleol – hyd yma.

Mae Gareth Ffowc Roberts eisioes wedi cymryd diddordeb yn Griffith Davies gan gynnwys ei hanes a'i waith yn ei lyfr diweddaraf

– *Cyfri'n Cewri: Hanes Mawrion ein Mathemateg.*[2] Mewn sgwrs awgrymodd y byddai llyfr ar y mathemategydd o blwyf Llandwrog yn dderbyniol fel rhan o'r gyfres Gwyddonwyr Cymru. Gwyddwn y byddai paratoi llyfr yn golygu gwaith ymchwil amlddisgyblaethol sylweddol i ddeall agweddau o fathemateg gwaith actiwari, hanes cymdeithasol yr oes, datblygiad crefydd, gwleidyddiaeth a thensiynau'r cyfnod, datblygiad chwarelyddiaeth, hanes yr amrywiol gymdeithasau oedd yn allweddol yn ei fywyd a nifer o drywyddau eraill. Tybed beth oedd wedi ei gyhoeddi amdano'n barod? A oedd cofiannau, dyddiaduron, papurau personol, darlithoedd a chyhoeddiadau? Ymhle yr oeddynt ac a oedd digon o ddeunydd i gyfiawnhau llyfr? Roedd angen ystyried ac asesu. Yn y man dechreuais yr ymchwilio, a'r gyfrol hon yw'r canlyniad.

Prif ffynhonnell fy ymchwil yw'r cofiant gan Thomas Barlow, nai Griffith Davies, a gyhoeddwyd yng nghylchgrawn y *Post Magazine and Insurance Monitor* yn dilyn marwolaeth ei ewythr yn 1855.[3] Ceir fersiwn estynedig argraffedig o'r erthygl wreiddiol yn Archifdy Athrofa'r Actiwarïaid, Staple Inn, Llundain ac mewn llawysgrifau yn Archifdy Prifysgol Bangor a'r Llyfrgell Genedlaethol.[4] Ym Mangor hefyd ceir llawysgrifau gan Sarah Holbut Dew, merch Griffith Davies, yn rhoi gwybodaeth am fywyd ei thad.[5] Mae tebygrwydd a thir cyffredin rhwng gwaith Barlow a Dew a dylanwad Griffith Davies o bosib yn drwm ar y cynnwys. Lluniwyd cofiant Barlow ar gyfer cynulleidfa broffesiynol yn Lloegr gan ddelio gyda materion technegol a chyfraniad Griffith Davies i ddatblygu'r wyddor actiwari, tra mae llawysgrifau Dew wedi eu hysgrifennu yn ddiweddarach yn cynnwys gwerthoedd crefyddol, dyfyniadau o lythyrau a chofnodion teuluol. Yng Nghymru, yn ystod y ganrif ddiwethaf, gwnaeth tair o'i or-wyresau (Miss Catherine Dew Roberts, Dr Mona Dew Roberts a Mrs Evangeline Humphrey Evans) ofalu am ei goffadwriaeth drwy gyflwyno llawysgrifau, dogfennau a chreiriau eraill i'n sefydliadau cenedlaethol. Heb y ffynonellau gwreiddiol hyn, byddai wedi bod yn anodd darganfod trywyddau ymchwil eraill ar gyfer y gyfrol.

Rhaid nodi hefyd ddarlith Llewelyn Gwyn Chambers i Anrhydeddus Gymdeithas y Cymmrodorion yn 1988, ar achlysur dau ganmlwyddiant geni Griffith Davies. Traddodwyd y ddarlith yn Staple Inn, Llundain a'i chyhoeddi yn Nhrafodion y Cymmrodorion.[6] Ynddi fe geir darlun llawnach o fywyd a gwaith Griffith Davies, asesiad o'i waith mathemategol a'i gyfraniadau helaeth i'w gymuned a'i wlad. Bu'r ddarlith hon yn werthfawr i gofio amdano a nodi ei waith mathemategol a'i fywyd cyhoeddus.

Ychydig iawn ohonom yn ein bywydau pob dydd sy'n cyfarfod actiwari ac mae peth dirgelwch ynghylch natur y gwaith o'i gymharu gyda chyfrifiaeth, y chwaer broffesiwn. Eto, mae dylanwad yr actiwari'n drwm ar ein bywydau o gynlluniau pensiwn i holl agweddau yswiriant – bywyd, tai, teithio a degau o ystyriaethau eraill. Gwaith actiwari yw dehongli risgiau a gosod allan y trefniadau cytundebol ac i gefnogi hyn mae angen gwaith mathemategol manwl. Ceir cyfeiriad at y math o waith yn y gyfrol hon, yn enwedig yr heriau oedd yn wynebu Griffith Davies wrth iddo osod allan sylfeini'r proffesiwn mewn byd heb gyfrifiaduron na thechnoleg fodern arall. Roedd natur y gwaith yn cael ei sefydlu ganddo a'r term actiwari'n cael ei ailddiffinio. Yn y Gymraeg, mae terminoleg amrywiol i ddisgrifio gwaith Griffith Davies gan wahanol awduron. Yn yr ysgrifau amdano mae rhai yn ei alw yn rhifyddwr, eraill yn uwch rifyddwr, uchrifyddwr a mathemategydd ac yna geiriau mwy proffesiynol fel cyfrifydd, penysgrifydd, gorfydrianwr, ystadegydd ac ar-rifydd (neu arifydd). Yn y gyfrol rwy'n defnyddio'r term mathemateg i ddisgrifio holl agweddau'r pwnc roedd Griffith Davies yn ymwneud ag o ac yna'r term actiwari i ddisgrifio'r proffesiwn oedd yn datblygu yn ei gyfnod ac sy'n gwneud defnydd helaeth o fathemateg gymhwysol.

Wrth ddyfynnu o ffynonellau, rhai dros ddwy ganrif yn ôl, yn y Gymraeg a'r Saesneg, rwy'n defnyddio'r sillafiadau gwreiddiol ac mae'r arddull yn aml yn rhoi blas i ni o'r cyfnod a gwybodaeth am y cyd-destun hanesyddol. Mae'r gyfrol hon hefyd yn ceisio cyfannu dau fyd Griffith Davies – y byd Cymreig Anghydffurfiol gyda'i wreiddiau gwledig, a'r byd arall gyda'i waith proffesiynol ac arloesol fel actiwari yn un o ddinasoedd mwyaf y byd ar y pryd. Un byd uniaith Gymraeg a'r llall yn uniaith Saesneg. Prin y byddai chwarelwyr y Cilgwyn yn deall arwyddocâd gwneuthur Griffith Davies yn Gymrawd o'r

Gymdeithas Frenhinol ac mae'n annhebygol y byddai arweinyddion cyllid a mathemategwyr Llundain yn llawn ddeall dyletswyddau amrywiol blaenor gyda'r Methodistiaid Calfinaidd.

Rhaid hefyd edrych ar fywyd a gwaith Griffith Davies drwy bersbectif gwahanol iawn i'n hoes ni. Roedd twf crefydd anghydffurfiol yn ganolog i brofiadau llawer o bobl gan osod gobaith newydd a chôd moesol. O ganlyniad, wrth i'r hunaniaeth newydd ddatblygu, roedd dylanwad Anglicaniaeth yn lleihau. Roedd dadleuon diwinyddol ymysg Anghydffurfwyr yn bennaf yn rhan o'r bwrlwm newydd a byddent yn anghyfarwydd iawn i lawer yn ein hoes ni.

Roedd hefyd ddatblygiadau eraill niferus yn newid natur cymdeithas. Yn dilyn y rhyfeloedd gyda Ffrainc ar ddiwedd y ddeunawfed ganrif cafwyd cyfnod o heddwch, sefydlogrwydd a thwf economaidd. Y Senedd Imperialaidd yn Llundain oedd canolbwynt grym a phŵer yn Nheyrnas Unedig Prydain Fawr ac Iwerddon, a gwasanaethu un dosbarth breintiedig oedd y drefn wleidyddol gyda deddfau a grym i'w ddiogelu. Nid oedd y Siartwyr ac undebau llafur wedi dechrau ymgyrchu a dyma hefyd gyfnod dechrau'r chwyldro diwydiannol a'r defnydd o adnoddau crai fel glo, mwynau a llechi.[7] Roedd Cymru'n wlad ddeinamig a blaengar yn y datblygiadau hyn. Tyfodd y boblogaeth, yn enwedig yn y trefydd, ac adeiladwyd camlesi, ffyrdd, rheilffyrdd a phontydd. Datblygodd gwyddoniaeth, peirianneg a mathemateg a'r angen am wella adnoddau a chyfleoedd addysgol.

Ond roedd gwedd arall i'r cyfnod hefyd. I'r mwyafrif roedd y profiad o dlodi, newyn ac afiechydon angheuol yn gyffredin. Gweithio ar dir, cloddfeydd a ffatrïoedd oedd tynged plant ifanc ac roedd yn fyd heb freintiau addysg, iechyd cyhoeddus, brechiadau a gwrthfiotigau. O ganlyniad roedd marwolaethau plant yn gyffredin iawn. Ychydig o le sydd i ferched yn yr hanes. Byd i ddynion oedd caban y chwarel, swyddfeydd yswiriant, y sêt fawr a'r pulpud ac yn sicr y senedd. Serch hynny, bu merched yn ganolog i fywyd Griffith Davies. Etifeddodd allu ymenyddol a gwerthoedd ei fam, derbyniodd gefnogaeth ei wragedd o ddwy briodas ac roedd ei ferch ac yntau o'r un anian.

Hanes arwrol meddwn ym mrawddeg gyntaf hyn o ragair ac mae hynny'n ffaith. Profodd Griffith Davies dlodi, diffyg maeth, afiechydon, profedigaethau, siomedigaethau, peryglon a methiannau o bob math. Roedd angen cryfder cymeriad a dyfalbarhad i oroesi'r rhain. Meddai ar allu prin ac arbennig mewn mathemateg, disgleirdeb meddwl a'r ddawn i arloesi a fyddai'n arwain, yn ystod ei fywyd, at gydnabyddiaeth ac edmygedd mewn nifer o gylchoedd a chyfoeth. Yn ystod ei blentyndod derbyniodd werthoedd yn y cartref a'r capel a fu'n sylfaen i'w fywyd. Gwelai werth annhraethol mewn addysg ac roedd yn driw i'w deulu a'i gyd-Gymry bob amser. Nid Dic Siôn Dafydd oedd Gruffydd Dafydd. Mae ymchwilio ac astudio ei fywyd a'i waith wedi bod yn bleser, a gadewch i ni gychwyn yr hanes yn ei ardal enedigol ac mewn lleoliad unigryw.

1

BORE OES

Dyma le i weled mawredd y mynyddoedd a ffyrdd y
môr. Yr ydym fel pe ym mhresenoldeb Rhyddid.

Owen Edwards[1]

Wrth edrych i lawr y llethrau i'r gorllewin heddiw o ben
Mynydd y Cilgwyn yn Eryri ychydig ar un olwg sydd wedi
newid ers geni Griffith Davies dros ddwy ganrif yn ôl. Mae Afon
Menai yn llithro i'r môr yn Abermenai heibio'r Foryd, Caer Belan
a thraethau Llanddwyn. I'r gogledd, ceir Castell Caernarfon yn
symbol o rym estron a'r dref o'i gwmpas yn ganolfan fasnach a
gweinyddol i ardal helaeth. Yna, o'n blaen dros fil o droedfeddi yn
is a thair milltir lawr y llethrau, mae Dinas Dinlle gyda'r bryngaer
arfordirol yn amlwg. Yn bellach i'r môr, ar drai, gwelir olion Caer
Arianrhod ac ar ddiwrnod clir ar y gorwel Mynyddoedd Wiclo yn
Iwerddon. Ymestyn y gorwel o Fynydd Tŵr Ynys Cybi i fynyddoedd
yr Eifl. O ben Mynydd y Cilgwyn tuag at yr arfordir mae plwyf
Llandwrog ac eglwys y plwyf ger ystâd Glynllifon. Ychydig
iawn o blwyfi sydd gydag arfordir a mynydd, tywod a grug,
gwymon a mawn.

Byddai'r olygfa o ben y Cilgwyn yn dod yn gyfarwydd iawn i
Griffith Davies a aned ar fore Sul, 28 Rhagfyr 1788, ym mhlwyf

Llandwrog. Roedd yn ail fab i Owen Dafydd a Mary Williams o Dŷ Croes, Hafod Boeth, a chafodd ei enwi ar ôl brawd ei dad, Gruffydd Dafydd, a fu farw ychydig cyn ei eni. O ganlyniad Gruffydd Dafydd neu Griffith Davies oedd ei enw yn hytrach na threfn y cyfnod o enwi ar ôl y tad – Gruffydd Owen. Mae erthygl sy'n cofnodi ei fywyd yn nodi mai ar lethrau'r Cilgwyn yr oedd ei gartref ac roedd y Cilgwyn yr adeg hynny yn enw ar ardal lawer helaethach na'r mynydd a'r dreflan fechan heddiw.[2] I lawr y llethrau, Rhosnenan oedd enw'r gymdogaeth o gwmpas Hafod Boeth, a cheir adlais o'r enw o hyd ar gyrion pentref y Groeslon.

Y teulu a'r cartref

Tyddynwr a chwarelwr oedd Owen Dafydd yn hanu o deulu lleol. Roedd Owen a'i frawd Gruffydd a'r tair (neu efallai bedair) chwaer yn blant i Dafydd Jones a Margaret Gruffydd. Gwehydd oedd Dafydd Jones a bu farw'n gymharol ifanc ac ar ôl hynny cymerodd Margaret y cyfrifoldeb masnachol a magu'r plant gan ailbriodi ymhen ychydig flynyddoedd. Roedd tad Margaret a hen daid Griffith, dyn o'r enw Gruffudd William, yn berchen ystâd yr Hafod ym mhlwyf Llandwrog ac roedd tri o'r meibion yn dal tir – Siôn Gruffudd yn Hafod Boeth, Ellis Gruffydd yn y Gilwern ac Owen Gruffydd yn Hafoty Wen. Roedd Margaret yn byw yn Nhŷ Uchaf oedd yn rhan o'r Hafoty Wen ond doedd a wnelo hi ddim â'r fferm yn uniongyrchol.

Hanu o deulu lleol hefyd yr oedd Mary, mam Griffith Davies, ac yn un o 11 plentyn William Hughes a'i wraig Catherine, Bodgarad ym mhlwyf cyfagos Llanwnda.[3] Daeth profedigaeth i ran y teulu gan i'r tad farw tra oedd nifer o'r plant yn ifanc. O ganlyniad mynd allan i weithio oedd tynged rhai ac anfonwyd Mary i weini yn y Caety, cartref ei modryb Elen Brereton ym mhlwyf Llandwrog. Tra yno cyfarfu ag Owen Dafydd a phriodi yn 1786.

Cartref cyntaf y pâr priod oedd Penrhos Gwtta yn ardal Rhostryfan ac yno y ganed William ei phlentyn cyntaf. Drwy garedigrwydd ewythr Owen, Siôn Gruffudd o'r Hafod Boeth,

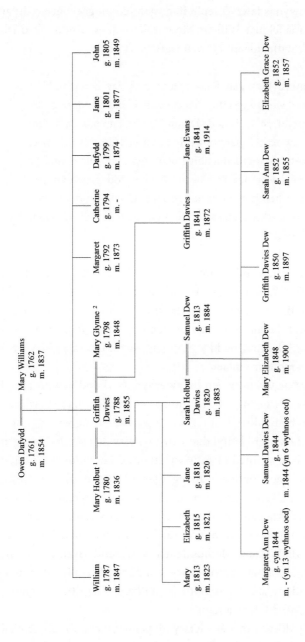

Achau Griffith Davies

Owen Dafydd
g. 1761
m. 1854

Mary Williams
g. 1762
m. 1837

William
g. 1787
m. 1847

Margaret
g. 1792
m. 1873

Catherine
g. 1794
m. -

Dafydd
g. 1799
m. 1874

Jane
g. 1801
m. 1877

John
g. 1805
m. 1849

Mary Holbut [1]
g. 1780
m. 1836

Griffith
Davies
g. 1788
m. 1855

Mary Glynne [2]
g. 1798
m. 1848

Griffith Davies
g. 1841
m. 1872

Jane Evans
g. 1841
m. 1914

Mary
g. 1813
m. 1823

Elizabeth
g. 1815
m. 1821

Jane
g. 1818
m. 1820

Sarah Holbut
Davies
g. 1820
m. 1883

Samuel Dew
g. 1813
m. 1884

Griffith Davies Dew
g. 1850
m. 1897

Sarah Ann Dew
g. 1852
m. 1855

Elizabeth Grace Dew
g. 1852
m. 1857

Margaret Ann Dew
g. cyn 1844
m. - (yn 13 wythnos oed)

Samuel Davies Dew
g. 1844
m. 1844 (yn 6 wythnos oed)

Mary Elizabeth Dew
g. 1848
m. 1900

1. priod rhwng 1812 -1836
2. priod rhwng 1841 - 1848

9

gwnaed cymwynas fawr â'r teulu ifanc gan iddynt gael darn o dir ar ei fferm. Dyma fel mae William Methusalem Jones, brodor o'r ardal, yn disgrifio'r cyfle ddaeth i Owen Dafydd a'i deulu:

> Arweinwyd hwy gan Ragluniaeth trwy i'w hewythr Siôn Gruffudd wneud gweithred o drugaredd gan roi darn o'r tir goreu oedd yn yr Hafod. Digon i gadw tair buwch a rhoi yr hen dŷ oedd gyferbyn a'i dŷ ef yn yr Hafod Boeth at ei wasanaeth. Mantais ddeublyg oedd hyn, yn y lle cyntaf yr oedd yn llawer nes i'r chwarel heblaw fod y tyddyn yng ngolwg yr hen bobl yn fraint go fawr. Gwelir cipdrem yn y weithred hon yn gystal ac eraill o ysbryd boneddigaidd hen ŵr yr Hafod.[4]

Ni wyddom beth oedd trefniant yr ewythr caredig gyda rhieni Griffith Davies. Yn aml trigai mwy nag un teulu ar lawer o ffermydd gan lafurio'r tir ar y cyd a chael trefniant i rannu elw. Gallai fod amrywiol drefniadau ystâd neu deuluol yn bosib ar gyfer y teulu bach, ond beth bynnag oedd y trefniant, roedd Owen a Mary wedi cael hwb gwerthfawr ymlaen.

Tŷ Croes oedd enw'r hen dŷ gyferbyn â'r Hafod ac yno ganed Griffith Davies. Roedd yn faban gwantan ac o ganlyniad i bryderon ei rieni fe'i bedyddiwyd ar yr un diwrnod yn eglwys y plwyf Llandwrog. Drwy ei blentyndod cawn gyfeiriadau ato fel bachgen bregus ei iechyd, ac roedd hynny yn anfantais fawr iddo ac i'r teulu yn yr oes honno. Ymhen ychydig flynyddoedd roedd Tŷ Croes yn llenwi ymhellach a ganed mab arall a fu farw ymhen ychydig wythnosau.[5] Gyda geni mwy o blant, Margaret a Catherine, roedd yr hen dŷ yn mynd yn gyfyng a rhaid fyddai symud neu 'helaethu'r babell' chwedl William Methusalem Jones. Beudy Isaf, eto ar dir Hafod Boeth, oedd eu cartref newydd a ganwyd tri phlentyn arall yno i wneud cyfanswm o saith – William, Griffith, Margaret, Catherine, Dafydd, Jane a John.[6]

Erbyn heddiw nid oes sicrwydd pendant am union leoliad Tŷ Croes gan i Hafod Boeth gael ei ail-adeiladu gan berchnogion

Tŷ Croes (*Hawlfraint Archifdy Gwynedd*)

newydd yn 1814 ac addaswyd Tŷ Croes yn feudy ac wedyn yn rhyw fath o stabl. Ceir cyfeiriad yn nogfennau achau'r Gilwern Isa (fferm i lawr y llethrau ble symudodd y teulu ymhen blynyddoedd) fod nodwedd arbennig yn perthyn i Dŷ Croes ar ochr ddwyreiniol y tŷ, sef cilfach a elwid yn walbant.[7] Mae'n debyg mai dwy ystafell – cegin a siambr yn llawn gwelyau wenscot – oedd Tŷ Croes gyda chroglofft i greu mwy o ofod; tŷ llawr clai oedd yn llaith ac oer yng ngwlybaniaeth y gaeaf.[8] Beudy Isaf fodd bynnag oedd y cartref newydd am flynyddoedd i ddod a cheir tystiolaeth fod perchnogion newydd stad Hafod Boeth wedi caniatáu i rieni Griffith aros ym Meudy Isaf fel yr oeddynt yn dymuno, hyn am i Griffith fod yn garedig wrth eu mab a anfonwyd i ysgol yn Llundain.[9]

Prin yw'r wybodaeth am rieni Griffith. Cawn yr argraff eu bod yn bobl weithgar, ddarbodus, cymdogol a pharchus oedd yn gosod esiampl i'w plant. Gweithiwr diwyd mewn chwarel a thyddyn oedd Owen y tad, heb gael mantais o unrhyw addysg ac felly'n anllythrennog. Ond roedd Mary'r fam yn medru darllen yn y Gymraeg yn weddol dda a cheir cyfeiriad at ei charedigrwydd wrth gymdogion.[10] Dyletswyddau'r cartref hefo llond tŷ o blant oedd yn mynd â'i holl amser ac mae Barlow yn ei gofiant i Griffith

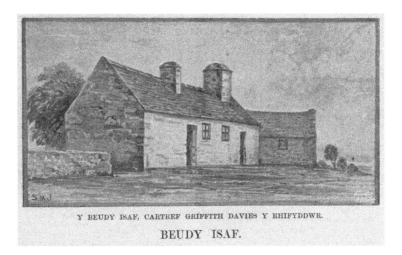

Y BEUDY ISAF, CARTREF GRIFFITH DAVIES Y RHIFYDDWR.

BEUDY ISAF.

Beudy Isaf (*Trwy ganiatâd Llyfrgell Genedlaethol Cymru*)

yn cyfeirio ati fel 'a delicate woman, possessing a large amount of common sense and mental powers', a'r galluoedd hyn yn cynnwys gwneud cyfrifon y tŷ a'r tyddyn yn ei phen.[11] Ceir cyfeiriad arall yn nodi ei bod yn rhagori ar ei gŵr mewn 'natural intellectual capacity and unselfish benevolence'.[12] Trwy'r dystiolaeth cawn ddarlun o fam ifanc annysgedig ond galluog oedd yn mynd i roi gwerthoedd a chyfeiriad i'w phlant. Hi yn sicr oedd y prif ddylanwad ar Griffith y plentyn.

Bywyd y tyddyn
Roedd lleoliad y cartref rhwng môr a mynydd o fantais i'r teulu. Lawr y llethrau roedd ffermydd y llawr gwlad lle tyfid cnydau, ac i gyfeiriad y mynydd ceid y tir comin mawnoglyd a'r gweindiroedd ar gyfer pori anifeiliad yn yr haf. Roedd gan bob teulu ei le ei hun ar y fawnog ac ar ddechrau'r haf 'lleddid' y mawn i'w ddefnyddio fel tanwydd. Roedd y ffynhonnell ynni gyfleus hon yn hanfodol i ddeuluoedd Beudy Isaf a Hafod Boeth.

Ardal brin ei phoblogaeth oedd y rhostir a'r tir comin cyn i'r chwareli ddatblygu, ond roedd newid ar droed gyda'r boblogaeth yn cynyddu yn rhan uchaf y plwyf. Yn ystod plentyndod Griffith Davies adeiladwyd tyddynnod ar y rhostir gan feibion tenantiaid ffermydd lleol a dieithriaid oedd yn dod o Lŷn a Môn i weithio yn y chwareli. Roedd y tir comin felly'n graddol grebachu wrth i'r tyddynnod ddatblygu a'r tomennydd gwastraff llechi ledaenu. Crëwyd mân densiynau ynghylch codi mawn, hawl i bori ac yn nes ymlaen yr hawl i gloddio gan y tyddynwyr newydd. Mae'r datblygiadau hyn ynghylch defnydd tir a hanes chwareli'r cylch yn cael ymdriniaeth gan ddau o brif haneswyr lleol yr ardal, Gilbert Williams a Dewi Tomos.[13]

Roedd Tŷ Croes ac wedyn Beudy Isaf yn hwylus iawn i Owen Dafydd gerdded y daith o filltir i fyny'r llethrau i chwareli'r Cilgwyn. Ni fu raid iddo, oherwydd caredigrwydd ei ewythr, fel rhai o feibion ffermydd eraill y plwyf, godi tyddyn ar y rhostir wrth briodi a magu teulu. Ond ar ôl diwrnod yn y chwarel byddai gwaith pellach yn aros am Owen Dafydd ar ei ychydig dir. Byddai'n tyfu llysiau megis maip a cheirch ar gyfer bwydo'r anifeiliaid, a thatws, moron a llysiau eraill yn fwyd ar gyfer y teulu. Dyma fyddai eu cynhaliaeth dros fisoedd hir a gerwin y gaeaf. Gyda thair buwch byddai angen iddo gynaeafu gwair. Mae'n annhebygol fod ŷd yn cael ei dyfu yn yr Hafod a byddai aelodau eraill o'r teulu yn debygol o'i roi, ei gyfnewid neu ei werthu. Nid oedd yr ychydig dir yn ddigon i gynnal y teulu heb i Owen Dafydd gael cyflog o'r chwarel, ond byddai cynnyrch y tir a'r anifeiliaid – yn llysiau, llefrith, llaeth enwyn, menyn, gwlân, wyau a chig – yn hwb sylweddol i incwm y teulu a hefyd yn fwyd lled faethlon. O gymharu gydag incwm trigolion y tai heb dir, sef y tai moel oedd yn datblygu fel y tyddynnod ym mhen uchaf y plwyf, byddai Owen Dafydd a'r teulu yn ei chael yn haws i gael deupen llinyn ynghyd. Ac yn wir bu i saith plentyn Beudy Isaf oroesi plentyndod.

Yn 1788 tua mil o bobl oedd yn byw ym mhlwyf Llandwrog, ond gyda datblygiad y chwareli a phobl yn symud i'r ardal dyblodd y boblogaeth ymhen canrif. Yn hanner cyntaf y bedwaredd ganrif ar bymtheg, er gwaethaf afiechydon fel difftheria, teiffoid a'r frech wen a choch, roedd mwy'n cael eu geni nag yn marw. Roedd nifer o ffactorau yn gyfrifol am hyn, gan gynnwys ansawdd bwyd.[14] Poblogaeth Cymru yn 1801, yn dilyn y cyfrifiad cyntaf, oedd

587,000. Cyn hynny, amcangyfrifir fod y boblogaeth yn 489,000 yn 1750 a 530,000 yn 1780.[15] Wrth i'r chwyldro diwydiannol barhau, erbyn yr 1850au dim ond traean o'r boblogaeth oedd yn gweithio mewn amaethyddiaeth. Gyda datblygiad y tyddynnod ym mhlwyfi Llandwrog a Llanwnda roedd nifer o'r chwarelwyr â'u troed mewn dau fyd – y gloddfa a'r tyddyn. Wrth i'r diwydiant llechi ddatblygu roedd mwyafrif y chwarelwyr yn byw mewn tai moel ac yn y mân bentrefi newydd a oedd yn ymffurfio ym mhen uchaf y ddau blwyf – Y Groeslon,[16] Carmel, Y Fron a Rhosgadfan.

Boed yn y chwarel neu'r tyddyn roedd caledi'r cyfnod yn anodd iawn i'r teulu ifanc a rhaid oedd i bawb wneud ei ran yn y cartref a'r fferm. Byddai Griffith yn gynnar iawn yn ei fywyd yn gyfarwydd â thasgau a dyletswyddau amaethyddol y tyddyn – y godro a'r carthu, aredig a chynaeafu, chwynnu cnydau a storio a chario – y rhain i gyd gan ddefnyddio bôn braich. Yn achlysurol caent fenthyg ceffyl, trol neu gerbyd llusgo, gwŷdd ac offer eraill gan Siôn Gruffudd, Hafod Boeth. Byddai teulu Beudy Isaf yn talu'r mynych gymwynasau'n ôl, fel oedd yn arfer mewn cymdeithasau amaethyddol, drwy roi cymorth ar ddiwrnod dyrnu a chynhaeafu'r gwair a'r ŷd. Pan fyddai'r borfa'n brin yn y gwanwyn byddent yn cymryd mantais o borfa'r rhostir ar y llethrau.

Ôl-traed carbon ysgafn iawn oedd gan deulu Beudy Isaf, fel gweddill poblogaeth yr oes, gyda'r rhan helaeth o'r bwyd a'r dillad yn cael ei gynhyrchu'n lleol ac adnoddau ynni yn fawn a choed ar gael hefyd. Nerth dyn ac anifail a grym gwynt a dŵr oedd yr unig ffynonellau ynni eraill ac ymhen blynyddoedd byddai dyfeisiadau fel y peiriant ager yn trawsnewid trafnidiaeth a'r gweithle ond stori arall yw honno. Dyma ddisgrifiad Gilbert Williams o'r gweithlu yn y cyfnod:

Nid llafurio'r tir a gweithio ar ffermydd oedd yr unig waith a wnaed yma gynt: câi dynion waith fel seiri coed, seiri meini, gwehyddion, cryddion, teilwriaid a gofaint...Medrai'r gwas ar fferm godi wal, trwsio gwaith coed neu harnis ceffylau...[17]

Y crefftau hyn neu'r chwarel fyddai dyfodol Griffith fel y rhan fwyaf o blant yr ardal.

A sut fywyd oedd gan Mary yn y cartref? Paratoi bwyd, glanhau, magu llond tŷ o blant a llu o ddyletswyddau gyda'r anifeiliaid. Ar ddiwrnod corddi byddai'n codi am dri'r bore i wneud y gwaith a rhaid oedd iddi hi a'r plant yn eu tro weithio yn y caeau ym mhob tywydd.[18] Roedd angen cryfder a phenderfyniad i oroesi o dan y fath amgylchiadau. Tai oer oedd Tŷ Croes a Beudy Isaf yn stormydd y gaeaf. Caed cyfnodau o brinder mawr a wnai fywyd yn galed ac anodd i'r teulu.

Un o'r mesurau i farnu cyflwr bywyd y wlad yn y cyfnod oedd pris yr ŷd. Ar ôl cynhaeaf da byddai toreth o ŷd yn y farchnad, a'r pris yn lled isel ond byddai cynhaeaf ŷd gwlyb yn golygu prinder ac anawsterau. Ar rai adegau byddai rhai amaethwyr yn gyndyn o werthu ŷd yn lleol os byddai pris gwell i'w gael wrth werthu oddi cartref gan achosi prinder lleol.[19] Roedd yna hefyd ddosbarth o bobl oedd yn fwrn ar werin gwlad sef yr 'ŷd brynwyr'. Gwaith y rhain oedd prynu ŷd ymlaen llaw a'i gadw er mwyn codi'r pris. Canlyniad y math hyn o sefyllfa, wrth i werin gwlad ddioddef a chyrraedd pen eu tennyn, oedd terfysgoedd bwyd ym mhob cwr o'r wlad gyda melinau blawd yn cael eu dinistrio, ystordai yn cael ei ysbeilio a dwyn ŷd o droliau a llongau. Byddai'r cof yn fyw yn lleol am ddwsinau o chwarelwyr y Cilgwyn yn ymosod ar storfa ŷd yng Nghaernarfon yn 1758.[20]

I Owen a Mary roedd cyfnodau o brinder a thlodi yn cael effaith ar iechyd y teulu i gyd. Gwyddai Griffith yn gynnar iawn yn ei fywyd felly beth oedd cyni a phrinder lluniaeth ac effeithiau hynny ar ei iechyd. Mae'n debyg fod y gwendidau corfforol a'r afiechydon a ddaeth i'w ran yn nes ymlaen yn ganlyniad i dlodi cynnar a diffyg maeth. Eto, roedd yn gryf iawn mewn un nodwedd. Dywedir fod ganddo gast pur anarferol wrth chwarae gyda phlant yr ardal. 'Pan oedd yn blentyn ymddifyrai wrth guro ei ben yn erbyn pennau plant y gymdogaeth. Gyrrodd "gur" i bennau llawer, ond ni fu cur yn ei ben ef erioed.'[21] Efallai mai techneg i'w amddiffyn ei hun mewn mân gwerylon oedd hyn neu efallai oherwydd ei statws a'i yrfa ddisglair fod yr atgof yn dangos serch hynny fod rhen Griffith yn blentyn direidus a pryfoclyd. 'A Guto Pen Pres oedd ei enw', yn ôl un ffynhonnell.[22]

Ysgolion ysbeidiol

Prin iawn oedd yr addysg a gafodd Griffith yn blentyn. Nid oedd trefn addysgol ar gael i werin gwlad. Byddai ysgolion yn cychwyn yn lleol ac yna'r amgylchiadau yn newid a'r ddarpariaeth yn dod i ben. Ymroddiad offeiriad y plwyf oedd un o'r prif ffactorau mewn sefydlu ysgolion a llugoer oedd agwedd rhai i'r syniad. O ganlyniad am nad oedd ysgol barhaol mewn ardal neu blwyf gallai cyfnod o ddeng mlynedd fynd heibio lle na bu darpariaeth ar gael yn lleol, gan amddifadu cenhedlaeth o blant o addysg elfennol a'r gallu i ddarllen.[23] Ceir tystiolaeth am ddyn o'r enw John Bywater yn cadw ysgol yn Llwyn Gwalch, fferm rhwng Brynrodyn a'r Groeslon, yn y cyfnod rhwng 1790 a 1800, ac roedd ysgol yn y Ffrwd ger Llandwrog dan nawdd teulu Glynllifon.[24] Saesneg oedd y cyfrwng ac ychydig a wyddom am y safon. 'Weithiau ceid dynion o allu a dysg i fod yn athrawon, a phryd arall ceid hen filwyr neu ddynion anafus, o'r un math ag a ddisgrifir gan Daniel Owen yn ei ddarlun o Robin y Sowldiwr' yn y nofel *Rhys Lewis*.[25]

Pan oedd Griffith tua 8 mlwydd oed agorodd y Parch. John Roberts ysgol ym Mrynrodyn a oedd yn cael ei chynnal bob yn ail dymor gydag ysgol debyg yn Llanllyfni. Cafodd Griffith a'i frawd William ychydig o addysg ym Mrynrodyn ond roedd yr arian yn brin a'u hangen yn ôl ar y tyddyn ym Meudy Isaf. Yn y cyfnod hwn hefyd agorwyd ysgol ym mhlwyf Llanwnda. Yn ffodus iawn roedd yr athro yn lletya ym Mrynbeddau ble roedd Ann Williams, chwaer ei fam, yn gweini. Anfonwyd Griffith yno ar neges i'w fodryb. Cafodd yntau geiniog gan yr ysgolfeistr am ddanfon y neges ynghyd ag anogaeth i brynu llyfr a dod i'r ysgol. Prysurodd adref a deud wrth ei rieni a'r canlyniad oedd iddo fynychu'r ysgol am bump neu chwe chwarter am hanner coron y chwarter. Agorwyd ysgol ddyddiol arall ym Mrynrodyn gan Elias Parry, a chafodd gyfnod yn yr ysgol hon am ddau chwarter yn unig. Er ei fod wedi dysgu darllen Saesneg yno nid oedd yn deall yr hyn a ddarllenai. Erbyn ei ben blwydd yn 9 oed ac ar ôl cyfnodau byr a digyswllt mewn ysgolion lleol, ni allai ei rieni fforddio ei addysgu ymhellach. Dod i weithio ar y tir gartref oedd ei dynged ac roedd pethau i waethygu.[26]

Roedd cynhaeaf gwael 1800 a 1801 yn golygu na allai ei rieni ei fwydo a'i gynnal. Unwaith eto bu aelod o'r teulu o gymorth. Anfonwyd ef i weithio ar fferm ei ewythr, Owen Gruffydd, Hafoty Wen, ond nid oedd yn derbyn unrhyw gyflog am y gwaith. Y telerau oedd cael ei fwyd a'i ddillad ac yno y bu am ddwy flynedd. Ei fwyd yn ystod y tymor oedd 'tatws, bara ceirch, bara haidd, llaeth enwyn ac ymenyn'.[27] Gweithiai gyda cheffylau, teilo ac aredig y tir ac i fachgen 'tyner a gwanaidd' roedd hyn yn waith caled iawn.[28] Byddai teuluoedd y ffermydd yn gwneud arian ychwanegol drwy gario llechi o chwareli'r Cilgwyn ym mhen uchaf y plwyf i lawr i'r arfordir, hyn mewn oes cyn dyfodiad y rheilffyrdd. Bu Griffith yn gwneud y gwaith hyn gan roi'r llechi mewn pynnau a chewyll a'u symud y tair milltir i lawr y llethrau i'r Foryd. Dadlwythid y llechi i gychod ar y Fenai i'w cludo i Gaernarfon ac yn nes ymlaen porthladd y dref oedd cyrchfan uniongyrchol y llwyth. Gwaith arall a ddaeth i'w ran ynghyd â nifer o blant eraill oedd dirisglo coed derw yng nghoed Tryfan i'r ysgwier, John Griffiths, am ddwy geiniog y dydd. Dyma ei gyflog ariannol cyntaf. Roedd angen y coed derw i wneud llongau rhyfel gan fod y wladwriaeth mewn rhyfeloedd cyson gyda Ffrainc. Roedd John Griffiths ei hun mewn trafferthion ariannol ac am wneud pob ymdrech i ddileu ei ddyledion.[29]

Truenus yw'r unig air i ddisgrifio profiad Griffith o fewn yr ysgolion ysbeidiol lleol. Ond er gwaethaf yr anhrefn addysgol roedd wedi dysgu darllen Cymraeg. Hanner canrif yn gynharach roedd Griffith Jones, Llanddowror wedi sefydlu ysgolion cylchynol drwy Gymru fel rhan o'r Eglwys i addysgu plant i ddarllen y Beibl a'r holwyddoreg Anglicanaidd. Roedd cynllun Griffith Jones yn cynnwys hyfforddi athrawon a disgwylid iddynt hyfforddi'r plant yn grefyddol a'u dysgu i ddarllen Cymraeg.[30] Pan fu'r sylfaenydd farw yn 1761 roedd 3,495 o ysgolion wedi eu sefydlu a dros 158,000 o ddisgyblion wedi cael addysg ynddynt mewn cyfnod o chwarter canrif; bu'r ymgyrch yn hwb mawr i grefydd ac i lythrennedd drwy Gymru.[31] Er bod yr ysgolion cylchynol yn edwino erbyn cyfnod Griffith roedd mudiad y Methodistiaid Calfinaidd yn gweld cyfle i gysylltu'r ysgolion gyda'r achosion Anghydffurfiol oedd yn codi yma a thraw. Drwy weledigaeth arweinwyr newydd fel Thomas Charles o'r Bala,[32] a ystyrir yn dad yr ysgol Sul, roedd dysgu darllen yn y Gymraeg yn cael ei ymestyn i'r capeli newydd a byddai miloedd eto yn cael mantais addysgol.

A dyna oedd y sefyllfa ym mhlwyf Llandwrog. Dysgodd Griffith ddarllen Cymraeg gan chwarelwr lleol, William Evans, gŵr i Jane chwaer ei fam, o'r Tyddyn Mawr, mewn ysgol yn gysylltiedig â chapel Brynrodyn, tua hanner milltir i lawr y llethrau o'i gartref. William Evans hefyd a'i dysgodd i ysgrifennu a datblygodd archwaeth at ddarllen ond wrth gwrs roedd llyfrau addas yn brin iawn. William Evans y chwarelwr oedd wedi agor drws addysg i'r bachgen gwantan ac roedd gan Griffith feddwl mawr ohono am hynny. Teimlai ddyled fawr i'w ewythr ar hyd ei oes ac ni fu'n brin o'i gynorthwyo mewn dulliau ymarferol, fel anfon dillad. Tybed a oedd William Evans, a fu'n weithgar gyda'r Methodistiaid drwy ei oes ac a ddewiswyd yn flaenor yn 1799 yn 26, yn gweld arwyddion a photensial addysgol Griffith yn y dyddiau cynnar hynny?

Capel a chrefydd

Dechrau ymsefydlu yn yr ardal yr oedd y Methodistiaid Calfinaidd yn ystod plentyndod Griffith. Datblygodd ffermdy Brynrodyn yn ganolfan i'r cyffro newydd ac yno y sefydlwyd capel Anghydffurfiol cyntaf y plwyf. Dechreuodd yr achos yn 1773 pan ddaeth Siôn ac Elizabeth Griffith o Lanllyfni i fyw i ffermdy Brynrodyn. Mae Hobley yn ei lyfr ar hanes Methodistiaeth Arfon yn disgrifio fel y bu i'r Methodistiaid Calfinaidd ymestyn yn raddol yn y rhan hon o'r sir gyda'r capeli cyntaf yng Nghlynnog (1761) a Llanllyfni (1771).[33] Mynychai nifer o blwyf Llandwrog yr oedfaon yn Llanllyfni a phan ddechreuodd yr achos ym Mrynrodyn roeddynt hwy ac aelodau eraill yn trosglwyddo yno. Ar y cychwyn roedd oedfaon yn cael eu cynnal mewn tai, ysguboriau ac yn yr awyr agored ond yn 1789 cafwyd tir i adeiladu capel bychan ar leoliad lle saif tŷ Bodarfyn heddiw. Nifer fechan o aelodau oedd gan y capel newydd ond llwyddwyd i glirio'r ddyled ar ôl wyth mlynedd. Yn ystod y ganrif nesaf byddai pum achos arall (Bwlan, Rhostryfan, Carmel, Brynrhos a Glanrhyd) wedi 'ymganghennu' o Frynrodyn.[34]

Roedd Mary, mam Griffith, yn mynychu oedfaon yn eglwys y plwyf cyn iddi gael profiad a'i harweiniodd i'r capel. Wrth iddi fynd i'r ffynnon un diwrnod i nôl dŵr clywodd rhywun yn galw ei henw ac roedd hynny'n ddirgelwch. Yn nes ymlaen yn ystod y nos cynhyrfodd dan weiddi: 'Dyma fi'n mynd i farw, a'm cyflwr yn ddrwg.' Roedd pawb yn y tŷ wedi cael eu deffro a phenderfynwyd y dylai Mary fynd i adrodd ei phrofiad i'r Seiat ym Mrynrodyn a chael heddwch meddwl.[35] Mae'n debyg fod pregethu'r Methodistiaid yn cael dylanwad pellgyrhaeddol ar nifer yn yr ardal ac roedd tröedigaeth ddramatig Mary yn ddylanwad mawr ar y teulu i gyd ac yn newid patrymau eu bywyd. Mae Hobley yn nodi fod Owen Dafydd a Mary Williams Beudy Isaf yn rhai o'r aelodau gwreiddiol ym Mrynrodyn.[36] Cyfeiria hefyd at Elinor Roberts, Bodgarad, chwaer Mary, a 'gyfrifid yn flaenffrwyth yr Efengyl yn y fro', gan ddod yn un o arweinwyr sefydlu achos Horeb Rhostryfan yn 1821 ar ôl cerdded milltiroedd am 30 mlynedd i gapel Brynrodyn cyn hynny. Mae'r wybodaeth hon am ddwy chwaer ddidwyll o gefndir gwerinol yn enghraifft dda o gyfraniad allweddol merched y cyfnod i ddatblygiad a thwf Methodistiaeth yng Nghymru.

Bu datblygiad yr achos ym Mrynrodyn yn ddylanwad pwysig ar Griffith ac o fantais iddo mewn nifer o ffyrdd. Erbyn 1790 roedd ysgol Sul wedi ei sefydlu yno yn cael ei chynnal gan Siôn Griffith, Ifan Siôn, Tyddyn Mawr ac Owen Parry, Groeslon-grugan. Dau o'r athrawon yn yr ysgol Sul oedd William Evans, mab Ifan Siôn, a John Parry, mab Owen Parry.[37] Roedd y ddau athro ifanc yn cynnal yr ysgol ar nosweithiau yn ystod y gaeaf yn unig a 'daethant i'r penderfyniad i ofyn caniatâd y frawdoliaeth i gael cynnal Ysgol ar y Sabboth, a rhwng bodd ac anfodd cafwyd eu cydsyniad … a gyda brwdfrydedd ac ynni a ymroesant i'r gwaith'.[38] Cyfeiriwyd eisoes at William Evans ond bu John Parry hefyd yn gyswllt pwysig i Griffith er iddo adael yr ardal yn

1793 a threulio'r rhan fwyaf o'i yrfa yn weinidog gyda'r Methodistiaid Calfinaidd yng Nghaer gan argraffu a chyhoeddi nifer o lyfrau. Un o'r rhain oedd *Rhodd Mam* yn 1811 a'r holwyddoreg hon fu 'maes cyntaf efrydiaeth gyfundrefnol i blant Cymru am dros gan mlynedd'.[39]

Yn y capel bychan ym Mrynrodyn y dechreuodd gyrfa addysgol brin a thameidiog Griffith Davies. Dysgu darllen i ddechrau er mwyn cael deall Beibl William Morgan a dysgu adnodau a phenodau ar ei gof. Yna ei drwytho mewn llyfrau eraill ac yn hyn i gyd William Evans oedd yn ei dywys. Roedd John Roberts, gyda'i ysgol yn Llanllyfni a Brynrodyn, yn ddylanwad pwysig hefyd gan weithredu fel 'bugail' i'r achos ym Mrynrodyn yn y blynyddoedd cynnar cyn symud i ardal Llangwm. Llwyddodd John Roberts, drwy ei gysylltiadau â Thomas Charles mae'n debyg, i gael Beiblau i'w rhannu drwy'r ardal. Newidiodd hyn fywydau'r gymuned leol mewn nifer o ffyrdd. Caed cyfle i ddarllen storïau'r Beibl, eu paratoi ar gyfer gwasanaethau yn y capel gan osod safonau i'w bywydau. Roedd y Beibl a'i ieithwedd yn dod yn rhan o'u hymadroddion ac roeddynt yn cael cyfle i ffurfio barn a'i fynegi'n rhydd.

Fel hyn mae Gwynedd Davies yn disgrifio dylanwad Methodistiaeth ar y teulu:

> Y tebyg yw bod Owen a Mary Dafydd wedi dod o dan ddylanwad y mudiad crefyddol yma fel yr oedd yn ennill tir yn y cylchoedd. Cawn eu bod fel rhieni yn teimlo eu cyfrifoldeb i ddwyn eu plant i fyny gyda phob gofal gan eu dysgu ar air a gweithred mewn rhinwedd a moes. Eu ffordd o ddysgu eu plant oedd trwy ymddiriedaeth – trafodent eu hamgylchiadau bydol a'u cyfrinachau yn eu presenoldeb gan eu cymryd megis eu cyfartal ar yr aelwyd.[40]

Ni wyddom sut roedd hyn yn gweithio'n ymarferol ac a oedd cydweithrediad yr hen blant gyda'r dull agored. Dichon fod Owen a Mary am iddynt ddeall fod cyfraniad pob un i waith y tyddyn yn bwysig a bod gwerthoedd teuluol yn cael eu cadarnhau yn rheolaidd drwy'r math hwn o gyfathrebu.

Roedd Brynrodyn gyda'r gwerthoedd a'r safonau oedd yn cael eu cyflwyno yno yn ganolog i fywyd cynnar Griffith ac roedd hefyd yn creu rhwydwaith newydd bwysig iddo. I'r achos Anghydffurfiol cyntaf hwn yn y plwyf y deuai darpar hoelion wyth y mudiad newydd gan ddechrau ar eu gyrfa a'u gwaith drwy bregethu, seiadu a gweinyddu'r egin enwad newydd. Mewn cyfarfod misol ar ddydd Nadolig 1794 ym Mrynrodyn y derbyniwyd John Elias yn un o brif bregethwyr Methodistiaeth. Rhaid oedd cael caniatâd y cyfarfod i gael yr hawl i esgyn i bulpud. Dyma fel mae un o'i gofianwyr yn disgrifio'r cyfweliad:

> Yr oedd cewri yng nghyfarfod misol Sir Gaernarfon yr adeg honno, sef Robert Jones, Rhoslan; Evan Richardson, Caernarfon; John a Robert Roberts, Llanllyfni; John Jones, Edeyrn &c. Yr oedd arswyd a braw wedi goddiweddyd y pregethwr ieuanc wrth sefyll o flaen y fath rai enwog. Holasant ef yn fanwl am ei argyhoeddiad o bechod, ei sefyllfa golledig, marw i'r ddeddf &c., ac am ei olygiadau ar drefn iachawdwriaeth. Bu rhai o'r hen frodyr yn bur llawdrwm arno … ond cafodd ei dderbyn … a rhoddwyd y rhyddid iddo i fyned i bregethu i'r lleoedd y gelwid ef iddynt.[41]

Brynrodyn felly oedd wedi rhoi cychwyn ar genhadaeth un o gewri'r pulpud Cymreig a rhoi addysg elfennol i un o brif fathemategwyr Cymru. Byddai llwybrau Griffith a'r rhai a enwyd yn y cyfarfod misol yn croesi yn aml yn ystod ei fywyd. Ym Mrynrodyn a'r aelwyd y rhoddwyd sylfaen i'w werthoedd fel yr oedd yn tyfu i fyny a bu'n driw i'r cefndir Anghydffurfiol hwn weddill ei fywyd. Bu Anghydffurfiaeth yn rym gwareiddiol i agor ei feddwl i fydoedd newydd a dylanwadol ond roedd hefyd yn rhoi ffiniau iddo – cyfuniad o ymestyn a chyfyngu. Ond, er hynny, yn blentyn difreintiedig a thlodaidd, o gefndir gwerinol, yr unig fyd newydd oedd yn ei ddisgwyl yn 1803 oedd dilyn ei dad a'i frawd a'i gyfoedion i fyny'r llethrau i'r chwarel.

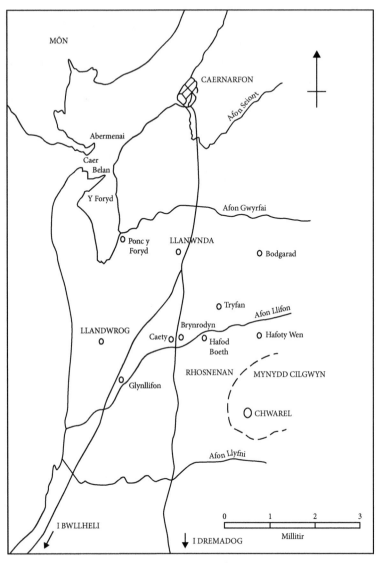

Ardal magwraeth Griffith Davies

2

Y CHWARELWR

Rhoi rhaw yn naear ddicra'r Cilgwyn noeth,
A phladur yn ei fyrwellt hafddydd poeth.

Thomas Parry[1]

G allwn ddychmygu Griffith wedi codi'n fore ar ei ddiwrnod cyntaf
i fynd i'r chwarel gyda:

> Y fasged bren o dan ei gesail
> A'r piser enwyn yn ddinam;
> A'r siaced lâs o frethyn cartref
> Wedi ei nyddu gan ei fam.[2]

Tybed beth oedd yn mynd drwy feddwl ei fam wrth ei weld gyda chlocsiau am ei draed a chap ar ei ben yn paratoi i fynd gyda'i dad a'i frawd William? Pryder am ei iechyd mewn gwaith mor arw a dieithr i blentyn gwantan? Beth petai'n cael anaf neu golli ei fywyd yn y gwaith peryglus oedd o'i flaen? A fyddai'n cael ei dderbyn gan ei gyd-weithwyr ac a fyddai'n cael eu cefnogaeth a'u croeso? Tybed ai mwy cydnaws â'i anian fyddai iddo geisio cael mwy o addysg ond o ble y daw'r arian ar gyfer hynny?

Mae'n debyg fod Griffith, ac yntau bellach yn 14 oed, eisiau gwneud ei gyfraniad i'r teulu fel arwydd pellach ei fod yn tyfu'n ddyn. Edrychai ymlaen at gychwyn gyda'i dad a'i frawd ar eu taith foreol o Feudy Isaf drwy Nant yr Hafod a'r llwybrau ar draws y rhostir a'r tir comin i fyny llethrau'r Cilgwyn. Roedd angen nerth ac ynni cyn dechrau diwrnod caled o waith. Byddai'n adnabod rhai o weithwyr y mân dyllau gan eu bod yn drigolion plwyf Llandwrog. Gyda'r cymdogion hyn am y blynyddoedd nesaf, rhwng 1803 a 1809, byddai'n datblygu sgiliau newydd yn y chwarel, rhoi cymorth i'r teulu yn y tyddyn a chynilo ychydig ar gyfer ei ddyfodol.

Gwaith yn y chwarel

Cychwynnodd weithio mewn chwarel oedd ar dir gyda phrydles cloddio gan John Wynn, mab Syr Thomas Wynn, Glynllifon. Yr ystâd hon oedd yn berchen tiroedd helaeth drwy ran ddeheuol sir Gaernarfon, ac ers 1745 roedd gan John Wynn brydles ar holl fwynfeydd copr, alcam, plwm, cerrig, llechi a chalch ym mhlwyf Llandwrog ac wyth o blwyfi eraill ymhell ac agos. Copr ac alcam oedd ei brif flaenoriaeth. Roedd galw sylweddol am gopr gyda Mynydd Parys ym Môn yn datblygu yn un o brif ffynonellau'r mwyn yn y cyfnod. Nid oedd cloddio am lechi yn mynd i ddod ag elw ym marn John Wynn a dyna pam na ddatblygwyd chwarel y Cilgwyn yn ei ddyddiau ef. Prydles am 25 mlynedd oedd gan John Wynn ond oherwydd 'llacrwydd gweinyddol gan y swyddogion gwladol' bu'r brydles ganddo am fwy na'r tymor gosodedig.[3]

Ers 1762 roedd nifer o fân dyllau ar ochr Dyffryn Nantlle i Fynydd y Cilgwyn a cheir tystiolaeth mai'r chwarel hon yw'r hynaf yng Nghymru.[4] Teuluoedd a phartneriaid oedd y chwarelwyr cynnar hyn gydag ychydig iawn o offer – ebill, trosol, morthwyl, caib, rhaw a berfa – ac anaml y byddent yn defnyddio powdwr i saethu'r graig. Tynnu cerrig yn rhydd â throsol a wnaent ond buan iawn y daeth angen am gloddio'n ddyfnach. Dros amser roedd y mân dyllau wrth ddyfnhau yn cael enw – Garthen, Clogwyn Coch, Limerick (am yr arferid allforio'r llechi i'r Iwerddon), yr Hen Gilgwyn, y Faen Goch, Cloddfa Bach, Cloddfa Ddwfr a'r Gloddfa Glytiau, ac mae rhai o'r mân dyllau eraill yn cael eu rhestru gan Richards.[5]

Yn un o'r mân dyllau hyn y dechreuodd Griffith ar ei brentisiaeth fel chwarelwr. Rhaid oedd iddo ymgyfarwyddo â'r dulliau gweithio ac offer gwahanol iawn i'r rhai oedd eu hangen i drin y tir a'r anifeiliaid gartref. Disgrifia John Williams Rhostryfan ei brofiad o ddechrau gweithio yn Chwarel y Fraich rhwng Moel Tryfan a'r Cilgwyn mewn cyfnod diweddarach:

> Rybelwr oedd pob bachgen i gychwyn sef un yn dibynnu'n hollol ar y dynion eraill am gerrig i'w hollti, ac a geffid am gyflawni mân negesau a dyletswyddau i'r dynion. Disgwylid i fachgen ddal sylw ac ymarfer orau y gallai mewn hollti a naddu, er iddo ddinistrio a difetha mwy nag a enillai am rai misoedd. Dysgai wrth ymarfer a sylwi, a deuai'n raddol ddeheuig, i ddeall medr y llaw a chywirdeb y llygad, ansawdd y maen a natur ei hollt. Yr oedd dysgu naddu, sef torri'r llechi'n sgwâr i'r gwahanol faint a mesur, yn gofyn llawer iawn o ymarfer ac amynedd, a chymerai tua blwyddyn i ddysgu naddu'n hylaw.[6]

Prentisiaeth debyg gafodd Griffith wrth gychwyn yn y chwarel a mympwyol oedd y tâl. Roedd yn dibynnu ar haelioni'r chwarelwyr a wasanaethai a'r rhain yn rhoi darn o lechen (clwt) am bob cymwynas a wneid. Sut un oedd y gweithiwr newydd? Yn ôl Gwynedd Davies 'enillodd barch a ffafr ei gydweithwyr trwy ei barodrwydd i wneud mân gymwynasau a'i ufudd-dod parod yn enwedig i'r gweithwyr hynaf'.[7] Byddai ei dad mae'n debyg ar gychwyn ei brentisiaeth yn rhoi cymorth iddo naddu'r llechi ar bnawn Sadwrn.[8] Dros amser, fel roedd yn datblygu a chael profiad yn y gwaith, byddai ei effeithiolrwydd yn codi i lefel chwarelwr profiadol. Ymhen blynyddoedd byddai'n cael ei gynnwys yn y fargen, sef grŵp gwaith o ychydig o chwarelwyr a fyddai'n cael eu cytundebu am fis o weithio mewn rhan benodol o'r chwarel a chael eu talu am y llechi gorffenedig. Ond nid dyna'r drefn pan gychwynnodd yn y chwarel yn 1803.

Y drefn leol oedd i ychydig o weithwyr ymuno fel partneriaid i weithio twll neu le bychan eu hunain ac nid gweithio i gwmni. Yn gyffredinol teuluoedd fyddai'r partneriaid a'r rhan fwyaf ohonynt yn denantiaid i ystâd Glynllifon a gyda chytundeb y stad byddent yn cael rhyddid i weithio yn y Cilgwyn, gan dalu i'r sgweier y swm o rôt y pen y flwyddyn fel ardreth.[9] Byddai'r partneriaid yn gweithio a gwerthu'r llechi eu hunain ac yn y cyfnod hwnnw roeddynt yn cynhyrchu maint 'double Bach', sef 12 modfedd wrth 6 a 10 modfedd wrth 5. Roedd llechi'r Cilgwyn yn rhai rhagorol – 'yn rhywiog, sidanaidd a gwawr goch iddynt'.[10] Os byddai i ddyn wneud cant o'r cyfryw mewn undydd byddai wedi cael diwrnod buddiol. Llogid llafur ychwanegol gan rai partneriaid i'w cynorthwyo ac fel hyn mae Gilbert Williams yn disgrifio'r sefyllfa: 'Amrywiai rhif y cymerwyr o dymor i dymor, ac amrywiai rhif eu llafurwyr o fis i fis. Perthyn i ddosbarth y llafurwyr oedd y rhan fwyaf … ac nid yw'n hawdd penderfynu faint oedd eu nifer yn gyffredin.'[11] Ni wyddom a oedd y gwahanol bartneriaid yn gweithio'r holl fân dyllau ar unwaith neu a oeddent yn ymateb i gytundeb a chais am lechi penodol. Mewn tywydd garw ac yn nyfnder y gaeaf byddai cloddio am lechi ar ochr y mynydd yn waith caled iawn. Mewn tymhorau eraill dichon fod galwadau cynaeafu a dyletswyddau eraill ar fferm a thyddyn yn amharu ar y cynhyrchu.

Byddai'r llechi yn y cyfnod cyn 1826 yn cael eu cario i lawr y llethrau mewn cewyll bob ochr i ful neu geffyl i draeth y Foryd ac yna mewn cwch i Gaernarfon.[12] Roedd Griffith yn gyfarwydd iawn â'r gyfundrefn gludiant cyn dechrau ei waith yn y chwarel ac wrth i'r diwydiant ddatblygu defnyddid troliau. Byddai'r drefn hon yn sicrhau ychwanegiad gwerthfawr i incwm yr amaethwyr ond roedd llechi'n cael eu hysgwyd ar y daith, gan dorri ac arwain at golledion ac roedd trafferthion hefyd gyda chael pris teilwng i'r chwarelwyr unigol am y cynnyrch. Byddai Griffith y rybelwr hefyd yn clywed ei dad yn sgwrsio gyda'r chwarelwyr eraill am y datblygiadau a'r newidiadau mawr oedd ar droed. Mewn ardaloedd eraill y stadau mawr oedd yn datblygu'r chwareli – y Penrhyn yn Nyffryn Ogwen, y Faenol yn Ninorwig a'r Oakley ym Mlaenau Ffestiniog.[13] Ond beth oedd yn mynd i ddigwydd yn y Cilgwyn?

Gwelodd cwmni lleol gyfle ac ar ôl sicrhau'r hawl i gloddio

nid oedd llacrwydd yn eu nodweddu. Arweinydd y bartneriaeth uchelgeisiol oedd John Evans, cyfreithiwr ym Mhorth yr Aur, Caernarfon, â'i wreiddiau yn Nhalymignedd yn Nyffryn Nantlle. Nid partneriaid yn gweithio'n annibynnol a mympwyol oedd cynllun John Evans a'i gyd-fuddsoddwyr. Roeddent am osod trefn newydd drwy gyflogi'r gweithwyr yn uniongyrchol ar amodau ffafriol i'r cyflogwr, cynyddu cynnyrch a chael trefn ar symud y llechi i'r porthladd. O gael yr un drefn yn y Cilgwyn fel yn ardaloedd eraill y gogledd-orllewin gellid gwneud elw sylweddol. Dyna oedd holl bwrpas y bartneriaeth newydd.[14]

Nid oedd newidiadau o'r fath yn cael eu derbyn gan bawb. Roedd rhai o'r chwarelwyr yn herio hawl Evans i weithio'r chwarel a bu anghydfod am nifer o flynyddoedd.[15] Ond roedd y cwmni newydd am symud ymlaen a dyma'r cyfnod pryd y bu gwario ar ddatblygu'r chwarel gan gynyddu nifer y gweithwyr. Adeiladwyd ffyrdd haearn a chael wagenni i gario'r llechi a'r rwbel. Agorwyd twneli i gysylltu rhai o'r tyllau (lefel yw term y chwarelwyr am hyn). Datblygwyd celfi newydd o bob math ar gyfer technegau newydd i'r gwaith gan roi cychwyn ar gyfnod gwahanol yn hanes y Cilgwyn.[16] Roedd Evans a'i griw am greu marchnadoedd newydd i'r llechi gan ddefnyddio porthladdoedd lleol i symud y cynnyrch i wahanol rannau o ynysoedd Prydain ac yn y man i borthladdoedd ar y cyfandir ac ymhellach. Roedd y diwydiant yn datblygu a chreu swyddi amrywiol mewn peirianneg, masnach, trafnidiaeth ar dir a môr. Byddai'r tri o Feudy Isaf ac eraill yn gorfod ystyried yn ofalus sut i ymateb i'r heriau newydd hyn.

Mwy o addysg

Gadael y chwarel oedd penderfyniad Griffith. Ar ôl tair blynedd yn rybelwr ac yntau'n 17 oed roedd wedi arbed digon o arian i gael ychydig mwy o addysg. Byddai'r teulu yn adnabod ysgolfeistr yng Nghaernarfon o'r enw Evan Richardson, un o sefydlwyr Methodistiaeth yn y dref a phregethwr cyson ym mhulpud Brynrodyn. Roedd cerdded o Feudy Isaf i'r dref yn daith o tua deng milltir yn ddyddiol a threfnwyd i Griffith fynychu'r ysgol a chael lletya'n ystod yr wythnos gyda gwraig Wesleaidd dduwiol gywir ei ffyrdd. Mawr oedd ei edmygedd ohoni.[17]

Ar ôl blynyddoedd yn y chwarel roedd yn gam mawr iddo fynd yn ôl i'r dosbarth. Yn ysgol Evan Richardson y dechreuodd ei addysg ffurfiol. Yma yn llencyn ifanc y dysgodd am y tro cyntaf egwyddorion tablau rhifo. Ar ôl tri mis yn yr ysgol daeth yn gyfarwydd â holl systemau elfennol rhifyddeg ac er na chafodd ei gyflwyno i egwyddorion gramadeg yr iaith, gwnaeth gynnydd sylweddol mewn sillafu, darllen ac ysgrifennu yn y Saesneg. Roedd ei alluoedd mewn mathemateg yn rhyfeddu ei athro, ei gyd-fyfyrwyr ac mae'n debyg Griffith ei hun. Darganfu fydoedd newydd, dulliau gwahanol o feddwl a chyfarfod â phobl a fu'n ddylanwad mawr arno ar hyd ei oes.

Sefydlodd Evan Richards yr ysgol ddyddiol yn 1787 gan bregethu ar y Sul a nosweithiau o'r wythnos. Fel un o arweinwyr y Methodistiaid Calfinaidd datblygodd gapel cyntaf yr enwad yn y dref.[18] Bu'n byw mewn tŷ yng ngwaelod Penrallt Deheuol ac yno roedd yr ysgol cyn symud i Danyrallt.[19] Yn sicr, roedd cael ysgol gydag enw da yn hwb i dref Caernarfon a gwnaeth ei gyd-Galfiniaid ddefnydd helaeth o'r ddarpariaeth, gan greu cenhedlaeth newydd o arweinyddion i'r enwad. Gwnaeth rhai o'r cyn-ddisgyblion gyfraniad sylweddol mewn nifer o gylchoedd – John Elias, Michael Roberts, John Parry, Robert Ddu Eryri a Hugh Owen – ac wrth gwrs Griffith Davies. Agorwyd meddwl Griffith mewn mwy nag un ffordd drwy'r profiadau a gafodd yng Nghaernarfon.

Unwaith eto ni allwn ond rhagdybio union natur cwricwlwm yr ysgol. Yn ychwanegol at ddod yn weddol gyfarwydd mewn Saesneg a rhifyddeg byddai'r disgyblion yn debygol iawn yn cael eu trwytho mewn Calfiniaeth a'u dysgu i fod yn deyrngar i'r brenin a'r wladwriaeth. Rhaid hefyd oedd iddynt osgoi bod yn wrth-Eglwysig fel rhai o'r enwadau Anghydffurfiol eraill. Bu'r daliadau hyn yn sicr o gael eu herio gan rai o'r disgyblion oedd yn gweld gwendidau'r drefn fydol ac efallai wedi clywed am ryddid a chwyldro yn yr Unol Daleithiau a Ffrainc. Byddai diwinyddiaeth yn faes trafod y tu allan i'r cwricwlwm, ond tybed a gafodd y disgyblion eu cyflwyno i Ladin a Groeg a hefyd trigonometreg, cadw cyfrifon, mesur tir ac agweddau cymhwysol eraill o fathemateg?

Byddai'r math hwn o gwricwlwm yn cyfuno theori a chymhwyso wedi bod at ddant Griffith. Roedd yn berson ymarferol iawn. Yn ôl Barlow, 'he manifested considerable acuteness and ingenuity in the manufacture of various articles of ornament and utility', a dywed William Methusalem Jones ei fod yn gwneud llwyau, rhai pren mae'n debyg, basgedi ac yn gweu menig Ffrengig – y rhain yn ychwanegol i gerfio llechi oedd yn weithgaredd hamdden poblogaidd yn yr ardal.[20] Ymhen blynyddoedd byddai'n defnyddio'r sgiliau cerfio hyn hefyd ac yn derbyn clod am ei ddyfeisgarwch.

Yn fuan iawn roedd y celc a gronnwyd i dalu am yr addysg yn rhedeg allan. Ar ddiwedd ei gyfnod yn ysgol Evan Richardson gwyddai'r ysgolfeistr ei fod yn delio gyda disgybl galluog iawn a dywedodd wrtho'n fawrfrydig, 'Griffith, mae hynny o wybodaeth sydd gennyf wedi ei drosglwyddo i ti'[21] ac fel hyn mae Robert Hughes yn adrodd y stori:

Wedi bod ychydig fisoedd
O dan athraw goreu'r Sir,
D'wedai'r hybarch hen Weinidog, –
'Griffith! – rhaid i'm ddweyd y gwir;
Nid gwiw i chwi aros yma,
Ni allaf fi eich gwneyd yn well,
Mewn Rhifyddiaeth, yn enwedig,
'Rydych o fy mlaen yn mhell.'[22]

Gwyddai Richardson hefyd am aberth a chost yr addysg i Griffith a'i deulu. Ar ôl gadael yr ysgol ni fu Griffith yn ddieithr a byddai'n troi i mewn i'r ysgol yn rheolaidd yn y blynyddoedd i ddod. Bellach, rhaid oedd mynd yn ôl i'r chwarel gyda'i dad a'i frawd ac i fyd oedd yn parhau i newid.

Yn ôl i'r Cilgwyn

Dychwelodd i'r chwarel gyda hyder newydd. Roedd wedi gweld bydoedd rhyfeddol ac yn enwedig mewn mathemateg. Mae'r bardd Deiniolfryn (W. J. Hughes, Clwt y Bont) mewn erthygl hirfaith yn clodfori bywyd Griffith Davies yn *Y Genhinen* yn 1897 ac yn ei osod fel esiampl i ddarllenwyr oherwydd ei ymdrech.

> Dychwelodd i'r gloddfa i 'rybela', hwyrach, neu i fod yn 'jermon', ond nid un i gardota a gwasanaethu yr ydoedd ef, – un i fod yn frenin – un i deyrnasu; a Rhifyddiaeth oedd ei deyrnas, ac Ymdrech oedd i roddi y goron ar ei ben. Tra yn y chwarel yr adeg hon, anhawdd oedd ei berswadio i wneud undim ond rhifyddu. Credai ei gyd-weithwyr fod ei feddwl wedi ei amharu. Felly; hwyrach na fedrai ddim naddu cymaint a 'charreg fain' yn y 'sgwâr', heb sôn am wneud 'llechen gron' ar 'bot llaeth Cadw' ei fam; ond medrai ddywedy yn ddiatreg pa sawl modfedd betryal oedd arwynebedd y 'llechen gron' honno, a pha sawl troedfedd sylweddol o laeth oedd yn y pot hirgrwn hwnnw ar bentan diaddurn y Beudy Isaf. Ofnai ei dad mai lleban mawr, llywaeth, gwirion, a fyddai, drwy ystod ei oes.[23]

Nid oedd angen i Owen Dafydd bryderu. Tra oedd ei fab yn ymarfer a pherffeithio ei ddawn roedd yn gosod sylfaen i'w yrfa mewn mathemateg yn y blynyddoedd i ddod.

Ac roedd y chwarel yn lle delfrydol i ymarfer yn ystod awr ginio neu gyfnod o seibiant a'r llechi o gwmpas yn hwylus i ysgrifennu arnynt gyda darn o hoelen. Roedd y gweithgarwch newydd yn destun syndod, difyrrwch a phryfocio gan ei gyd-chwarelwyr am gyfnod. Roedd un ohonynt, Griffith Hughes, Ty'n-y-mynydd, gwerinwr anllythrennog ac uniaith Gymraeg, wrth wylio'r ymarferiadau cyson yn gwrando ar Griffith yn adrodd yn y Saesneg 'so many down and carry one' ac yn deud 'ie machgen i, dyna hi, *one over*, da machgen'.[24]

Mae'n amlwg fod y diddordeb a'r cyfeillgarwch wedi creu argraff ar Griffith gan i Barlow ymhelaethu a chyfeirio at 'a good-hearted and kind old Welshman' wrth ddisgrifio Griffith Hughes. Gŵr newydd fynd heibio ei hanner cant oedd y cefnogwr selog ar y pryd yn 'ymddiddori mewn athrylith yn ei hegin a chalonogi bachgen mewn dyddiau na freuddwydia neb o'i gyfoeswyr fod dyfodol mor ddisglair yn ei aros'.[25] Dyna eiriau Gilbert Williams yn 1938 ar ôl iddo olrhain hanes Griffith Hughes o blwyf Llanwnda drwy gofnodion eglwysig. Bu farw Griffith Hughes, Ty'n-y-mynydd ar 20 Medi 1814 yn 59 oed ac mae'r cof am y porthi a'r gefnogaeth i Griffith yn aros.

Roedd addysg wedi cydio ac yn ystod nosweithiau'r gaeaf astudiai gydag 'ymroddiad a dyfalgarwch'.[26] Roedd hefyd, tra'n gweithio yn y chwarel, yn gwneud ei ran fel athro ifanc yn yr ysgol Sul ym Mrynrodyn gan roi cymorth i William Evans i ddysgu'r ardalwyr i ddarllen. Yr ysgol Sul agorodd ddrws addysg iddo a'r un sefydliad a roes y profiad cyntaf iddo fel athro. Roedd astudio'r Ysgrythurau mor fanwl hefyd yn gwella safon y Gymraeg gyda'r ymadroddion beiblaidd yn dod yn rhan o'r iaith lafar.

Os oedd tangnefedd yn y capel nid felly'r sefyllfa yn y chwarel gyda'r perchnogion newydd, ac roedd yr holl ansefydlogrwydd yn effeithio'n uniongyrchol ar Griffith a'r teulu i gyd. Fel hyn mae Glaslyn, chwarelwr arall, yn adrodd yr hanes:

Roedd tad Mr Davies yn gweithio yn y Cilgwyn ar y pryd ynghyd a phartneriaid eraill dan yr un gyfundrefn, sef ar droed eu hunain yn hollol, bron ar yr un llinellau a phe buasent yn codi mawn, neu ro, neu gerrig. Ni wnai yr un o'r criwiau yma ymostwng yr un geiniog, ond cawsant eu herlid gymaint a'u hambygio mewn pob dull a modd gan y Cwmni hwn, nes y torrwyd eu calonau i ragddarparu dim, na chario ymlaen y pethau angenrheidiol megis clirio y rwbel fel yr aeth y criwiau y naill ar ôl y llall i chwilio am waith i leoedd eraill. Aeth Owen Dafydd ei dad, a'i frawd hynaf William ac ymunasent a chriw mewn bargen ar ochr yr Hafod-las (Nantlle) ond arhosodd Mr Davies gyda'r Cwmni newydd yn Chwarel y Cilgwyn a chawsai 6d y dydd o gyflog ond ni fu'n hir heb ymuno a'i dad a'i frawd yn ochr y Fod-las, er mwyn perffeithio ei hunan yn chwarelwr.[27]

Roedd y cwmni newydd yn y Cilgwyn yn achosi trafferthion i'r drefn draddodiadol ac o ganlyniad gwell oedd i deulu Beudy Isaf roi eu hwyau mewn mwy nag un fasged.

Ymhen ychydig roedd y fargen yn yr Hafod-las yn mynd yn anodd ac aeth y tri yn ôl i'r Cilgwyn ac i ran o'r mynydd oedd heb ei hawlio gan y cwmni newydd. Am gyfnod bu iddynt gynhyrchu llawer o lechi a gwneud arian da ond daeth newid byd eto gan iddynt gael eu twyllo gan gapten llong. Roeddynt fel teulu wedi gwerthu 20–25 tunnell o lechi iddo ond ni chafwyd tâl amdanynt. Bu'r holl waith caled yn cloddio, naddu a symud y llechi yn ofer. Y canlyniad oedd i Owen Dafydd a'i ddau fab fynd i weithio i chwarel arall – Penybryn (Cloddfa'r Lon yn lleol) i lawr y llethrau i Ddyffryn Nantlle a'r perchennog oedd dyn o'r enw William Turner o Gaernarfon.[28]

Gweinyddu a datrys problemau

Roedd y tri yn ffodus fod digon o waith i chwarelwyr yn lleol ond buan y cafodd Griffith ei dynnu yn achlysurol o'r gwaith caled gyda'r llechi gan Turner. Gwelodd goruchwylwyr y chwarel fod Griffith yn un hwylus i wneud cyfrifon, i weithio allan y taliadau am bob bargen yn y chwarel a thalu'r timau'n fisol am eu gwaith. Daeth y gweinyddu cyllidol hyn ag arian poced ychwanegol gwerthfawr i Griffith, a datblygodd drefn leol i sicrhau fod pawb o'r partneriaid mewn bargen yn cael eu talu'n deg os oedd un ohonynt yn absennol o'r chwarel. Cyn hynny byddai chwarelwyr diwyd, anllythrennog a diniwed yn cael eu twyllo gan anrhefn a diffyg proses: rhyw fath o amcangyfrif yn olynol (*successive approximation*) oedd yn cael ei ddefnyddio. Fel hyn mae William Methusalem Jones yn disgrifio'r sefyllfa:

> Hen gyfundrefn ag y bu cryn helynt, ac aml i gweryl a drwg deimlad rhwng yna byddai y sawl a fyddai wedi 'colli' yn rhoi yn ôl at y £1 gweddill partneriaid a'i gilydd yn y chwarelau oedd yr hyn a elwid yn 'ddal coll'. Yr hen ddull fyddai i'r criwiau 'setlo' yn un o dafarnau'r ardal megis Llanllyfni, Dolydd Byrion ac yn enwedig tre Caernarfon, ar ddiwedd y

mis. Tybier fod y cyfanswm yn £25 ac i'w rannu rhwng criw o wyth ond fel y digwyddai byddai rhywun neu rai wedi 'colli' stem neu ddwy a'r dull oedd rhoi dywedir £3 i bob un i ddechrau a rhannu y rhai hynny drachefn, yr hyn fyddai fel rheol yn gam a'r 'collwr' a byddai yr arian yn mynd 'rhwng y cŵn a'r brain am ddiod' – dull pen agored ac anhêg iawn.[29]

Dyma sut mae Barlow yn disgrifio dull syml ac effeithiol Griffith:

[he] added together the sum to be divided and the charge for the number of days absent, dividing this by the number of partners and paying each the share so deduced, less the amount of deduction to which he might be liable, and this method with one operation showed the amount due to each partner.[30]

Roedd ei sgiliau mathemategol yn destun rhyfeddod i'w gyd-chwarelwyr a'r cyflogwr, er bod rhai, mewn anwybodaeth, yn amau cywirdeb y dull newydd. Ysgol arall i wella ei rifyddeg oedd y chwarel i Griffith.

Penderfyniadau

Roedd angen newid y sefyllfa gyllidol gartref hefyd. Y drefn gan Owen Dafydd oedd i'w feibion roi eu cyfran hwy o'r fargen iddo a byddai'r tad yn rhoi digon o bres poced iddynt. Pan fyddent yn cael gini yn bres poced gan eu tad i fynd i Gaernarfon i fwynhau eu hunain byddai'n eu cynghori i ymddwyn yn anrhydeddus ac na ddylent wario'r arian oni bai bod 'amgylchiadau neilltuol yn galw am hynny … am iddynt gymryd gofal … a pha beth bynnag wneloch na ffola ferch am na welais neb ohonynt a wna yn llwyddo'.[31] Ni wyddom a fu bechgyn Beudy Isaf yn ufudd i'r cynghorion ond roeddent yn sylwi fod eu cyfeillion yn y chwarel yn cael trin a thrafod eu cyflog eu hunain a thalu adref am eu bwyd. Cyn hir cytunodd eu tad i'r trefniant newydd a bu i'r ddau dalu 4s 6d (neu 22.5c heddiw) yn wythnosol i'w rhieni.

Digwyddodd dau amgylchiad yn y cyfnod hwn a ddylanwadodd yn fawr ar Griffith, un yn y chwarel a'r llall yn ymwneud â'i iechyd. Wrth fynd i fyny ochr craig yn y chwarel un diwrnod llithrodd ond gafaelodd mewn glaswellt gerllaw ac arbed syrthio i'r dyfnderoedd ble byddai wedi ei glwyfo'n ddrwg neu ei ladd. Bu hefyd yn wael iawn gyda theiffws a bu oedi cyn galw'r meddyg oherwydd diffyg arian. Afiechyd tlodi a newyn fu'r teiffws ar hyd y blynyddoedd ac ychydig a fyddai'n gwella.[32] Yn dilyn cyfnod hir o lesgedd cafodd adferiad iechyd ond cyn gwella'n iawn apeliodd y stiward arno i ddychwelyd i'r chwarel i roi trefn ar y cyfrifon. Er na allai brin gerdded ac mewn gwendid mentrodd yn ôl i roi cymorth. Roedd y ddau brofiad yn dangos pa mor frau oedd edau bywyd ac yn arwain Griffith i roi pwyslais mawr ar grefydd a'r bywyd ysbrydol. Holodd ei hun a oedd rhagluniaeth wedi ei arbed ddwywaith ac i ba bwrpas?

Ar ôl dod yn ôl i'r chwarel daeth Griffith i'r casgliad fod yn rhaid iddo wella ei Saesneg ymhellach. Sylwodd fel roedd y rhai â chrap go dda ar yr iaith fain yn cael swyddi gwell. Ai ei dynged oedd gweithio ym mheryglon y chwarel gan roi ychydig gymorth i'w deulu ym Meudy Isaf, neu a oedd yn bosib iddo wella ei hun drwy ddod yn rhugl yn y Saesneg ac o bosib gadael cartref am gyfnod? Nid oedd modd ganddo na'r teulu i dalu am fwy o addysg ond roedd yn benderfynol i wella ei amgylchiadau. Ond sut ac ymhle oedd y cwestiynau. Nid oedd symud i ran arall o Gymru yn opsiwn. Yn ôl cyfrifiad 1801 dim ond tair tref – Abertawe, Caerfyrddin a Merthyr – oedd â phoblogaeth dros bum mil o bobl. Yn y cyfnod hwn nid oedd gan Gymru ei phrifddinas na sefydliadau cenedlaethol o unrhyw fath. Byddai ei meibion disglair yn chwilio am addysg yn Llundain, Rhydychen a Chaergrawnt ac yn dilyn hynny, 'nid oedd ond tair swydd frethyn yr adeg honno a pherthynai'r rhain i'r eglwys, i'r gyfraith ac i'r gwasanaethau cyhoeddus, ac fel rheol, eiddo meibion yr uchelwyr oedd y swyddi hyn'.[33] Cyfle gwael oedd i werinwr ac Anghydffurfiwr fel Griffith ddod yn frethyn. Beth felly oedd y ffordd ymlaen iddo?

Cyfeiria Barlow mai Dulyn neu Lundain oedd yn cael eu hystyried ganddo fel lleoliadau gwaith i wella ei Saesneg.[34] Roedd galw mawr am lechi toi yn y ddwy ddinas a llawer o fynd a dod o borthladd Gaernarfon. Byddai wedi siarad am y dinasoedd hyn gyda'i gydnabod yn ysgol Evan Richardson a gyda chapteiniaid a chriwiau'r llongau. Roedd gan rai o'i gyd-Fethodistiaid gysylltiadau yn Llundain ac yn enwedig Thomas Charles o'r Bala a oedd wedi galw ym Mrynrodyn nifer o weithiau. Byddai gadael cartref yn anodd ac yn lleihau incwm y teulu. Roedd ei dad hefyd yn ei atgoffa mai dim ond porthmyn, milwyr neu longwyr a fyddai oddi cartref am gyfnod ac nid gweithwyr cyffredin. Penderfynodd Griffith mai Llundain fyddai ei ddewis gorau ond beth fyddai ei rieni a'i deulu yn ei feddwl a sut fyddai'n mynd yno?

Wrth drafod y mater ar yr aelwyd roedd ei rieni yn wrthwynebus iawn ac yn amheus o'i fwriadau gan weld colled fawr ar ei ôl yn y tyddyn. Beth oedd pwynt mentro i fyd dieithr ac ansicr i ddysgu iaith nad oeddynt yn ei siarad gartref? Onid oedd y daith i Lundain ar y tir yn ddrud a thrafferthus? Bu trafod mawr. Gwyddai ei rieni y byddent yn gwneud cam â Griffith drwy atal ei gynlluniau a chydsynio'n anfoddog a wnaethant.[35]

Gadael cartref

Cyn meddwl am adael cartref rhaid oedd cyflawni hyfforddiant milwrol i baratoi ar gyfer brwydro yn erbyn Ffrainc. Ymosododd y Ffrancwyr ar Iwerddon yn 1796 a 1798 ac yng Nghymru yn 1797, ac roedd pryderon fod mwy o ymosodiadau i ddod a rhaid oedd paratoi.[36] Pasiwyd Deddf Milisia 1801 i gynyddu'r fyddin a gorfodi gwasanaeth milwrol. Yn dilyn recriwtio ym Môn a sir Gaernarfon bu cynnydd mawr yn rhifau'r Ffiwsilwyr Brenhinol Cymreig gyda chatrawd y sir (Caernarvonshire Regiment) yn gwasanaethu ar arfordir de Lloegr. Yn 1808 gorymdeithiodd mwy o filwyr lleol yr holl ffordd o Fangor i Plymouth i ymuno â hwy.[37]

Yn ystod gaeaf 1808 ymunodd Griffith gyda'r milisia lleol ac yn dilyn ymarferion ysbeidiol treuliodd bythefnos yn ymarfer yn ystod Mehefin 1809. Ar ôl hyn roedd yn rhydd am flwyddyn. Ni fu raid iddo orymdeithio i Plymouth nac ymuno gyda'r *home guard* a ddefnyddiai'r ceiri lleol i ymarfer. Roedd y rhain (Caer Belan, ger y Foryd, a Williamsburg yn fwy i'r tir) wedi'u hadeiladu gan Syr Thomas Wynn, Arglwydd Newborough, Glynllifon, ac ef hefyd oedd yn cyllido a chynnal y Loyal Newborough Volunteer Infantry. Digon o waith bod Griffith wedi ymddiddori yng ngweithgareddau milwrol na chymdeithasol y ddwy gaer.[38] Nid oedd Griffith chwaith mewn sefyllfa i brynu ei ffordd allan o'r orfodaeth filwrol, fel yr oedd yn gyfreithiol i wneud. Yn dilyn yr ymarferiadau byddai ganddo dystiolaeth ysgrifenedig ar gyfer unrhyw aelod o'r presgangiau a fyddai'n gweithredu yn Llundain ond mater arall oedd sut i gyrraedd y ddinas fawr bell.

Mantais fawr iddo fu ei adnabyddiaeth o gapten un o'r llongau a gludai lechi o Gaernarfon i Lundain. Cafodd addewid am fordaith rad gan y capten caredig pan ddelai cyfle ond golygai hynny wythnosau o aros.[39] Wrth ddisgwyl treuliodd ychydig wythnosau yn ysgol Evan Richardson yn y dref a gweld drosto'i hun brysurdeb cynyddol y porthladd. Tref yn datblygu yn sgil y galw am lechi oedd Caernarfon ac yn y cyfnod rhwng 1801 a 1831 cynyddodd poblogaeth y dref o 4,000 i 10,000.[40] Gyda Phorth Penrhyn, Y Felinheli a Phorthmadog datblygodd y dref yn un o brif borthladdoedd allforio llechi.[41] O ganlyniad roedd galw am ddynion fel criw i'r llongau a gyda thwf y diwydiant llechi roedd angen seiri i adeiladu llongau. Yn ystod y cyfnod 1770 i 1890 adeiladwyd 203 o longau yng Nghaernarfon yn unig, o slŵp fach tua 7 tunnell i longau mwy o gwmpas 400 tunnell, a'r cyfanswm dros y cyfnod yn 12,600 tunnell o longau.[42] Roedd bwrlwm a ffyniant yn y porthladd gyda masnachwyr yn manteisio ar y cyfleoedd.[43]

Menter oedd mordaith Griffith i Lundain hefyd. Beth pe byddai'n cyfarfod llynges neu ysbeilwyr Ffrengig ar y daith? Byddai wedi clywed am golledion ar y môr ac am y tywydd garw, ond gwyddai fod y llongau a adeiledid ar gyfer cario llechi yn neilltuol o gryf oherwydd y pwysau aruthrol oedd yn erbyn eu hystlysau ar ôl eu llwytho. Rhaid oedd mynd ymlaen yn hyderus gan wynebu'r heriau niferus. Dydd Mercher, 6 Medi 1809, cododd yn fore a cherdded i Gaernarfon a rhoi ei becyn ar fwrdd y llong. Gafaelodd yn dynn yn y llythyrau cyflwyno, ei arian a dogfennau allweddol ar gyfer ei fywyd newydd. Roedd eisoes wedi cael ffarwelion niferus a diffuant gan ei deulu, ei gyd-weithwyr yn y chwarel, ei gymdogion a'r gynulleidfa ym Mrynrodyn. Daeth rhai o ddisgyblion Evan Richardson draw i ganu'n iach iddo ac ar y llanw gadawodd y llong harbwr Caernarfon gan lithro'n araf o afon Seiont i'r Fenai ac yna i gyfeiriad Abermenai.

3

I LUNDAIN A DYSGU

Dyma'r man lle mae pob llithriad a hudiadau yn
cyd-gyfarfod – afrifed wrthddrychau gorhynod
annesgrifiadwy yn barod i ddallu y llygaid; y cnawd, yn
ei holl rannau, wedi ei arwisgo mewn aur a gemau, a'i
arwynebol wychder a'i brydferthwch yn ddigon bron
i siglo seiliau moesoldeb, a'i daflu'n bendramwnwgl i
ddiddymder.

Robert Owen (Eryron Gwyllt Walia)[1]

Wrth hwylio drwy'r agorfa gul i'r môr rhwng Abermenai a
Chaer Belan byddai Griffith Davies yn gweld ardal ei febyd –
poncen Dinas Dinlle i lawr yr arfordir, llethrau cyfarwydd y Cilgwyn
a mynyddoedd Eryri yn y cefndir. Pa bryd tybed y byddai'n gweld yr
hen ardal eto a beth fyddai ei hynt erbyn hynny? Edrychai ymlaen
at ei fywyd newydd yn Llundain. Gwnaeth addewid i'w rieni y
byddai'n dychwelyd i'w gynefin ar ôl dysgu Saesneg yn iawn. Yn y
cyfamser roedd dyddiau ansicr o'i flaen ar fwrdd llong fechan oedd
yn drwmlwythog o lechi.

Nid oedd y fordaith i Lundain yn ddieithr i'r capten gan fod
y fasnach lechi wedi datblygu ar ddechrau'r bedwaredd ganrif ar
bymtheg. Hwyliodd 45 llong o borthladdoedd sir Gaernarfon
(sef Caernarfon a Phorth Penrhyn yn bennaf) i Lundain yn

1808, ac ymhen ychydig flynyddoedd yn 1810 a 1813 roedd y galw am lechi yn Llundain i doi adeiladau yn fwy nag y gallai'r chwareli eu cynhyrchu.² Nid oes gennym dystiolaeth glir am enw a pherchnogaeth y llong y bu'n hwylio arni i Lundain. Tybed ai un o longau cwmni'r Cilgwyn ydoedd? Yn aml y capten oedd y perchennog neu gyda mwyafrif y 64 o gyfranranddaliadau (y ffordd draddodiadol a chyfreithlon o gofrestru perchnogaeth llongau), a byddai masnachwyr lleol hefyd yn buddsoddi ac yn prynu cyfranddaliadau. Nid cwmni mawr o'r tu allan a ddarparai arian i adeiladu a rigio'r llongau, felly, ond yn hytrach buddsoddiadau gan ddynion cyffredin lleol o bob cefndir fyddai wedi cynilo i fuddsoddi mewn un neu fwy o'r 64 cyfranddaliad. Yn nes ymlaen yn y ganrif cymerodd ugeiniau o chwarelwyr gyfranddaliadau mewn llongau a chael mantais ychwanegol o'r diwydiant ar ben eu cyflog o'r chwarel. Nid oedd arweinwyr y Methodistiaid Calfinaidd ar ei hôl hi chwaith. Roedd gan John Elias fuddsoddiad mewn nifer o longau sir Gaernarfon a hefyd John Jones, Talysarn, Evan Richardson ac ymhen blynyddoedd i ddod Griffith Davies ei hun.³

Hwyliodd y llong i'r de-orllewin gan ddilyn arfordir Llŷn ac yna ar draws Bae Ceredigion i gyfeiriad sir Benfro. Byddai'n gweld o'r môr lle glaniodd llynges Ffrainc – Carregwastad, Abergwaun ar 22 Chwefror 1797 – a roes ias o arswyd drwy'r deyrnas. Ddeuddeng mlynedd yn ddiweddarach roedd yr ofn wedi cilio ychydig a nifer yn sylweddoli mai ffârs oedd y bennod mewn gwirionedd. Ar ôl buddugoliaeth llynges Prydain ym mrwydr Trafalgar yn 1805 roedd y môr yn fwy diogel a'r fasnach lechi wedi dechrau ffynnu er bod pump o longau sir Gaernarfon wedi eu dal (herwlongwriaeth) gan y Ffrancod rhwng 1805 a 1814.⁴ Roedd bygythiad y Ffrancwyr yn aros, eu hysbeilwyr yn ymosod ar longau Prydeinig a'r llynges yn methu goruchwylio pob rhan o'r arfordir.

Bygythiad arall ddaeth i'w ran wrth i'r llong hwylio i'r de oedd y gwyntoedd cryfion o'r gorllewin. Bu'r slŵp fechan ar drugaredd y moroedd am oriau lawer a Griffith ei hun yn dioddef o salwch môr. Yn ystod y storm a'r salwch daeth trychineb i'w ran. Collodd dros fwrdd y llong i'r môr ei lyfr poced a'i bapurau, oedd yn cynnwys cyfeiriadau yn Llundain a nifer o lythyrau cyflwyno. Yn eu mysg roedd tystysgrif gan swyddog yn y gatrawd yng Nghaernarfon yn cadarnhau ei fod wedi cyflawni ei wasanaeth milwrol ac yn dystiolaeth o hynny pe byddai'n cael ei herio gan y presgangiau. Yng nghanol yr argyfwng hwn ei unig gysur oedd bod ei arian yn dal ganddo, ond am weddill y daith trodd ei obeithion cychwynnol yn gymysgfa o anobaith, iselder a phryder. Roedd y cymylau duon yn aros wedi i'r storm gilio.

Cyrraedd Llundain

Ar y daith, hwyliodd y llong i Spithead, darn o'r Solent rhwng Ynys Wyth a Portsmouth, i'w thywys mewn confoi o 40 o longau gan y llynges a'i diogelu rhag ymosodiadau gan ysbeilwyr a herwlongau Ffrengig.[5] Ar ôl naw diwrnod anghysurus a diflas ar y môr, fore Gwener, 15 Medi 1809, hwyliodd y llong fechan i fyny afon Tafwys o aber yr afon. Roedd diwedd y daith o'i flaen a'r byd newydd yn ymddangos. Rhyfeddai at ysblander adeiladau Greenwich gyda'r Arsyllfa Frenhinol ar y llethr ac yna o'u blaen i fyny'r afon cadeirlan Sant Paul – creadigaeth arall gan Syr Christopher Wren. Roedd Anglicaniaeth Llundain yn datgan ei bŵer a'i rym ar raddfa lawer mwy nag eglwys Llandwrog. Ac roedd y porthladd yn anferth gyda llongau o bob rhan o'r byd a channoedd wedi angori ar yr afon. Yn 1809 roedd porthladd Caernarfon yn brysur gyda 50 o longau cyfwerth â 2,713 tunnell wedi cofrestru yno a dros ddau gant o longwyr yn cael eu cyflogi, ond roedd porthladd Llundain ar raddfa lawer iawn mwy ac yn ferw o longau.[6] Porthladd Llundain oedd canolbwynt 65 y cant o holl fasnach y wlad gan gyfateb yn 1792 i fewnforion gwerth £17.9 miliwn ac allforion gwerth £23.7 miliwn.[7] Dadlwythid rhai llongau i gychod llai ac eraill yn cael lle mewn cei. Erbyn 1809 roedd Dociau India'r Gorllewin wedi eu datblygu i dderbyn llongau o Tsieina a'r Dwyrain Pell a byddai'r porthladd yn ymestyn ymhellach eto yn ystod y bedwaredd ganrif ar bymtheg.

Yn ddirybudd, wrth i'r llong hwylio i fyny'r Tafwys daeth mintai'r presgang ar ei bwrdd. Nid oedd gan Griffith, yn dilyn colli'r papurau, unrhyw brawf dogfennol ei fod wedi cwblhau ei wasanaeth milwrol cyn cychwyn. Pe byddent yn ei ddal, ei orfodi i ymuno â'r llynges yn syth fyddai ei dynged. Cuddiwyd Griffith mewn cilfach o dan wely'r capten yn ystod yr archwiliad gan y fintai a chafodd ei arbed. Dihangfa bwysig oedd hon neu fe fyddai cwrs ei fywyd wedi bod yn wahanol iawn.

Ar ôl i'r llong ddod i'r porthladd, roedd asiant a masnachwr llechi yn cymryd cyfrifoldeb am ddadlwytho'r llong a hynny mewn mater o ddyddiau, neu fyddai angen tâl iawn (*demurrage*) am bob diwrnod dros yr amser cytunedig. Ni wyddom union leoliad dadlwytho'r cargo o Gaernarfon er bod cyfeiriad yn yr Universal British Directory am longau llechi yn docio yn Pickle Herring Wharf, ar draws y Tafwys o Dŵr Llundain.[8] Drwy gydol cyfnod y llong yn y porthladd rhaid oedd i'r capten neu rai o'r criw aros ar y llong yn barhaol i warchod rhag y lladron afon niferus ac i gydymffurfio â'r rheoliadau ac osgoi cosb.

Byddai glanio a chael ei draed ar dir sych yn Llundain gyda'r holl bobl a bwrlwm wedi bod yn sioc anferth i Griffith. Miloedd ar filoedd o bobl fel morgrug ac yntau'n adnabod neb. Drwy garedigrwydd y capten a Griffith heb deulu na chysylltiad yn y ddinas cafodd aros ar y llong am ychydig ddyddiau yn ystod y dadlwytho a'r llwytho. Roedd y capten yn warchodol iawn ohono mewn nifer o ffyrdd eraill hefyd gan ei dywys o amgylch rhai o strydoedd y ddinas fawr, ei gynghori a cheisio bod o gymorth iddo gael gwaith.

Er ei fod wedi colli ei bapurau ar y fordaith roedd ganddo hanner gini yn rhodd gan ffermwr o blwyf Llanwnda i'w nai oedd yn gynorthwyydd mewn ysgol yn Cambridge Heath, Hackney Road, tua tair milltir o afon Tafwys. Daeth o hyd i'r ysgol a cheisio egluro ei neges wrth y wraig a ddaeth i'r drws. Sylwodd hithau ar swildod, diffyg hyder a Saesneg bratiog Griffith a galwodd ar Gymro oedd yn gweithio yn yr ysgol i ddelio gyda'r ymwelydd annisgwyl. Cafodd yntau sgwrs a chynghorion gan ei gyd-wladwr wrth ddanfon yr hanner gini. Y prif gyngor a gafodd oedd y dylai geisio cael swydd fel tywysydd mewn ysgol, sef cynorthwyydd i athro neu brifathro, yn y nifer o ysgolion oedd wedi eu sefydlu yn y ddinas. Rhaid oedd deall ac ystyried y cyngor gwerthfawr ac ar ôl y sgwrs hon roedd ei gamau'n fwy hyderus a siriol ar ei ffordd yn ôl i'r llong. Byddai cael gwaith addas yn hwb enfawr i'w obeithion a'i uchelgais.

Ymhen ychydig ddyddiau roedd yn amser i'r capten a'i long hwylio am adref. Weithiau byddai llong o'r fath yn cymryd cargo i borthladdoedd eraill yn hytrach na dychwelyd yn syth i Gaernarfon. Mae David Thomas yn cyfeirio at y brig *Y Fanny* (gyda David Hughes yn gapten) yn 1802 yn teithio o Gaernarfon i Lundain gyda llechi ac yna o Ipswich i Lerpwl, o Lerpwl i Lundain cyn dod adref.[9] Byddai llongau eraill yn masnachu'n fwy rheolaidd ac yn gyfyngedig i'r daith rhwng Llundain a Chaernarfon. Roedd mantais i'r ddau ddull a cheir llu o enghreifftiau o bosteri a hysbysebion yn y papurau newydd yn gwahodd cargo a theithwyr i fynd a dod o Gaernarfon. Gwyddai Griffith leoliad llongau Caernarfon ar y Tafwys ac os byddai angen gallai fynd adref.

Yr wythnosau cyntaf

Roedd ei brofiadau cyntaf yn Llundain yn debyg i brofiadau mewnfudwr ym mhob oes – dim cysylltiadau, dim incwm, dim ffrindiau a theulu, yr iaith yn ddieithr a'r acenion amrywiol yn anodd eu deall. Roedd ei ddillad yn syml a gwladaidd a'i esgidiau wedi gwisgo'n arw. Nid oedd yn deall y diwylliant dinesig ac roedd lefel y cyfoeth a'r tlodi yn ei syfrdanu. Roedd yn adnabod y mwyafrif o drigolion plwyf Llandwrog ond neb yn Llundain. Am faint y gallai aros yno heb arian ychwanegol i'w gynnal a thalu am lety a bwyd? Ai doeth oedd dod i'r fath fwrlwm ac yntau fel adyn digyfeiriad yno? Heb waith byddai'n darged hawdd i'r presgang hollbresennol. Roedd yn ddiniwed, dinod a dihyder; sut y gallai oroesi yno gyda'r nodweddion hyn? Profodd siom, unigrwydd, iselder ac anobaith yn yr wythnosau cyntaf hyn ond drwy'r cwbl bu mwy nag un yn garedig a chymwynasgar wrtho.

Gweithredodd ar gyngor ei gyd-wladwr o Cambridge Heath gan gofrestru mewn ysgol gyda'r gobaith y câi swydd fel tywysydd ar ôl y Nadolig. Ond yn yr ysgol gyntaf nid oedd yn gallu gwneud pen na chynffon o ramadeg Saesneg a gadawodd i fynd i ysgol arall gyda'r un canlyniad yno ac yna i drydedd ysgol. Nid oedd y dulliau dysgu wedi eu haddasu i berson gyda Saesneg yn ail iaith! Ceir cyfeiriad gan Barlow iddo gyfarfod gŵr o'r enw Westbrook yn Westminster oedd efallai wedi cael yr un profiad â Griffith neu o leiaf yn cydymdeimlo â'i sefyllfa.[10] Y cymwynaswr hwn a luniodd hysbyseb ar ei ran i'w gadael gydag argraffwyr a ddefnyddid gan ysgolion lleol. Cais am waith oedd yr hysbyseb ac yn wir daeth nifer o ymatebion yn dilyn y cymorth gan Westbrook.

Cafodd wahoddiad am gyfweliad mewn tŷ moethus yn Hammersmith ar ddydd ac awr benodedig ac aeth yno. Yn ddihyder a gwangalon ofnai na fyddai'n llwyddo. Nid yr agwedd orau ar gyfer cyfweliad. Ni welodd o'r blaen y fath gyfoeth a chrandrwydd mewn tŷ a bu hyn yn dolc pellach i'w hunanhyder. Teimlai'n israddol wrth gael ei hebrwng gan un o'r morynion i ystafell a chyn hir daeth yr ysgolfeistr i mewn, ei wallt wedi'i bowdro a'i holl ymarweddiad o'i gorun i'w sawdl yn ddatganiad o hyder ac awdurdod. Mewn cyferbyniad llwyr safai Griffith yno'n dlodaidd a nerfus. Er ei fod wedi cael croeso boneddigaidd a chwrtais ni allai Griffith feddwl yn glir ac aeth yn dywyllwch arno. Methodd ag ateb ond ychydig o'r cwestiynau a hynny mewn Saesneg bratiog. Roedd ganddo gywilydd o'r methiant yn y cyfweliad ac ar ei ffordd ar draws y parc yn ôl i'w lety yn Westminster wylodd yn hidl, wedi llwyr dorri ei galon. Roedd ei arian yn prysur redeg allan. A oedd unrhyw bwrpas aros yn Llundain ar ben ei hun gyda'r holl anfanteision? Yn y ddinas greulon a didrugaredd roedd ei obeithion yn deilchion.

Roedd profiadau eraill yn ei lethu hefyd.[11] Byddai'n galw i mewn i dafarn y Five Pipes yn Pickle Herring Lower Wharf, Tooley Street, Southwark St John, nifer o weithiau gyda'r capten o Gaernarfon, ac yr oedd wedi dod i adnabod y tafarnwr a'i wraig, Mr a Mrs Ford.[12] Un diwrnod galwodd i mewn a gofyn i Mrs Ford am bapur, inc ac ysgrifbin i ysgrifennu llythyr i'w rieni ym Meudy Isaf. Cymerodd y dynion yn yr ystafell diddordeb mawr ynddo, canmol ei ddawn ysgrifennu a dechrau ei holi. Gwelodd y dafarnwraig beth oedd yn mynd ymlaen a galw ar Griffith gyda'r neges fod rhywun eisiau ei weld yn y cefn. Yno dywedodd wrtho mai aelodau o'r presgang oedd yn ei holi. Gadawodd Griffith ar frys – ei ail ddihangfa o grafangau'r gorfodwyr milwrol.

Dro arall roedd yn talu am fwyd mewn 'tŷ te' gan ddefnyddio papur punt. Aeth y perchennog yn wallgof gan fod arian papur wedi dibrisio a metelau gwerthfawr mewn galw ar y cyfandir. Nid oedd ganddo newid i swm mor fawr o arian a galwodd Griffith yn bob enw. Ymyrrodd gŵr bonheddig a chymryd punt Griffith gan ddeud y gallai ef gael newid iddo. Daeth yn ôl gyda'r newid mewn arian man gan siarsio Griffith i beidio ag ymddiried mewn dieithriaid gan y gallai golli ei arian i gyd. Roedd y profiadau hyn yn dangos caledi bywyd yn y ddinas ac eto caredigrwydd annisgwyl unigolion a gymerai drugaredd arno yn ei aml argyfyngau.

Treuliodd ddiwrnodau'n chwilio am waith fel negesydd neu gludwr ond na oedd yr ymateb ym mhobman. Un diwrnod daeth yn ôl i'w lety ac roedd llythyr gan ysgolfeistr o'r enw Rainalls o academi yn Islington Road yn ei wahodd i fynd yno i'w gyfarfod. Roedd yn benderfynol i wneud gwell cyfrif ohono'i hun y tro hwn ac felly y bu. Cyflogwyd ef fel tiwtor rhifyddeg yn yr ysgol ar gyflog o £20 y flwyddyn a hefyd ei fwyd a'i lety. Dyma ei gyfle mawr i symud ymlaen ar ddechrau blwyddyn newydd ac yn Ionawr 1810, ar ôl tri mis a hanner o chwilio am waith yn Llundain, roedd y rhod yn dechrau troi.

Dysgu

Yn ysgol Rainalls dysgu rhifyddeg ac agweddau eraill o fathemateg oedd ei waith – y math o gwricwlwm oedd yn gyfarwydd iawn iddo o'i ddyddiau yn ysgol Evan Richardson yng Nghaernarfon. Yn ei amser rhydd roedd yn canolbwyntio ar wella ei Saesneg a datblygu ei wybodaeth o fathemateg ymhellach. Roedd seryddiaeth hefyd yn mynd â'i fryd ac roedd llyfr gan James Ferguson, y seryddwr Albanaidd, ar gael yn yr ysgol. Ynddo roedd rheolau ar gyfer gweithio allan nifer o symudiadau seryddol. Cawn dystiolaeth fod

Griffith, o ganlyniad, wedi gweithio allan sut i ragfynegi diffygion ar yr haul a'r lleuad ac i'w hegluro gyda darluniau.[13] Roedd hefyd yn gwerthfawrogi caredigrwydd Mrs Rainalls, a fyddai'n aml yn cadw ei swper pe digwyddai fod yn hwyr yn dod yn ôl o'r capel.

Gan fod ei ymarweddiad yn dlodaidd a'i barabl yn glogyrnaidd yn yr iaith fain, roedd yn gyff gwawd a thestun difyrrwch i'w ddisgyblion hyderus a heriol. Faint tybed oedd yr athro newydd hwn yn ei ddeall o rifyddeg? Rhoesant brawf iddo yn syth drwy ofyn am atebion rhai problemau anodd iddynt hwy. Mae Jonas Holbut, un o'r disgyblion, oedd wedi bod yn anhapus gyda safon y dysgu mathemategol gan athrawon eraill, wedi sôn wrth ei dad, 'Oh father, we have got a teacher, such a rum un, a Welshman; he can hardly speak any English at all; but he'll do, though, we have tried him.'[14] Roedd gallu mathemategol Griffith yn cael ei gydnabod yn gynnil gan y disgyblion ac o'r diwedd roedd ganddynt athro ifanc abl a dirodres oedd yn ennyn eu parch. Ymhen amser cafodd Jonas Holbut ganiatâd ei dad i wahodd yr athro newydd i de.

Er ei fod bellach mewn gwaith roedd cysgod y presgang yn aros o hyd ac roedd yn ofynnol iddo dreulio amser eto gyda'r milisia lleol yng Nghaernarfon yn ystod Mehefin 1810 a chael tystysgrif gyfredol. Ceisiodd ganiatâd i wneud y dyletswyddau milwrol yn Llundain drwy fynd i weld cyrnol y milisia yng Nghaernarfon, neb llai na Thomas Assheton Smith, perchennog ystâd y Faenol, arglwydd raglaw'r sir ac Aelod Seneddol bwrdeistref Andover. Dyma'r gŵr oedd newydd gymryd perchnogaeth o 2,000 o aceri o dir comin plwyf Llanddeiniolen. Gwrthodwyd y cais ac nid oes unrhyw dystiolaeth o'r cyfarfod hwn yn Llundain. Gyda chymeradwyaeth Mr Rainalls felly mewn tystlythyr hael i'w rieni dychwelodd Griffith Davies adref i gyflawni ei wasanaeth milwrol gyda'r addewid pe bai'n dod yn ôl ymhen mis y byddai ei gyflog yn codi i £30 y flwyddyn.[15] Ni wyddom sut daith a gafodd ar y llong o'r Tafwys i'r Seiont ond byddai wedi edrych ymlaen yn eiddgar i weld ei deulu a'i gydnabod yn yr hen ardal a chael dweud ei hanes – yr helyntion a'r llwyddiant. Ar ôl blwyddyn yn Llundain roedd wedi cael gwaith dysgu ac mae'n debyg fod ei Saesneg wedi gwella hefyd.

Y Gymdeithas Fathemategol

Byddai mynd i'r oedfaon ym Mrynrodyn tra gartref wedi ei atgoffa mai yno y dechreuodd ddarllen ac mai yng Nghaernarfon y cafodd addysg elfennol. Yn Llundain fodd bynnag roedd manteision addysgol helaethach a chyfle i gyfarfod pobl o gyffelyb fryd. Roedd wedi ymaelodi, yn fuan ar ôl cyrraedd Llundain, gyda chymdeithas a fyddai'n allweddol yn ei ddatblygiad fel mathemategydd – y Gymdeithas Fathemategol oedd yn cyfarfod yn Crispin Street, Spitalfields. Yma cafodd ddarllen llyfrau'r llyfrgell a bu'r aelodau o gymorth mawr iddo mewn nifer o ffyrdd. Mewn trafodaeth a sgwrs roedd haearn yn hogi haearn a byd newydd yn ymddangos. Byddai wedi bod yn amhosib cael adnodd a chyfeillach o'r fath yn ardal Caernarfon.

Ffurfiwyd nifer o gymdeithasau mathemategol yn Llundain yn ystod y ddeunawfed a'r bedwaredd ganrif ar bymtheg ac un o'r rhain oedd yn Spitalfields. Caed diddordeb brwd yn y pwnc am ei fod yn allweddol yn natblygiad mordwyaeth, seryddiaeth, peirianneg, bancio, busnes – meysydd oedd yn sylfaen twf economaidd ac ymerodrol gwladwriaeth Prydain Fawr ac Iwerddon. I eraill nid defnyddioldeb mathemateg oedd yn eu denu ond chwilfrydedd deallusol a'r cyfle i ymestyn gorwelion. Sefydlwyd Cymdeithas Fathemategol Spitalfields gan Joseph Middleton yn 1717 a bu'n cyfarfod am flynyddoedd yn nhafarndai'r brifddinas cyn symud yn 1793 i adeilad hen gapel yr Hugenotiaid yn Crispin Street. Yn wir, ar gyfer y gwehyddion Calfinaidd hyn o Ffrainc y sefydlwyd y gymdeithas yn wreiddiol ond gyda threigl amser roedd yr aelodaeth yn cynnwys amrywiaeth helaeth o alwedigaethau a chefndiroedd.[16] Mae'r gymdeithas hon yn enghraifft nodedig o addysg oedolion gwerthfawr ac unigryw'r cyfnod.

Byddai Griffith wedi manteisio ar ddarlithoedd cyhoeddus y gymdeithas oedd yn cael eu cynnal yn achlysurol i drafod mathemateg a hefyd ymestyn diddordeb yr aelodau mewn pynciau gwyddonol fel mecaneg, hydrostateg, niwmateg, trydan a magneteg, seryddiaeth ac opteg a phwnc gyda'r teitl 'Tan' – yr hen enw ar gemeg. Er mor eang y darlithoedd roedd rheolau'r gymdeithas, dogfen 74 tudalen, yn fwy cyfyng. Gwaharddwyd darlithio neu drafod crefydd, gwleidyddiaeth a phynciau dadleuol. Roedd rheolau diddorol eraill yn manylu ar nifer yr aelodau (sgwâr 8, h.y. 64), y dydd a'r oriau cyfarfod (nos Sadwrn rhwng 7 a 10 o'r gloch) a dirwy o 1s. os yw'r aelod yn tarfu ar dawelwch yr awr gyntaf, yn rhegi, melltithio neu'n betio.[17] Rhaid oedd i bob aelod ateb cwestiwn mathemategol yn achlysurol neu dalu dirwy o 2d.[18] Yn y cyfnod cyn symud i Crispin Street roedd croeso i'r aelodau smocio a llymeitian. Mae Cassels yn dyfynnu'r mathemategydd Augustus De Morgan – 'each man has his pipe, his pot and his problem' – addysg y tair P.[19]

Wrth i'r gymdeithas ddatblygu addaswyd y rheolau i fod yn gydnaws â chriw mwy syber a bu gwella ar yr adnoddau. Yn y cyngapel, roedd ystafell i gyfarfod ac un arall i bwyllgora, llyfrgell gyda dros 4,000 o lyfrau, mapiau ac offer o bob math – microsgopau, pympiau, llithriwliau, globau, ac yn y blaen. Llywydd y gymdeithas yng nghyfnod Griffith oedd John Crossley, Efrogwr oedd yn gynorthwyydd yn yr Arsyllfa Frenhinol yn Greenwich. Daeth Griffith i'w adnabod yn dda a hefyd aelodau eraill a chwaraeodd ran amlwg yn ei yrfa ymhen blynyddoedd – George Dollond, Benjamin Gompertz, William Henry Smyth a James John Downes. Roedd y gymdeithas wedi tyfu yn fagwrfa i fathemategwyr. Yn y cyfnod roedd crefftwyr dwyrain Llundain oedd am hunanaddysgu yn cyfarfod â rhai oedd mewn swyddi proffesiynol fel cyfreithwyr, meddygon, masnachwyr ac athrawon. Trafod a dysgu mathemateg a gwyddoniaeth oedd y tir cyffredin rhyngddynt. Yma y cyfarfu Griffith fathemategwyr dylanwadol a dod i'w hadnabod fel unigolion. Roedd y darlithoedd ynddynt eu hunain yn addysg unigryw ac roedd y llyfrgell yn drysorfa. Yn ôl Barlow, byddai Griffith yn dweud yn aml fod llyfrgell helaeth y gymdeithas wedi dod â manteision anfesuradwy iddo a hawdd deall hynny o gymharu gydag adnoddau prin ei ysgol yn Llundain.[20]

Newid byd

Yn ôl yn academi Rainalls roedd ei gytundeb yn dod i ben yn haf 1811 a rhaid oedd iddo ddod i benderfyniad am ei ddyfodol. Cafodd wybodaeth gan ddyn o'r enw Mr Birt, oedd yn ysgolfeistr yn ardal Barbican o'r ddinas, fod ystafell ddysgu mewn croglofft yn James Street, Old Street, yn wag ac ar rent rhesymol. Awgrymodd y dylai sefydlu ei ysgol ei hun yno. Roedd Birt hefyd gyda bwriadau eraill i'r fenter newydd gan ei fod am i'w ddau fab gael eu haddysgu gan Griffith. Plant tlodion y ddinas, nifer ohonynt yn Iddewon, oedd yn mynychu'r ysgol ac yn talu 6d i 1s. yr wythnos am yr addysg. Rhaid felly oedd cael niferoedd i wneud bywoliaeth. Ni wyddom beth oedd cwricwlwm yr ysgol a sut oedd yr athro ifanc yn cadw trefn, sicrhau cynnydd ac annog a chynnal y gweiniad heb sôn am ddelio gyda'r amrywiaeth gallu.

Mae'n rhaid ei fod yn athro gydag enw da neu ni fyddai'n denu disgyblion; roedd digon o gystadleuaeth mewn dinas fawr. Ymddengys fod ganddo'r ddawn i egluro'n amyneddgar a chlir agweddau o fathemateg i'r rhai oedd ddim yn deall a hwythau'n holi'r athro yn hyderus ac o ganlyniad yn gwneud cynnydd. Yr unig un o'r cyn-ddisgyblion y ceir tystiolaeth bendant amdano yw John Evans, gŵr ifanc a gerddodd o Flaenplwyf i Lundain. Bu'n ffodus i oroesi ac fe'i haddysgwyd mewn mathemateg a seryddiaeth gan Griffith. Aeth y disgybl disglair yn ôl i Geredigion a sefydlu ysgol fasnachol a mathemategol yn Aberystwyth.[21] Yn ychwanegol i fathemateg roedd John Evans hefyd yn trwytho'i ddisgyblion mewn addysg grefyddol gan ddefnyddio holwyddoreg Isaac Watts, yr emynydd Saesneg.[22] Bu'r ysgolhaig Lewis Edwards yn yr ysgol hon a chyfeiriodd at John Evans fel:

> un o'r dynion a wnaeth fwyaf o'i ôl fel athro yn Sir Aberteifi, ac i ryw raddau ar siroedd eraill … Yr oedd y mater bob amser yn eglur iddo, ac nid ymfodlonai ar ddeall yr hyn a ddywedir gan awdur, ond mynnai olrhain ei ymresymiad hyd at eu gwreiddiau.[23]

Roedd dylanwad Griffith yn drwm iawn ar John Evans mewn nifer o ffyrdd.

Bu'r fenter newydd yn James Street yn llwyddiant ac ar ôl blwyddyn o ddysgu mentrodd Griffith ymhellach gan symud i dŷ sylweddol ei faint yn 8 Lizard Street, Bartholomew Square, St Luke's. Yn ystod haf 1812 daeth Margaret ei chwaer draw i Lundain i gadw tŷ iddo am gyfnod. Dilynodd y disgyblion i'r lleoliad newydd ac roedd llewyrch ar waith mathemategol yr ysgol. Roedd Mr Rainalls hefyd yn awyddus iddo barhau i roi ychydig o wersi preifat yn ei academi yntau.

Mae Barlow yn cyfeirio'n gynnil, mewn ieithwedd sy'n dangos anghyfartaledd yr oes, at ddatblygiad pwysig arall ym mywyd ei ewythr yn ystod 1812: 'in the month of November he thought his prospects justified his taking a wife'.[24] Roedd eisoes wedi cyfarfod â Mary Holbut ddwy flynedd cyn hyn yn dilyn gwahoddiad i'w chartref am de gan Jonas Holbut, ei brawd a chyn-ddisgybl yn ysgol Rainalls. Teiliwr oedd Samuel Holbut, y tad, o ran proffesiwn, ac yn byw gydag Elizabeth Peplow, ei wraig, yn King Street, Compton Street a'r ddau yn Fedyddwyr selog. Ymddengys fod Mary wyth mlynedd yn hŷn na Griffith, wedi ei geni ar 6 Gorffennaf 1780.[25] Byddai, mae'n debyg, wedi gofyn i'w thad am ganiatâd i briodi Mary. Rhaid oedd i Griffith fod yn ofalus wrth ddewis gwraig gan y byddai 'ieuo'n anghymharus â un o'r byd' (hynny yw, priodi gydag aelod o enwad esgymun, o grefydd arall neu yn ddigrefydd) yn mynd yn groes i reolau'r Methodistiaid Calfinaidd ers 1794.[26] Nid oes unrhyw dystiolaeth o gefnogaeth faterol gan yr Holbutiaid na chwaith unrhyw gymeradwyaeth o Griffith iddynt gan weinidog neu deulu. Dechreuodd y ddau ar fywyd priodasol ar 11 Tachwedd 1812. Byddai Mary o gymorth i gefnogi gwaith a chyfrifoldebau'i gŵr a byddai ei Saesneg yntau yn gwella'n sylweddol drwy fod yn ei chwmni; er hynny, oherwydd prinder arian roedd bywyd yn anodd iawn iddynt ar y cychwyn.

Ganed Mary, merch i'r ddau ifanc yn Hydref 1813 ac yn eu llawenydd roeddynt yn sylweddoli eu cyfrifoldebau newydd i gael dau ben llinyn ynghyd. Deuai cyfnod o lewyrch ac yna amser anoddach yn ariannol gyda rhai disgyblion yn gadael yr ysgol yn y groglofft gan gwyno am gyflwr y stryd ddi-balmant a mwdlyd. Lleihau incwm oedd canlyniad yr ymadawiadau hyn ac yn aml byddai'r teulu bach yn brin o fwyd. Roedd ganddynt forwyn oedd yn rhoi cymorth i Mary a bu'n rhaid ei diswyddo oherwydd diffyg arian i'w thalu. Am gyfnod bu Catherine, chwaer arall i Griffith, yn treulio amser yn Llundain ar eu cais ac yn rhoi cymorth i'r teulu. Doedd Llundain ddim y lle gorau i fyw ynddo mewn cyfnodau anodd ac yn Chwefror 1814 roedd y gaeaf mor oer nes i afon Tafwys rewi'n glep. Yn nes ymlaen yn y flwyddyn bu farw Samuel Holbut, tad Mary, ac nid oedd wedi gwneud unrhyw drefniadau ar gyfer ei weddw. Syrthiodd y baich o'i chynnal am weddill ei bywyd felly ar ei mab Jonas a'i mab-yng-nghyfraith. Baich y gallai Griffith wneud hebddo, ond gwnaeth ei ddyletswydd.

Ymhen blwyddyn yn Nhachwedd 1815 ganed Elizabeth eu hail ferch a cheir dau hanesyn teuluol amdani sy'n dangos ei hannibyniaeth barn a'i gwreiddioldeb. Un tro wrth i Mary ei chwaer a hithau fynd drwy un o gwestiynau'r holwyddoreg – o beth y gwnaeth efe ddyn? (Yr ateb yw: O bridd y ddaear). Mynnai Elizabeth ateb, 'O waed a phridd y ddaear'. Dro arall yng ngaleri capel Jewin yng nghwmni ei thad a'r gynulleidfa'n dod i ddiwedd emyn, canai Elizabeth ei geiriau ei hun a gweiddi nerth esgyrn ei phen, 'Bonnycastle, Bonnycastle', er mawr chwithdod i'w thad.[27] Magwraeth o gyfarwyddiadau beiblaidd a chlywed enwau mathemategwyr oedd profiad y merched.

Yr awdur

John Bonnycastle oedd awdur nifer o'r gwerslyfrau a ddefnyddiai Griffith yn yr ysgol. Dechreuodd Bonnycastle ei yrfa yn dysgu mewn ysgolion amrywiol yn Llundain cyn cael ei benodi'n athro yn yr Academi Frenhinol Filitaraidd yn Woolwich. Ei gyfraniad pwysig i fathemateg oedd y cyfres o lyfrau a gyhoeddodd, gan gynnwys *Scholars Guide to Arithmetic* (1790), oedd mor boblogaidd fel yr aeth i ddeunaw argraffiad; ac eraill cyn hynny fel yr *Introduction to Algebra* (1782) a'r *Introduction to Astromony* (1786). Ond y llyfr a ddaeth yn bwysig yng ngyrfa Griffith oedd *A Treatise on plane and spherical Trigonometry* – yr ail argraffiad yn 1813.

Defnyddid y llyfr hwn mewn nifer helaeth o ysgolion ond nid oedd yn cynnwys atebion i'r llu o dasgau mathemategol. Byddai athrawon mathemateg yn treulio amser yn datrys y tasgau a byddai llyfr gydag atebion ac eglurhad, i gyd mewn un gyfrol, yn gyfraniad pwysig i addysg disgyblion mathemateg. Dechreuodd Griffith ar y gwaith o lunio llyfr o'r fath gan weithio allan yr holl atebion yn gryno a thaclus. Gwnaed hyn eisoes yn llyfrau eraill Bonnycastle ond nid yn ei lyfr ar drigonometreg.[28] Gwaith caled oedd cynhyrchu llyfr o'r fath yn ychwanegol i ddiwrnod o waith, ond roedd moeseg waith yn rhan o'i gynhysgaeth yn dilyn dylanwad y cartref a'r capel ym Mrynrodyn. Gwendid iddo oedd segurdod.

Wrth i'r gwaith fynd rhagddo roedd un dasg fathemategol anodd iawn i'w datrys a bu'n llafurio'n hir gan geisio cymorth o gyfeiriad annisgwyl. Cysylltodd gyda cholofnydd yng nghylchgrawn y *Ladies' Diary*, cylchgrawn oedd yn almanac ar gyfer merched ond dros dreigl amser a ddaeth yn gylchgrawn mathemategol. Cyflwynid enigma, posau a phroblemau a gwobrau am eu datrys yn y rhifyn nesaf gyda'r atebion a chyfle i drafod. Mae'n werth nodi fod John Dalton, tad damcaniaeth atomig mewn cemeg, wedi dod i sylw cyhoeddus wrth ddatrys problemau yn y *Ladies' Diary*.[29] Ni chafodd Griffith unrhyw ddatrysiad gan y darllenwyr ond ar ôl llafurio ymhellach llwyddodd ar ôl dyfeisio 'some mechanical means to assist his conception'.[30]

Roedd ganddo hefyd rai manteision eraill wrth lunio'r llyfr. Daeth i ddeall gwaith argraffu ac adnabod rhai o brif argraffwyr Llundain gan ei fod yn gwerthu papur i ennill arian. Bu'n gweithredu fel asiant ac yn hel archebion ar ran Mr Haslam, perchennog Melin Bapur Bodrual yn Llanrug a swyddog digomisiwn yn y milisia lleol.[31] Byddai hyn yn ychwanegu at incwm Griffith a byddai'r papur yn dod ar y llongau o Gaernarfon i Lundain. Nid oedd gwaith darllen proflenni yn ddieithr iddo chwaith. Yn y cyfnod hwn bu'n cywiro proflenni cylchgrawn *Yr Eurgrawn* a gyhoeddid yng Nghymru gan y Methodistiaid Wesleaidd ac a oedd yn delio gyda chrefydd, llenyddiaeth, athroniaeth a barddoniaeth.

Fel yr oedd ar fin mynd â'i lyfr newydd i'r argraffwyr, cyhoeddwyd ailargraffiad o lyfr Bonnycastle oedd yn cynnwys tasgau newydd. I brynu'r ailagraffiad bu'n rhaid i Griffith, oherwydd tlodi, werthu ychydig o'i lyfrau ei hun i gael arian. Fodd bynnag, nid oedd y dasg y bu cymaint o ymboeni a llafurio yn ei chylch wedi ei chynnwys yn y llyfr diweddaraf a bendith gudd oedd hyn. Heb yr oedi gyda'r dasg byddai Griffith wedi cyhoeddi ei lyfr a byddai wedi dyddio yn syth. Nawr gydag ychydig o waith pellach gallai fynd ymlaen i gyhoeddi'r gwaith fel ymatebiad buan i ail argraffiad Bonnycastle.

Byddai'r argraffwyr (B. R. Goakman, Church Street, Spitalfields) yn ymwybodol na fyddai *A Key to Bonnycastle's Trigonometry* yn llyfr â mynd arno. Bu raid i Griffith roi taliad iddynt cyn cychwyn fel gwarant fod rhif penodol o'r llyfr wedi ei werthu'n barod. Ysgrifennodd at lu o athrawon mathemateg a chydnabod mewn nifer o gylchoedd gan eu gwahodd i noddi ei fenter a chafodd ymateb cadarnhaol gan bron i ddau gant. Roedd y noddwyr hyn yn cynnwys nifer helaeth iawn o aelodau'r Gymdeithas Fathemategol yn Llundain, llu o athrawon mewn ysgolion yn y ddinas gan gynnwys y cymwynaswr Mr Westbrook, Academy, Queen St., Westminster. Roedd hefyd naw o weinidogion wedi ymateb gan gynnwys ei gyn-athro Evan Richardson a D. Davies o Gapel Pendref Caernarfon; hefyd ddau gapten llong – E. Evans, *Sloop Bridget*, Yarmouth a R. Williams, *Brig Elisabeth*, Pwllheli a dwsin arall o Gymru.[32] Mae'r noddwyr fel rhestr gardiau Nadolig sy'n datgelu ei gysylltiadau a'i gylchoedd. Bu'n dasg lafurus i gael y rhain i gyd i'w gefnogi, ac o'r diwedd roedd ei ddyfalbarhad a'i waith caled wedi dwyn ffrwyth.

Erbyn haf 1814 roedd y llyfr wedi ei argraffu ac yn barod i'w anfon i'r tanysgrifwyr ffyddlon. Gyda thros gant o dudalennau, mae'r llyfr yn delio gydag agweddau trigonometreg – *plane trigonometry, mensuration of heights and distances, spherical trigonometry, quadrantal spherical triangles, oblique-angled spherical triangles, application of spherical trigonometry to the resolution of astronomical problems* – ac mae yma ôl gwaith trylwyr a sylweddol.[33] Yn y rhagair mae'n egluro fod datrysiadau i'r tasgau angen cyfrifo hir a llafurus gan ychwanegu:

> it is often impossible for the Teacher to find leisure to go over
> the operation and detect the errors which his scholars may

A KEY

TO

BONNYCASTLE'S TRIGONOMETRY:

PLANE AND SPHERICAL;

CONTAINING,

SOLUTIONS TO ALL THE PROBLEMS,

WITH REFERENCES

AS THEY STAND IN THE SECOND EDITION OF THAT WORK:

THE WHOLE RENDERED AS PLAIN AS THE NATURE OF THE SUBJECT
WOULD ADMIT.

———

BY GRIFFITH DAVIES,

Member of the Mathematical Society, London; and Master of the
Mathematical Academy, Lizard Street, Bartholomew Square.

———

London:

PRINTED FOR THE AUTHOR,

BY B. R. GOAKMAN, CHURCH STREET, SPITALFIELDS,

Sold by Davis and Dickson, Mathematical Booksellers and Publishers,
No. 17, St. Martin's le Grand, (removed from 2, Albion Buildings, Aldersgate
Street,) Cradock, and Joy, Paternoster Row; Lackington, Allen, and Co.
Finsbury Square; and by the Author.

1814

Y llyfr ar drigonometreg, 1814 (*Hawlfraint The Royal Society*)

———

66

MISCELLANEOUS ASTRONOMICAL PROBLEMS,

To answer the conditions of this Question, the longest day must evidently be 15 hours, and the shortest 9; whence we have $\frac{15h}{2} - 6h = 1h\ 30' = 22°\ 30'$ for the ascensional difference Υ A (fig. to Prob. 7th, page 221) and the declination A ☉ $= 23°\ 28'$

Hence by Case 10th of right $\angle$ed spherics,

As sin Υ A 22° 30' : rad. :: tang. A ☉ 23° 28' : tang. $\angle$ ☉ Υ A or cot. 41° 23' 48" $=$ the latitude required, supposing the earth to be a perfect sphere.

II.

When the shadow of a perpendicular object is just equal to its length, the Sun's altitude must evidently be 45°

Whence in the $\triangle$ Z N ☉ (fig. to Prob. 14, Page 237) we have

Z N $= 38°\ 28'\ 0"$	Then Log. sin ½ sum 76° 35' 44" 9.9880048
N ☉ $= 69°\ 43'\ 28"$	Log. sin Do. —Z ☉ 31° 35' 44" 9.7192648
Z ☉ $= 45°\ 0'\ 0"$	19.7072696
2)153° 11' 28"	0.2927304
Half sum $= 76°\ 35'\ 44"$	Log. sin Do. — N ☉ 6° 52' 16" 9.0778669
Do. —Ż N $= 38°\ 7'\ 44"$	Log. sin De. — Z N 38° 7' 44" 9.7905895
Do. —N☉$= 6°\ 52'\ 16"$	2)19.1611829
Do. —Z☉$= 31°\ 35'\ 44"$	Log. tang. $\frac{\angle N}{2}$ 20° 50' 32" 9.5805914
	,2
	41° 41' 4" in time =

2h 46' 44" Whence 12h — 2h 46' 44" = 9h 13' 16" A. M. *Ans.*

III.

Here 1st, in the right $\angle$ed $\triangle$ $a\ b$ A it will be As rad. : sin aA :: sin $\angle$ a : sin Ab or sin $\angle$ $a = \frac{\sin A b}{\sin a A}$

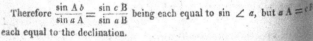

Again in the right $\triangle$ $a\ c$ B it will be As sin $\angle$ a : sin cB :: rad. : sin aB or sin $\angle$ $a = \frac{\sin c B}{\sin a B}$

Therefore $\frac{\sin A b}{\sin a A} = \frac{\sin c B}{\sin a B}$ being each equal to sin $\angle$ a, but aA $= c$B each equal to the declination.

Whence $\frac{\sin A b}{\sin aA} = \frac{\sin a A}{\sin a B}$ or sin Ab × sin aB $=$ sin²aA

Tudalen o'r llyfr ar drigonometreg, 1814 (*Hawlfraint The Royal Society*)

have committed ... most of the Examples are wrought out in full length, in others the Logarithms are omitted ... several eminent Teachers and Mathematicians having expressed their opinion that it would be of service to the public, he humbly submits it, and shall be happy to learn that it proves useful in the teaching of Mathematical science.

Mae dros ddeugain o'r blociau a luniodd Griffith ar gyfer y llyfr yn cael eu diogelu yn y Llyfrgell Genedlaethol ac yn dystiolaeth i lafur awdur oedd yn rhy dlawd i dalu i eraill wneud y gwaith.[34]

Rhai o'r blociau ar gyfer y llyfr ar drigonometreg, 1814
(*Trwy ganiatâd Llyfrgell Genedlaethol Cymru*)

Cyfeiria'r awdur yn y llyfr ei fod yn 'member of the Mathematical Society, London', gan nodi ei waith fel 'Master of the Mathematical Academy, Lizard Street, Bartholomew Square'.[35] Roedd y gyfrol ar werth mewn tair siop lyfrau yn Llundain ac yn uniongyrchol oddi wrth yr awdur. Yn sicr roedd yn llyfr poblogaidd gan athrawon mathemateg ac er na wnaeth Griffith unrhyw elw o'r fenter roedd y llyfr yn hwb enfawr i'w enw da fel athro. Yn y llyfr mae'n cyhoeddi:

> G DAVIES embraces the present opportunity to inform his Friends and the Public, that he continues to instruct youth at his Academy, 8 Lizard Street, in different branches of Commercial and Mathematical education. Grown persons desirous of Private Tuiton in Geometry, Algebra, Trigonometry, Conic Sections, Mechanics, Fluxions, Mensuration, Navigation or the Rudiments of Astronomy and Natural Philosophy, are taught at different hours in separate Apartments.

Nid athro cyffredin ydoedd mwyach ond awdur cyfrol dechnegol yn egluro datrysiadau i dasgau heriol un o brif fathemategwyr y cyfnod. Gwnaeth gymwynas fawr i addysg fathemategol ei oes a daeth ei enw i sylw pobl ddylanwadol iawn. Cafodd y llyfr newydd gyhoeddusrwydd helaeth yn Llundain a Chaeredin,[36] ac mewn adolygiad yn un o gylchgronau 'ceidwadol' y cyfnod. Gresynai'r adolygydd am:

> the omission of the logarithms in some of the examples, which though they must necessarily have enlarged the work, would, assuredly have extended its advantages. The accuracy and industry which Mr Davies has here manifested entitle him to a very considerable share of the praise.[37]

Hwb anferth i'w hyder yn sicr gan lansio gyrfa fel athro mathemateg o safon ac awdurdod a olygai yn y man iddo gael cyfle i ddelio gyda myfyrwyr uchelgeisiol oedd yn fodlon talu arian da am yr addysg.

Drysau'n agor

Wedi cyhoeddi'r llyfr, daeth ceisiadau o bob cyfeiriad am iddo ddysgu myfyrwyr newydd yn breifat ac yn ychwanegol i'w ddosbarthiadau arferol. Cafodd ei wraig Mary gwestiwn gan ddyn oedd am i'w fab ddod i'r ysgol, yn holi a oedd ei gŵr wedi cael ei addysg yn ysgol Westminster a hithau yn ateb yn hirben-gamarweiniol ei bod yn siŵr iddi ei glywed yn sôn am Westminster. Nid oedd y gŵr bonheddig wedi ei argyhoeddi a mynnodd ddod i'r dosbarth am ddiwrnod i weld yr athro wrth ei waith. Cafodd ei blesio'n arw ac nid oedd angen iddo aros yn hir. Gwelodd athro poblogaidd gyda meistrolaeth lwyr o fathemateg oedd yn llwyddo i ysbrydoli a chefnogi disgyblion gan egluro cysyniadau mathemategol yn syml a chryno. Roedd ei enw da yn ymledu.

Yn dilyn argymhelliad gan neb llai na John Crossley, llywydd y Gymdeithas Fathemategol, daeth dyn oedd yn gysylltiedig â swyddfa yswiriant i holi a fyddai yn ei ddysgu ynghylch damcaniaethau yswiriant bywyd a blwydd-daliadau. Gan fod Llundain yn brif ganolfan bancio ac yswiriant roedd angen lluoedd o bobl gyda'r sgiliau mathemategol perthnasol. Ni wyddai Griffith ddim am ddamcaniaethau'r maes yswiriant na'r agweddau ymarferol arno ond roedd argymhelliad Crossley yn mynd i newid ei fywyd a rhaid oedd paratoi ar gyfer gofynion gwahanol. Prynodd a benthycodd lyfrau gan astudio ac ymgyfarwyddo â changen newydd o fathemateg.

Roedd nifer o fathemategwyr enwog fel Abraham de Moivre, Blaise Pascal a Pierre de Fermat wedi rhoi sylfaen i ddatblygiad tebygolrwydd fel cangen o fathemateg, a bu nifer o ymdrechion gan Edmond Halley, y seryddwr enwog, ac wedyn John Graunt, un o'r demograffwyr cyntaf, i greu tablau marwolaethau i bwrpas casglu data cywir i werthu yswiriant bywyd.[38] Roedd diffygion mawr yn yr ymdrechion cyntaf hyn ym myd ystadegaeth am na chofnodwyd oed yr ymadawedigion o fewn cyd-destun yr holl boblogaeth. Roedd angen rhywun i gyfannu'r ddwy gangen o fathemateg – tebygolrwydd ac ystadegaeth. Y person a wnaeth hyn oedd Richard Price, athronydd, Undodwr, radical gweriniaethol a mathemategydd o Langeinor.[39]

Ystyrir Price yn un o'r ffigyrau pwysicaf yn hanes yr wyddor actiwari a'i lyfr *Observations* osododd sylfaen i broffesiwn newydd.[40] Dyma'r llyfr fyddai wedi bod ar ben rhestr astudio Griffith gan ei fod yn llawn cynghorion ar sail data. Yn wir, ers i'r llyfr ymddangos gyntaf yn 1771 cafwyd saith argraffiad. Hwn oedd y gwaith safonol ar gyfer y proffesiwn actiwari am ganrif. Defnyddiodd Price filiau marwolaeth tref Northampton gan drafod mewn manylder yn ei lyfr wendidau biliau marwolaeth o leoliadau eraill. Cymaint oedd dylanwad Price fel bod ei dablau newydd, oedd yn seiliedig ar ddata Northampton, yn cael eu defnyddio yn syth i weithio allan flwydd-daliadau gan y llywodraeth ac yn sylfaen i weithrediadau cwmnïau yswiriant am ddegawdau mewn perthynas â phrisio cytundebau blwydd-daliadau newydd. Roedd Price hefyd yn ei lyfr yn feirniadol o wendidau a chamgymeriadau eraill oedd wedi mentro i fyd ystadegaeth. Er enghraifft, roedd rhai cwmnïau yswiriant cyn hynny wedi codi'r un premiwm ar bawb a heb ystyried ffactor amlwg fel oedran ar gyfer yswiriant bywyd.[41] Yn ei lyfr ar hanes y proffesiwn mae Turnbull yn cyfeirio ato fel hyn: 'Richard Price stands out as a titan of actuarial thought', ac yn datgan mai ef oedd yr actiwari cyntaf a'r person mwyaf dylanwadol yn hanes y proffesiwn.[42] Ac mae'r hanesydd Cymreig John Davies yn cyfeirio ato fel 'y meddyliwr mwyaf gwreiddiol a fagodd Cymru erioed'.[43]

Gyda'i ddeallusrwydd mathemategol a'i ymroddiad llwyr i'r maes, roedd Griffith wedi meistroli prif egwyddorion y gangen newydd o fathemateg mewn dim o dro. Yn y cyfamser trwythwyd y myfyriwr newydd mewn hafaliadau algebra tra roedd y darpar athro yn ymbaratoi. Er bod hyn yn ymddangos fel prynu ychydig o amser i Griffith, dylid ychwanegu fod agweddau o algebra yn wybodaeth hanfodol i gymhwyso fel actiwari ddwy ganrif yn ôl fel yn ein dyddiau ni. Ymhen ychydig roedd eraill o'r byd yswiriant, yn dilyn geirda, yn gofyn am wasanaeth yr athro disglair. Yn dilyn cyfnod gyda Griffith roeddynt yn mynd ymlaen i swyddi dylanwadol ym maes yswiriant ac yn fawr eu dyled i'w hathro. Roedd Griffith Davies yn sefydlu rhwydwaith werthfawr mewn proffesiwn oedd yn datblygu. Ni wyddom enw'r disgybl cyntaf ond yn ôl Barlow pan fyddai Griffith yn cyfarfod y gŵr bonheddig byddai'n cyfeirio ato fel 'the one who taught me annuities'.[44]

Erbyn 1816 roedd sefyllfa'r teulu yn dechrau gwella, myfyrwyr a disgyblion newydd yn llifo i mewn ac yntau'n gweithio'n galed. Symudodd ei ysgol i 43 Cannon Street ac yn y lleoliad newydd ceid datganiad cynnil ar blac wrth y fynedfa fel a ganlyn: 'Griffith Davies – Teacher of Mathematics, Life Assurances etc, Reversions valued'. Roedd yn gwneud gwaith mwy arbenigol ac yr oedd safon ei fyfyrwyr yn uwch. Yn y cyfnod yma daeth nifer o fyfyrwyr o ysgol Merchant Taylors ato a chafodd gynnig cyflog am flwyddyn ar yr amod y byddai ar gael i roi gwersi yn ystod y gwyliau ysgol. Bu'n gyfnod prysur iawn iddo.

Un o'i fyfyrwyr yn y cyfnod hwn oedd y Capten John Franklin, swyddog yn y llynges Brydeinig â'i fryd ar astudio lefelau uchaf mathemateg mordwyaeth. Yn nes ymlaen yn ei yrfa daeth Syr John Franklin yn llywodraethwr Tir Van Diemen (Tasmania yn Awstralia heddiw) ac yn arweinydd yr ymgyrch i siartio a dod o hyd i ffordd drwy Dramwyfa'r Gogledd-orllewin (Northwest Passage) yn 1845. Roedd gan y morlys obsesiwn gyda darganfod ffordd rhwng y Môr Arctig a'r Môr Tawel ac arweiniodd Franklin ymgyrch gyda dwy long (*Erebus* a *Terror*) â chriw o 134 o ddynion.[45] Methiant fu'r ymgyrch ac ar ôl dwy flynedd yn ddisymud mewn rhew dau aeaf collodd pawb eu bywydau. Ym Medi 2014 darganfuwyd y ddwy long yn nyfnderoedd moroedd gogledd Canada.[46] Arwr coll poblogaidd oedd Franklin a chyfeiria Griffith ato fel y person mwyaf bonheddig a diymhongar yr oedd wedi ei gyfarfod.[47]

Datblygu'n gyflym wnaeth bywyd Griffith yn Llundain. Ar ôl treialon yr wythnosau cyntaf cafodd waith fel tywysydd ac yna fel athro. Heb hynny byddai wedi gorfod mynd adref a theimlo'n fethiant. O edrych yn ôl, gwnaeth dri pheth allweddol i'w fywyd yn y blynyddoedd hyn. Priododd, cyhoeddodd lyfr mathemategol a dechreuodd arbenigo mewn mathemateg oedd yn sylfaen i'r byd yswiriant a chyllid. Bu Mary ac yntau drwy dreialon o bob math gan brofi tlodi eithriadol ond drwy ymroddiad a gwaith caled roedd y rhod yn troi iddynt. Er y byddai'n hiraethu am ei deulu gartref nid oedd yn meddwl bellach am fynd yn ôl i Rosnenan. Bellach, roedd ei ddyfodol yn Llundain ac nid oedd yn bosib cyflawni'r addewid i'r teulu dros ddegawd yn ôl o ddychwelyd wedi iddo feistroli'r iaith Saesneg. Ai ei ddyfodol bellach oedd ysgrifennu mwy o lyfrau mathemategol a pharhau i gynnal ei ysgol?

4

YR ACTIWARI

MERCH: A wedyn, ddois i'n actiwari …
DYN: Actiwari? Beth goblyn ydi hwnnw?
MERCH: Nelo fo ag insiwrans – actiwali (!) Holl bwynt y
busnes ydi ffendio pa mor hir mae pobl yn debygol o fyw,
a be ydi'r tebygolrwydd iddyn nhw gael damwain. Mae yna
ffyrdd mathamategol o ffeindio be ydi'r risgs … Ac ar sail
hynny mae insiwrans yn gweithio.
DYN: Be sydd gen ti – pelen wydr?
MERCH: Go dda! Naci, mi fedri di neud o efo fformiwla
– a dyma sy'n fy rhyfeddu. Elli di ddarganfod unrhyw
wybodaeth – o ganfod y dull cywir. Ia waeth i ti ddeud ma
pelen wydr ydi mathamateg.
    Angharad Tomos, 'Un o Fil' (2017)[1]

Yn y cyfnod ar ôl cyhoeddi ei lyfr a thra'n brysur yn datblygu
cwricwlwm ei ysgol, cafodd Griffith brofiadau diddorol gyda nifer
o brosiectau amrywiol. Roedd rhai o'r rhain mewn cydweithrediad ag
eraill ac un o'r tair enghraifft a nodir yma yn ffrwyth ei lafur ei hun.

Yn y prosiect cyntaf, sy'n cael cryn sylw gan Barlow, mae Griffith
yn dod i delerau gyda gŵr bonheddig oedd yn awdur llenyddol, i roi
cymorth iddo mewn gwaith newydd.[2] Ni cheir gwybodaeth am y gŵr

bonheddig nac union natur y gwaith ond bwriad Griffith ar sail y trefniant oedd prynu offer gan optegydd yn Holborn. Dyma fel mae Gwynedd Davies yn adrodd yr hanes:

> Ar bwys addewid a roes gwr o'r enw Dr Jamieson iddo, yn dâl am gynhorthwy neilltuol, prynodd Griffith Davies *Globe Quadrant* gan un Mr Harris ac addo talu pan gyflawnai Jamieson ei addewid. Yn anffodus daeth dryswch ar ffordd yr olaf, a thrwy hynny ni allai G.D. dalu am y *Quadrant* – offeryn angenrheidiol iawn at ei waith yn yr ysgol – ac aeth a hi'n ol i Harris ac egluro'r amgylchiadau. Hoffodd hwnnw onestrwydd ac unplygrwydd ei gwsmer a dywedodd wrtho am gadw'r offeryn hyd oni allai dalu. Cymerodd yntau'r *Globe Quadrant* yn ol i'w ysgol, ac ar y cyfle cyntaf a ddaeth heibio iddo talodd y pris. Nid oes amheuaeth nad ydoedd dyfod i gysylltiadau agos â Griffith Davies yn galluogi dynion i ganfod ei ddidwylledd a'i uniondeb.[3]

Tybed ai Alexander Jamieson, ysgolfeistr fel Griffith ac awdur nifer o werslyfrau, oedd y gŵr bonheddig dan sylw? Yn 1822 cyhoeddodd Jamieson atlas o'r ffurfafen, *Celestial Atlas*, oedd yn cynnwys 30 o blatiau yn arddangos 100 o gytserau. Byddai sgiliau Griffith fel y gwelwn yn y man wedi bod o ddefnydd mawr iddo ac yn ei ragymadrodd i'r gwaith mae Jamieson yn cwyno ei fod wedi derbyn 'rebuffs which came from quarters where I least expected them … leaving me to my own resources for the production of a work'.[4] Felly ni allai Jamieson fforddio unrhyw gymorth gan Griffith. 'Didwylledd ac uniondeb' oedd yn bwysig i Gwynedd Davies ac mae'r naratif gan Barlow yn tanlinellu'r foeswers fod gweithredu'n gywir, gonest a boneddigaidd yn talu ar ei ganfed. Roedd yr holl gymeriadau yn yr hanesyn ar eu hennill o ganlyniad.

Y deial haul
Bu'r ail brosiect a ddisgrifir yma yn fwy cynhyrchiol. Yn ystod 1819

daeth i wybod am gystadlaethau'r Gymdeithas i Hyrwyddo'r Celfyddydau, Cynnyrch a Masnach (The Society for the Encouragement of Arts, Manufactures and Commerce), gyda gwobrau hael mewn nifer o gategorïau gan gynnwys mecaneg a darganfyddiadau a dyfeisiadau a fyddai o ddefnydd cyhoeddus. Penderfynodd Griffith greu deial haul wedi ei ysgythru ar lechen a gweld beth fyddai ei dynged.

Roedd yn gyfarwydd iawn â thrin llechen. Bu'n ymarfer ei fathemateg ar lechi yn y Cilgwyn ac roedd creu ffurfiau addurnol, fel ffaniau, yn boblogaidd gan chwarelwyr.[5] Cyn dechrau ar yr ysgythru gofalus rhaid oedd gweithio allan ffurf y deial haul ac egluro'r cyfrifiadau'n fanwl mewn traethawd. Cyflwynodd y cynllun ar lechen Gymreig 27 modfedd sgwâr a thrwch o fodfedd a'r mynegfys (gnomon) o efydd. Yn ei nodiadau mae Griffith yn cyflwyno'r deial haul i'r gystadleuaeth:

on account of its novelty as a work of art, the lowness of the price for which such dials may be engraved on slate as compared with brass, than for any peculiarity in the theory of its construction.

Byddai hunanganmol yn groes i'r graen gan Griffith ond nid hyn oedd y broliant gorau i'w ddyfais. Cyhoeddwyd y nodiadau hyn yn nhrafodion y gymdeithas a hefyd ysgythriad gan W. Newton gyda'r pennawd 'Plan of an Improved Sun Dial projected by Griffith Davies, 1820'.[6] Ceir disgrifiad manwl a thablau i egluro 14 nodwedd y deial haul a dyma nhw:

1 Awr o'r dydd yn Llundain
2 Awr o'r dydd yn Pekin [sic]
3 Lleoliad yr haul yn yr ecliptig a'r cromliniau a lunnir gan gysgod copa'r mynegfys wrth fynedfa'r haul i bob un o'r deuddeg arwydd y Sidydd
4 Diwrnod o'r mis
5 Gogwydd yr haul

6 Amser codiad yr haul

7 Amser machlud yr haul

8 Hyd y dydd

9 Yr awr Fabilonaidd, sef yr amser ers i'r haul godi

10 Uchder yr haul

11 Asimwth yr haul

12 Hafaliad o amser i ganol dydd (mean noon)

13 Y dydd a'r awr pan mae'r haul yn unionsyth mewn nifer o leoliadau rhwng y trofannau

14 Y nifer cymesurol o belydrau'r haul sy'n disgyn ar ochr unrhyw arwynebedd, o'i gymharu gyda'r nifer sy'n disgyn yn unionsyth ar arwynebedd o'r un maint.

Er bod ei ddewis o leoliad fel Pekin (Beijing) yn ddiddorol ceir eglurhad fod y ddinas honno ar hydred o 117 gradd a 22 munud sydd felly yn 7 awr a 45.5 munud o flaen Llundain. Felly gellir dangos yr amser mewn unrhyw leoliad yn y dull yma o wybod y berthynas rhwng hydred a'r amser o Lundain dyweder.

Yn dilyn fy ymholiad gyda'r Gymdeithas Deial Haul Brydeinig gwnaeth Sue Manston, un o'r aelodau, asesiad manwl o gynllun Griffith Davies gan ddod i nifer o gasgliadau diddorol.[7] Cynlluniwyd y deial haul ar gyfer lledred gogledd o 51 gradd a 32 munud, sef lleoliad ysgol Griffith yn Cannon Street. Mae Manston yn datgan fod yr wyth lleoliad a ddewiswyd gan Griffith yn ei gynllun yn ddirgelwch. Gwyddom heddiw ble mae Saint Helena (de'r Iwerydd), Ynys Trinidad (Brasil), Salvador (Brasil), Cape São Roque (Brasil), Barbados (Môr y Caribî) a Tete (Mozambique) ond nid yw'n glir i ni heddiw ble mae 'Buelo' a 'Monsol'. Beth oedd ei resymu yn dewis y lleoliadau hyn ar gyfer y deial haul? Trafoda Manston nifer o'r cafeatau a wneir gan Griffith a sylwodd fod pedwar gwall yn yr holl gynllun ond daw i'r casgliad: 'that his original slate dial would be accurate, and that any errors on the engraving were made by Newton alone'. Yn sicr mae'r asesiad yma yn cadarnhau gallu mathemategol Griffith ynghyd â'i ddawn ymarferol i gynllunio a chreu offeryn unigryw.

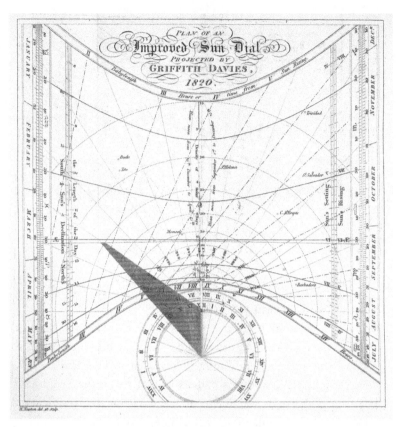

Cynllun y deial haul

Am ei waith derbyniodd fedal arian sylweddol gan y dug Sussex, llywydd y gymdeithas oedd yn noddi'r gystadleuaeth. Byddai hyn wedi dod â chlod a sylw iddo fel mathemategydd ymarferol gan estyn ymhellach ei enw da. Roedd rhai o'r enillwyr yn derbyn medal aur ac eraill yn derbyn swm o arian – rhwng pump a hanner can gini. Tybed a oedd ei wyleidd-dra wrth ddisgrifio'i ddyfais wedi bod yn anfanteisiol iddo? Er holi a chwilio'n ddyfal a chyda chymorth y Gymdeithas Deial Haul Brydeinig, nid oes unrhyw dystiolaeth fod y deial haul hwn mewn bodolaeth heddiw ond mae'r fedal arian hanesyddol yn ddiogel yn y Llyfrgell Genedlaethol.[8]

10a a 10b Y fedal. Gwobr am gynllun y deial haul
(*Trwy ganiatâd Llyfrgell Genedlaethol Cymru*)

Samuel Ware a Phont y Borth

Y drydedd enghraifft o brosiect yw'r cymorth a roddwyd i'r pensaer Samuel Ware yn ei waith ar gromennau a phontydd yn ystod 1821. Roedd Ware wedi cynllunio nifer o adeiladau yn Llundain ac wedi rhoi cynlluniau i'r llywodraeth i adeiladu pont grog dros y Fenai. Mae llyfr Ware yn gyfres o draethodau ac mae un ohonynt yn ymdrin yn helaeth gyda chynlluniau Pont y Borth oedd yn cael ei hadeiladu ar y pryd gan Thomas Telford fel rhan o'r fenter anferth i gael ffordd hwylus o Lundain i Gaergybi – yr A5 i ni heddiw. Yn y rhagair i'r llyfr mae Ware yn cydnabod cymorth:

> Mr Griffith Davies of Cannon Street, by whose aid a new and simple method of contructing that curve [cromlin cadwynog sy'n nodwedd o bont grog] has been obtained; and as a corollary to it, a mode by which a logarithmic curve may be drawn to a given sub-tangent.[9]

Ceir cyfeiriad mewn un ffynhonnell fod Griffith wedi ysgrifennu traethawd,'The Properties and construction of the common catenary of equal strength', ond y tebygrwydd yw bod y gwaith hwn wedi ei gyflwyno'n breifat i Ware fel rhan o'r cytundeb ac nid yn gyhoeddiad annibynnol.[10]

Mae cwestiynau'n codi ynghylch yr holl ymdrech gan Ware yn y maes arbenigol hwn. A oedd yn anfodlon fod Telford wedi cael y gwaith o adeiladu Pont y Borth ac am ddangos ei wendidau? Neu a oedd yn ceisio bod o gymorth yn anuniongyrchol? Peiriannydd sifil o'r radd flaenaf oedd Telford, wedi adeiladu camlesi, ffyrdd, twneli, pontydd a hyd yn oed eglwysi. I gwblhau'r ffordd bost roedd angen cyfres o bontydd i groesi afonydd a rhoi llwybr i'r ffordd newydd drwy dir anial, mynyddig Eryri a dau gulfor, y Cob rhwng ynysoedd Cybi a Môn a'r her fwyaf – croesi'r Fenai. Derbyniwyd cynllun Telford ar gyfer y bont a dechreuodd y gwaith yn 1819 drwy adeiladu dau dŵr i ddal y cadwyni. Erbyn deall roedd Telford yn anfodlon gyda'r dadansoddiadau mathemategol yn dilyn arbrofion ar gynllun y bont wreiddiol a gofynnodd am gymorth mathemategydd blaenllaw ei ddydd, sef Davies Gilbert. Byddai Gilbert wedi darllen llyfr Ware yn y broses o fynd trwy'r gwaith cynghori a'r canlyniad oedd addasu'r cynlluniau ar gyfer y bont.

Mae'r berthynas felly rhwng dylanwad gwaith Griffith Davies gyda Samuel Ware ar waith Thomas Telford yn un anodd ei deall yn llawn ond yn cael ei chydnabod o fewn cylchoedd Cymreig.[11] Mewn troednodyn Saesneg i lythyr i'r *Gwyliedydd* yn 1832 mae Einion Môn (John Lloyd, o Lannerch-y-medd yn wreiddiol) yn cydnabod fod Griffith yn 'author of important solutions of the principles and properties of Catenaria, a splendid effort of genius which has been of immense service in the erection of Suspension Bridges'.[12] Ac mewn galarnad i Griffith Davies gan Robert Hughes yn 1855 ceir mwy o gydnabyddiaeth:

> Wedi i gynlluniau *Telford*
> Ddr'ysu uwch y *Fenai* ddofn,
> Griffith Davies a ddangosodd
> Ei ddiffygion yn ddi-ofn.[13]

Mae Barlow, ar ôl trafod gyda'i ewythr mae'n debyg, yn dod i'r casgliad ei bod i fyny i eraill benderfynu a oedd y newidiadau a wnaeth Telford yn deillio'n uniongyrchol o waith mathemategol Griffith. Nid oedd am gymryd ochr Ware mewn unrhyw anghydfod ar sail eiddigedd ac mae Barlow yn nodi fod Griffith yn edmygydd o athrylith Telford.[14]

William Morgan a gwaith fel actiwari

Tra oedd y prosiectau amrywiol yn mynd â'i amser, roedd yr ysgol hefyd yn ffynnu gyda'r niferoedd yn cynyddu a llawer o'r disgyblion yn wŷr bonheddig mewn swyddi actiwari gyda'r prif gwmnïau yswiriant. Ac roedd rhai o'r rhain yn dod â chyfrifon y cwmnïau i'w trafod yn yr ysgol: rhyw fath o wasanaeth ymgynghorol anffurfiol. Ni wyddom am union gefndir hyn ond byddai wedi gwawrio yn fuan ar Griffith y byddai mynd yn actiwari yn well iddo na dysgu. Ond sut oedd gwneud hynny? Swyddi i ddosbarth arbennig oedd actiwari ac nid i werinwr. A oedd angen eistedd arholiad ac a oedd cymhwyster ar gael? Penderfynodd ei gyflwyno'i hun i brif actiwari'r dydd, yr hybarch William Morgan o gymdeithas yr Equitable Life. Arwydd o hunanhyder newydd.

Cymro o ardal Pen-y-bont ar Ogwr oedd Morgan a ddaeth i Lundain yn 18 oed i gael ei hyfforddi fel meddyg, ond roedd yn alwedigaeth anodd yn y cyfnod hwn ac nid oedd yn fodlon yn ei waith. Yn dilyn argymhelliad a dylanwad ei ewythr, yr athrylithgar Richard Price, fe'i penodwyd yn actiwari gyda chymdeithas yswiriant yr Equitable Life ac yno y bu am 56 mlynedd hyd ei ymddeoliad yn 80 oed. Hanes yr Equitable Life oedd hanes yswiriant yn y Deyrnas Gyfunol yn ystod oes Morgan, ac ef oedd yr actiwari cyntaf yn ystyr broffesiynol y term.[15] Meddai ar o leiaf dair nodwedd ar gyfer y gwaith – roedd yn fathemategydd disglair â chymhwyster mewn meddygaeth a diddordeb byw mewn gwyddoniaeth arbrofol.

Cyn cyfnod Morgan ystyrid actiwari yn gyfrifoldeb gweinyddol i gadw'r llyfrau mewn trefn, cofnodi penderfyniad a chadw rhestr o aelodau. Ond am y tro cyntaf fe ymestynnodd Morgan y gwaith i gynnwys asesu risgiau, gwerthuso ymrwymiadau cyllidol, gweithio allan y premiymau, sut i rannu unrhyw fonws a llu o ddyletswyddau eraill sy'n nodweddu'r gwaith.[16] Gosododd sylfaen i waith actiwari a'r egin broffesiwn.

Y cwmni cydfuddiannol cyntaf yn y maes oedd yr Equitable Life ac ym mherchnogaeth deiliaid polisïau yn hytrach na chwmni perchnogol gyda chyfranddalwyr, fel yr hanner dwsin o gwmnïau yswiriant eraill yn Llundain.[17] Dan arweiniad Morgan yr Equitable Life oedd y gymdeithas yswiriant fwyaf llwyddiannus. Erbyn 1800 roedd hanner holl fusnes yswiriant y wlad, gwerth £10 miliwn, yn dod o Equitable Life.[18] Cyhoeddodd Morgan nifer o lyfrau a phapurau yn ymwneud â datblygiad yswiriant a derbyniodd fedal Copley y Gymdeithas Frenhinol yn 1789 am ei waith – anrhydedd prin iawn. Fel ei ewythr Richard Price, roedd yn Undodwr gyda daliadau radicalaidd mewn gwleidyddiaeth. Edmygai'r chwyldro yn Ffrainc a'r Unol Daleithiau ac roedd o blaid diwygio'r drefn etholiadol bwdr a gwneud llywodraeth yn atebol i'r bobl. Drwy ei ewythr daeth i adnabod athronwyr ac economegwyr fel David Hulme ac Adam Smith, gwleidyddion radicalaidd fel John Horne Tooke a Tom Paine, y cemegydd a'r diwinydd Joseph Priestly a'r polymath Benjamin Franklin – gwyddonydd, gwladweinydd, diplomydd ac awdur.[19]

Cafwyd cyfarfod buddiol a chwrtais rhwng y ddau Gymro. Rhannodd Griffith ei ddyhead i newid proffesiwn a gofyn a fyddai William Morgan cystal â'i arholi ar y pynciau oedd eu hangen i ddod yn actiwari a chynigiodd dalu am y gwasanaeth yma. Ymgom yn hytrach nag arholiad oedd y canlyniad a gwelodd Morgan fod mathemategydd disglair arall yn ei gwmni. Cyflwynwyd tystysgrif gyda manylion ei sgiliau i Griffith ac wrth adael y cyfarfod mae Barlow'n dyfynnu'r ychydig frawddegau yma: 'Mr Morgan observed, "I am surprised that I didn't know of you Mr Davies", to which the latter replied, "So it is in life sir. It is not in the interest of parties, sometimes, to introduce those who assist them".[20] Dyma un o gyfarfodydd pwysicaf bywyd Griffith Davies a byddai geirda a chymeradwyaeth William Morgan yn gymorth allweddol.

Mae'n amlwg fod yn ddau yn deall ei gilydd. Beth bynnag am grefydd a gwleidyddiaeth roedd ganddynt werthoedd cyffredin, ac mae Nicola Bruton Bennetts yn ei chyfrol ddiweddar yn y gyfres Gwyddonwyr Cymru yn nodi'r nodweddion a edmygai Morgan yn eraill – didwylledd, gonestrwydd, gwyleidd-dra, dymunoldeb, cymwynasgarwch, duwioldeb ynghyd â diwydrwydd a gallu.[21] Byddai Griffith wedi cael marciau llawn am y rhain i gyd. Cawn yr argraff fod Morgan, yn hydref ei yrfa, fel un a wnâi fynych gymwynasau, wedi mwynhau'r cyfarfod. Roedd newydd golli John ei fab yn 28 oed ac yntau'n gweithio i'r Equitable Life, a'i weld fel olynydd ei dad yn y cwmni. Byddai cyfarfod Cymro ifanc deallus fel Griffith oedd â'i fryd ar y proffesiwn yn gysur iddo a'r acenion Cymreigaidd yn atgoffa'r henadur o iaith ei fam. Gadawodd Griffith eu cyfarfod yn fodlon iawn ei fyd. Gosodwyd sylfaen gadarn i gydweithio pellach – a chyfeillgarwch.

Un canlyniad uniongyrchol y cyfarfod oedd i William Morgan gyflwyno mathemategydd o dras Iddewig i Griffith. Ysgrifennai'r foneddiges i'r *Ladies Diary* a chyflwyno tasgau mathemategol i'r darllenwyr.[22] Roedd Griffith yn gyfarwydd iawn â'r cyhoeddiad blynyddol ac wedi ceisio cael ateb i broblem anodd wrth ysgrifennu ei lyfr. Byddai'r foneddiges Iddewig yn cysylltu'n aml ac yn llethu Morgan ynghylch ei hatebion i gystadlaethau'r cyhoeddiad. Bu Morgan yn ddigon bachog i drosglwyddo'r cysylltiad i'w gyd-wladwr diolchgar ac yntau'n fodlon derbyn. Enwir y foneddiges fel 'Lousada' gan Gwynedd Davies, a'r tebygrwydd mawr yw mai Abigail Lousada, gwraig weddw gyfoethog oedd yn byw yn Bedford Place, Russell Square yn Llundain yw'r person.[23] Roedd ganddi gasgliad o offer gwyddonol a diddordeb byw mewn mathemateg. Cyfieithodd waith Diophantus, y mathemategydd Groegaidd, i'r Saesneg, cyhoeddodd bapur yn y *Mathematical Miscellany* a chwblhau hanes y byd o'r Creu i'r Chwyldro Americanaidd, gan gyfannu crefydd a radicaliaeth.

Adroddodd wrth Griffith ei bod wedi gwneud ymchwiliad o'r holl ddiffygion ar yr haul a ddigwyddodd yng Nghaersalem adeg y Croeshoeliad a daeth i'r farn fod un diffygiad wedi bod ar yr haul ar y dydd Gwener cyn y Pasg a bod hynny am wyth o'r gloch y nos, ac felly amhosib iddo fod yn weledig o'r Ddinas Sanctaidd. Y casgliad oedd i'r tywyllwch ar brynhawn y Groglith fod yn weithred oruwchnaturiol. Rhyddhad mawr felly i wledydd cred ac yn gasgliad amlwg i'r Methodyn Cymreig. Edmygai Griffith ddeallusrwydd ac eangfrydedd Abigail Lousada ac roeddynt drwy'r cydweithio yn gyfeillion agos.[24] Yn ôl Barlow cafodd Griffith a Mary lawer cymwynas a charedigrwydd ganddi i wella eu hamgylchiadau.[25]

Ceisio am swyddi

Yn dilyn cymeradwyaeth William Morgan fe ymgeisiodd Griffith am ddwy swydd actiwari yn ystod 1819. Er yn aflwyddiannus roedd yn magu profiad ac yr oedd nifer o bobl ddylanwadol eraill yn dod yn ymwybodol ohono. Doedd methiant ddim yn ei lethu bellach gan ei fod yn cynnal ysgol lwyddiannus a'i amgylchiadau wedi gwella'n arw. Roedd ei wraig Mary hefyd yn hwb iddo ac yn codi ei ysbryd pan oedd angen. Yn ystod 1821 ceisiodd am swydd gyda chwmni'r London Life Association ac wedyn deallodd fod un o'i ddisgyblion, a oedd yn fab i Joseph Rainbow, ysgrifennydd y gymdeithas, hefyd wedi ymgeisio. Tynnodd Griffith ei gais yn ôl gan roi geirda i'r disgybl. Achosodd y penodiad neigarol yma gryn helynt. Ymddiswyddodd Henry Hase, prif ariannwr Banc Lloegr ac un o'r cyfarwyddwyr o'r bwrdd mewn protest yn erbyn y penodiad.[26] Mae'n debyg mai ansawdd yr ymgeisydd llwyddiannus oedd yn poeni Hase yn hytrach na'r neigaredd gan y byddai rhoi cymorth a nawdd i deulu yn y cyfnod yn dderbyniol a chanmoladwy. Canlyniad y bennod hon oedd bod tri o gyfarwyddwyr cymdeithas y London Life – Henry Hase, Timothy Curtis a James Syms – wedi dod i adnabod Griffith ac wedi parhau'n gyfeillion ag ef dros y blynyddoedd, ac yn wir wedi ei gefnogi i gael gwaith ymgynghorol gyda chymdeithas y Reversionary Interest.[27]

Cyn hir cafodd Griffith wahoddiad annisgwyl i roi cyngor a chymorth ynghylch cyfansoddiad menter newydd gan gwmni'r Guardian Assurance. Ceir cofnodion y cwmni ar gyfer 21 Ionawr 1822 yn nodi: 'resolved: that Mr Griffith Davies be appointed Consulting Actuary'.[28] Cyn y penderfyniad ceir gohebiaeth rhwng Griffith a John Tulloch, ar ran cyfarwyddwyr y Guardian, ac mewn llythyr dyddiedig 21 Tachwedd 1821 mae Griffith yn trafod y gwaith a'r cyflog:

> I could not exactly state what annual fee I should consider
> as adequate remuneration unless I knew how many times

in the week they would require my attendance. I therefore beg to offer myself for their service for three months leaving the remuneration for that time to their liberality and if they should approve of my service and wish to have further assistance from me, I should then know what to ask as an equivalent compensation.[29]

Fel rhan o'r gwaith ymgynghorol newydd gofynnwyd iddo greu tablau addas iddynt i redeg y busnes yswiriant bywyd a blwydd-daliadau a bod yn bresennol yn swyddfeydd y cwmni yn 11 Lombard Street am oriau penodol yn ystod yr wythnos. Am ei waith cafodd daliad o £150 er mai ond £105 (100 gini) oedd y cytundeb gwreiddiol. Erbyn Ebrill 1822 mae cyfarwyddwyr y Guardian yn penderfynu: 'two hundred guineas to be paid to Mr Griffith Davies as a compensation for the different tables prepared for the Office and for services rendered'.[30]

Sefydlwyd cwmni'r Guardian Fire and Life Assurance mewn cyfarfod o fancwyr yn Hydref 1821 a'r cadeirydd am y chwarter canrif gyntaf oedd Steward Marjoribanks AS, o fanc Thomas Coutts.[31] Roedd nifer o'r 20 cyfarwyddwr yn Aelodau Seneddol a rhai yn gyfarwyddwyr Banc Lloegr a Chwmni Dwyrain yr India – cysylltiadau pwysig ym mywyd Griffith maes o law. Bwriad y cwmni o'r cychwyn oedd delio gydag yswiriant tân a bywyd, a'r cyfuniad hwn yn unigryw ar y pryd. Penodwyd John Tulloch, gŵr llawn syniadau, yn rheolwr y fenter newydd a sefydlodd rwydwaith o bwyllgorau lleol ym mhrif ddinasoedd Prydain i estyn y busnes.

Yn y cyfnod hwn roedd nifer o gwmnïau a chymdeithasau yswiriant newydd yn mentro i'r maes. Rhwng 1800 a 1838 cynyddodd niferoedd y swyddfeydd yswiriant yn y wlad o 6 i 38, gan ymateb i dwf y boblogaeth a'r economi.[32] Gwahoddwyd Griffith hefyd i gyflwyno tablau marwolaethau i gymdeithas y Reversionary Interest ddechrau haf 1823 ond gwrthododd gan nad oedd wedi ei benodi'n actiwari ganddynt. Mewn cyfarfod o gyfarwyddwyr y gymdeithas ar 24 Orffennaf 1823 cawn y cofnod yma: 'resolved that Mr Griffith Davies be appointed Actuary of the Society at a salary of £100 per annum his attendance will be weekly during the Board of Directors to answer all questions referred to him at any time'.[33] Sefydlwyd cymdeithas y Reversionary Interest gan y cyfreithiwr Syr George Steven a'r cadeirydd oedd Zachary Macaulay FRS, y ddau yn ymgyrchwyr tanbaid i ddiddymu caethwasiaeth. Roedd y math yma o fusnes yn newydd ac yn golygu prynu hawl i berchnogaeth eiddo, fel arfer tŷ, pan mae'r perchennog yn marw neu'n symud – eiddo olyniadol. Cafwyd llwyddiant i'r fenter newydd a'r gymdeithas yn gwneud elw. Er bod Griffith bellach gyda nifer o heyrn yn y tân, gwaith ymgynghorol oedd ei gyfrifoldeb i'r gymdeithas a'r Guardian a hyn yn ychwanegol i'w waith yn yr ysgol.

Y Guardian

Nod Griffith oedd dod yn actiwari llawn amser. Byddai'n rhaid iddo gyfleu mewn cyfweliadau ei fod yn deall natur y gwaith a'r defnydd o ystadegaeth mewn perthynas â risgiau. Byddai angen iddo hefyd argyhoeddi ei ddarpar-gyflogwr ei fod yn abl i gasglu data perthnasol a thrin a phrosesu'r wybodaeth cyn dod i gasgliadau. Rhaid oedd dangos iddynt fod data cywir a chyfoes yn gymorth angenrheidiol i ddod i farn gywir.

Gweithio ar dablau marwoldeb oedd rhan o'r gwaith ymgynghorol gyda'r Guardian ond byddai angen i actiwari llawn amser, pe byddai'n cael y cyfle, gynghori ar fuddsoddiadau, cyfraddau llog, adlogi llog (*compound interest*), datblygiadau yn yr economi a sefyllfa iechyd cyhoeddus. Wrth yswirio bywyd unigolyn telid premiwm i'r cwmni ond roedd ochr arall i'r fargen. A oedd gan y cwmni ddigon o arian wrth gefn i dalu deiliaid y polisïau pan ddeuai'r amser? A beth petai angen gwneud nifer o daliadau yr un pryd? A fyddai digon o arian yn y coffrau i sicrhau fod y cwmni yn parhau mewn busnes? Roedd angen trefnu i fonitro a gwerthuso'r ymrwymiadau i gyd. Yn ychwanegol i wedd dechnegol y gwaith rhaid hefyd bod yn glir ynghylch ei argymhellion a chyfathrebu hynny i fwrdd y cyfarwyddwyr. Masnachwyr, bancwyr, gwleidyddion neu fyddigion oedd y rhain ac weithiau'n gyfarwyddwyr oherwydd eu cysylltiadau cymdeithasol, gwleidyddol a'u cyfoeth etifeddol yn hytrach na chrebwyll busnes.[34] Byddai angen egluro agweddau o waith actiwari iddynt. Prif ddiddordeb rhai cyfarwyddwyr fyddai dadansoddi'r elw a ragwelid a rhoi difidend i'r cyfranddalwyr, sef aelodau'r bwrdd.

Yn 1822 cyflwynodd yr ymgynghorydd newydd becyn yn cynnwys 24 o adroddiadau i fwrdd cyfarwyddwyr y Guardian. Roedd un adroddiad yn dod i'r casgliad ynghylch trefn newydd o ddosrannu bonysau.[35] Yn ei farn ef yr unig ffordd gywir o rannu elw:

> is to apportion them in such a way to the different policy holders as to make the present values of their respective bonuses in the ratio of the profits which had accrued to the office from those persons during the time they had been respectively assured.

Daw'r safbwynt yma ag adlais o'i resymeg fathemategol glir a wnaeth sicrhau tegwch wrth rannu cyflog misol chwarelwyr y Cilgwyn ychydig dros ddegawd ynghynt. Mater arall oedd yn mynd â'i fryd oedd gwerth ildio polisïau bywyd a gynigid gan swyddfeydd yswiriant. Yn ei farn ef, os oeddynt yn parhau i weithredu mewn dull roedd Griffith yn ei ystyried yn annheg, byddai'n rhaid cael llywodraeth y dydd i ddeddfu. Mae'n cyfeirio at 'ddisgwyliadau rhesymol' deiliaid polisïau.[36] Bu'n edrych hefyd ar farwolaethau swyddogion milwrol a'u teuluoedd yn yr India am y cyfnod 1804–20 a chyflwynodd farn i lys cyfarwyddwyr y Guardian fod angen iddynt godi premiwm ychwanegol o £3 13s. 6d ar gyfer yswiriant bywyd unigol ar gyfer gwledydd y Dwyrain.[37] Roedd hyn yn gychwyn ar fusnes y Guardian yn y rhan hon o'r byd a Griffith drwy'r holl waith ymgynghorol wedi cael cyfle i'w drwytho'i hun yn heriau swydd actiwari llawn amser.

Yna, heb ymgynghori gyda Griffith, hysbysebodd bwrdd y Guardian swydd actiwari llawn amser. Ar ôl yr holl waith ymgynghorol a wnaed dyma beth oedd siom a'r tro hwn roedd un arall o'i gyn-fyfyrwyr, James Summer, wedi datgan ei ddiddordeb i ymgeisio am y swydd ac yn y geirda a gyflwynwyd gan Griffith i'r bwrdd byddai Summer yn 'quite capable of conducting the affairs of the Institution'.[38] Llithrodd Griffith i iselder ac anobaith. Unwaith eto pan oedd mewn sefyllfa i gael swydd actiwari roedd cyn-ddisgybl yn cael y blaen arno ac nid oedd am ymgeisio yn ei erbyn. Roedd gwyleidd-dra Griffith yn ei ddal yn ôl. Y canlyniad oedd y byddai'n cael ysbeidiau o iselder. Mary oedd y cyfrwng i adfer ei ysbryd a'i hyder. Dywedodd wrtho fod yn rhaid iddo wneud cais am y swydd ac os na wnâi byddai'n mynnu fod ei brawd Jonas yn ysgrifennu llythyr ar ei ran i fwrdd y Guardian. Daeth Griffith at ei goed a chyflwynodd lythyr cais i'r Guardian.

Mae'n amlwg fod Griffith wedi argyhoeddi'r cwmni ym mhob ffordd oherwydd ei ymroddiad a'i allu ac ar ddiwedd 1823 fe'i penodwyd yn actiwari llawn amser gan fwrdd y Guardian Assurance am £500 y flwyddyn. Ers iddo ddechrau eu cynghori dros gyfnod o ddwy flynedd roedd y cwmni wedi cael llwyddiant eithriadol. Bu'n gweithio gyda'r Guardian Assurance drwy gydol ei fywyd proffesiynol er iddo gael cynigion hael yn aml gan gwmnïau eraill. Cynigiodd cyfarwyddwyr cymdeithas yr Amicable Life swydd iddo fel actiwari ar gyflog o £800 y flwyddyn, oedd yn sylweddol fwy na'r Guardian ar y pryd.[39] Gwrthododd y cynnig ac aros gyda'r Guardian gan dderbyn cefnogaeth ac edmygedd bwrdd y cwmni. Nid arian oedd popeth.

Yn arferol byddai cwmni yswiriant fel y Guardian wedi penodi actiwari o ddosbarth arbennig fyddai wedi cael addysg freintiedig. Penodwyd Griffith am iddynt edmygu a gwerthfawrogi ei waith ymgynghorol ac ar sail cymeradwyaeth gref neb llai na William Morgan o'r Equitable Life. Roedd y Guardian am gael gwasanaeth mathemategydd disglair oedd gyda'r sgiliau i gymhwyso'r wybodaeth ddiweddaraf yn y maes i bwrpas ymarferol masnach. Daeth y penodiad â gwaith Griffith yn ei ysgol arloesol yn Cannon Street i ben.[40] Hwn oedd y sefydliad cyntaf i hyfforddi darpar-actiwarïaid ac yno addysgwyd ugeiniau o unigolion abl a fu drwy gydol eu hoes yn y proffesiwn actiwari yn ddyledus iawn i'w hathro. Bellach cyrchfan foreol Griffith oedd swyddfa'r Guardian yn Lombard Street yng nghanol ardal ariannol y ddinas. Yn y blynyddoedd i ddod o dan arweiniad Griffith byddai gwaith actiwari yn cael ei drawsnewid a byddai seiliau proffesiynol yn cael eu gosod gyda chefnogaeth llawer o'i gyn-ddisgyblion.

Yn dilyn y penodiad teimlai cyfarwyddwyr y Guardian na ddylai Griffith barhau fel ymgynghorydd i gymdeithas y Reversionary Interest. O ganlyniad daeth â'r trefniant i ben gan fachu ar y cyfle i argymell bod Jonas Holbut, ei frawd-yng-nghyfraith a chynddisgybl iddo yn mynd i'r swydd yn ei le. Derbyniodd Syr George Steven, sefydlydd y gymdeithas, yr argymhelliad ac i ddatgan ei werthfawrogiad o hynny bu Griffith yn eithriadol hael a chaniatáu iddynt ddefnyddio'r tablau a luniwyd ganddo ar gyfer y gwaith – gweithred nodweddiadol garedig.

Ei waith fel actiwari

Ei gyfrifoldeb cyntaf yn y Guardian fyddai gweithio allan beth oedd risgiau'r holl bolisïau bywyd a blwydd-daliadau oedd ar lyfrau'r cwmni. Dyma ddyletswydd lafurus a manwl mewn byd di-daenlen a chyfrifiadur. Golygai waith cyfrifo manwl hirfaith gan wneud nifer o ragdybiaethau ynghylch polisïau. Byddai wedyn mewn sefyllfa i ddeall oblygiadau'r ymrwymiadau, trefn y cwmni i fuddsoddi cyfalaf a dod i gasgliad a oedd digon o adnoddau wrth gefn i'w diogelu rhag digwyddiadau neu gyfnod anarferol. Un o beryglon mawr cwmni yswiriant newydd gydag arian y premiymau'n llifo i mewn yn y blynyddoedd cynnar yw peidio asesu risgiau'r dyfodol yn fanwl a'r buddion addawedig i'r cwsmeriaid. Yn wahanol i'n hoes ni, ni cheid yn y cyfnod ddeddfau clir ynghylch gweithrediad cwmnïau o'r fath. Roedd llwyddiant, parhad a hyfywdra un o brif gwmnïau yswiriant Llundain yn ddibynnol ar ei waith yn dehongli risg a'i farn. Tipyn o gyfrifoldeb i ŵr ifanc 35 oed yn ei swydd actiwari gyntaf.

Erbyn 1828 roedd gan y Guardian 2,562 o bolisïau bywyd yn yswirio gwerth £3,429,964. Roedd y busnes yn tyfu ar raddfa o hanner miliwn o bunnau yn flynyddol. Ymhen saith mlynedd arall roedd ganddynt 3,672 o bolisïau (yswirio gwerth £4,419,288) ac erbyn 1842, 4,079 (yn yswirio gwerth £4,522,744) gan ddod â'r cwmni i amlygrwydd.[41] Roeddynt hefyd wedi penodi cyfreithwyr ymgynghorol o'r radd flaenaf – Lancelot Shadewell a Thomas

Metcalfe, gyda George Darling yn feddyg ymgynghorol, a George Basevi, tirfesurydd, a gynlluniodd swyddfeydd y cwmni.

Defnyddio ei sgiliau mathemategol i bwrpas ymarferol oedd cryfder Griffith. O hyn ymlaen yn y Guardian, byddai'n gweithio allan y premiwm ar gyfer polisïau newydd gan ragdybio, gyda'r data oedd ar gael, hirhoedledd deilydd y polisi. Roedd pob ymgeisydd am bolisi yn cael cyfweliad gan banel, a fyddai'n cynnwys un o'r cyfarwyddwyr, yn y swyddfeydd yn Lombard Street. Yn aml byddai angen i'r ymgeisydd gyflwyno tystlythyr gan ffrind a barn feddygol. Cosb absenoldeb mewn cyfarfod o'r fath oedd premiwm drytach. Mae'r llyfr ar hanes y Guardian yn sôn am dair sefyllfa a fyddai'n diddymu polisi bywyd gan y cwmni – 'dying by his own hand, by dueling or by the hand of justice'.[42]

At ei gilydd grŵp arbennig o bobl oedd yn prynu yswiriant bywyd a blwydd-dâl, sef y dosbarth canol darbodus breintiedig a fyddai'n awyddus i ddiogelu eu buddiannau yn y tymor hir. Y rhain hefyd fyddai'n byw yn hirach na thlodion y gymdeithas.[43] Roedd angen ymddiriedaeth gan y cwsmer yng ngwarcheidwadaeth y cwmni o'i arian ac y byddai digon wrth gefn i dalu allan yn dilyn marwolaeth. Gambl soffistigedig felly yw'r holl fusnes rhwng y cwmni a'r cwsmer. Er enghraifft, os byddai gŵr yn yswirio ei fywyd fel bod ei weddw yn cael incwm ar ôl iddo farw ac yntau'n marw'n ifanc yna byddai'r cwmni yswiriant ar ei golled. Fodd bynnag, pe byddai'r wraig farw yn syth ar ôl ei gŵr, byddai'r cwmni yswiriant ar ei ennill. Mae'n fyd sy'n rhoi manteision i gymdeithas ond yn llawn risgiau.

Ar y pryd roedd manteision y gambl yn gwyro'n glir tuag at y cwmnïau yswiriant gan wneud elw sylweddol iddynt am ddau brif reswm, yn ôl Supple.[44] Sefydlwyd y premiymau ar dablau marwolaeth oedd yn rhagdybio lefelau uwch o farwolaethau na'r hyn a ddigwyddai ac roedd cyfraddau llog yn uwch na'r hyn a ragdybiwyd. Y canlyniad oedd elw sylweddol. Mewn rhai cwmnïau roedd yr elw'n cael ei rannu i'r cwsmeriaid drwy ddatblygu polisïau newydd – y rhai gydag elw (*with profit*).

A beth am waith Griffith yn y Guardian? Byddai penodi a hyfforddi clercod gyda sgiliau neu addewid mathemategol i weithio yn ei adran yn un o'i ddyletswyddau a hefyd i gynghori ar fuddsoddiadau. Yn ôl Tarn a Byles buddsoddi mewn stociau'r llywodraeth, blwydd-daliadau a morgeisi ar eiddo rhydd-ddaliadol oedd y prif gategorïau buddsoddi.[45] Ceir cofnod o Griffith yn cynghori bwrdd y Guardian i roi benthyciad o £100,000 i Gwmni Dociau Llundain am 14 mlynedd ar raddfa o 4 y cant y flwyddyn a byddid wedi cael ernes i ddiogelu'r buddsoddiad. Yna yn Ionawr 1830 mae'n cyflwyno papur i'r bwrdd am y tebygolrwydd fod treth o 10 y cant yn mynd i'w ail-osod ar eiddo ac am addasu strategaeth fuddsoddi'r cwmni o ganlyniad. Yn nes ymlaen yn ei yrfa byddai'r Guardian wedi buddsoddi mewn bondiau a dyledebion (*debentures*) cwmnïau rheilffyrdd oedd yn datblygu drwy'r wlad. Roedd y math yma o gynghori a gwaith arall yr actiwari yn rhoi sylfaen i lwyddiant ac enw da'r cwmni.

Mae un ôl-nodiad yn dilyn penodiad Griffith i'r Guardian. Un o'r ymgeiswyr aflwyddiannus oedd Benjamin Gompertz, mathemategydd a chyd-aelod gyda Griffith yn y gymdeithas fathemategol yn Spitalfields. Gwŷr hunan-addysgiedig oedd y ddau er bod Gompertz o deulu cefnog. Ni chafodd fanteision addysg prifysgol am ei fod yn Iddew. Yn dilyn y gwrthodiad gan y Guardian cyfarfu Gompertz â Nathan Rothschild ei gefnder. Penderfynwyd gyda chefnogaeth Syr Moses Montefiore (brawd-yng-nghyfraith Gompertz) a Samuel Gurney fod cwmni newydd yn cael ei sefydlu – yr Alliance British and Foreign Life and Fire Company – gyda Gompertz yn brif actiwari.[46] Fodd bynnag, er gwaethaf ei siom, nid un i ddal dig yn erbyn Griffith oedd Gompertz. Bu'r ddau'n cydweithio ar nifer o dasgau mathemategol a thablau marwolaeth. Yn 1824 gwahoddwyd y ddau gan y London Life Association i roi barn ar sut y dylid dosrannu elw'r cwmni.[47] Roeddynt yn gyfeillion agos a Griffith yn llawn edmygedd o allu mathemategol a mawrfrydigrwydd Benjamin.[48]

Cyhoeddi llyfr arall

Roedd tablau marwolaeth Northampton wedi cael eu defnyddio'n helaeth gan gymdeithasau yswiriant bywyd a'r llywodraeth wrth ymwneud â blwydd-daliadau ers degawdau. Rhain oedd safon aur y byd yswiriant bywyd a Richard Price oedd wedi eu llunio.[49] Cyn sefydlu Swyddfa'r Cofrestrydd Cyffredinol yn yr 1830au yr arfer oedd i glercod plwyfi roi gwybodaeth am farwolaethau lleol er mwyn rhybuddio'r awdurdodau pe byddai'r pla du yn torri allan. O'r wybodaeth yma roedd tablau marwolaeth trefydd fel Northampton wedi cael eu cynhyrchu. Roedd dau brif bwrpas i gael tablau o'r fath, i benderfynu'r premiwm oedd angen i gwsmer o oed arbennig ei dalu i yswirio ei fywyd ac i weithio allan beth oedd ymrwymiad cyllidol y cwmni i'r trefniant. Er bod ystyriaethau a rhagdybiaethau eraill i'r trefniant cytundebol, roedd y tablau yn sylfaen i weithrediad yswiriant bywyd. A pham Northampton? Am fod y dref yng ngeiriau un actiwari yn 'small central and healthy borough town, which in itself combines many of the advantages of both town and country'.[50]

Mewn adroddiad i fwrdd y Guardian yn Awst 1823 dangosodd Griffith Davies fod graddfeydd marwolaeth ym Mhrydain wedi lleihau'n raddol a chyson dros gyfnod o ganrif. Yn y cyfnod 1815–20 roedd y marwolaethau yn 58 y cant o'r hyn oeddynt yn y cyfnod 1720–30. Roedd hyn yn wybodaeth bwysig iawn ac mae Barlow yn ei deyrnged yn gosod yr union ddata am bob degawd – arwydd o bwysigrwydd astudiaeth Davies:

> Supposing therefore, the Northampton Table to have been a correct index of human life at the time it was formed (from 1735 to 1780), it follows as a necessary consequence that it cannot at present be looked upon as giving anything like the real duration of British lives.[51]

Roedd data Northampton wedi dyddio ac ni ddylid o degwch fod yn eu defnyddio bellach. Eto roedd hyder y llywodraeth a'r cwmnïau yswiriant yn y tablau hyn yn ansigladwy ac elw'r cwmnïau yn parhau. Safbwynt Griffith oedd na ddylid datgelu'r wybodaeth o'i astudiaeth ar hyn o bryd gan ei fod yn bwriadu cyhoeddi'r gwaith cyn gynted ag yr oedd modd. Cytunodd y bwrdd i'w argymhelliad.

O ganlyniad roedd yn brysur unwaith eto yn paratoi cyhoeddi llyfr ac ar gyfer y gyfrol datblygodd amryw o syniadau newydd, dulliau o egluro rhai gwirioneddau mewn perthynas ag yswiriant bywyd ac enghreifftiau ymarferol i ddangos sut i ddefnyddio tablau colofnog (*columnar*) i weithio allan gwerth blwydd-dâl ac yswiriant bywyd. Roedd y gyfrol am ddatblygu dulliau newydd o feddwl a gweithredu yn y maes. Dyna oedd y gobaith. Yn hytrach na pharatoi'r holl lawysgrif ar gyfer y cyhoeddiad, byddai Griffith yn ymweld â'r argraffwyr bob bore gyda'i waith o'r noson gynt – dull llafurus o baratoi cyfrol. Tra oedd hyn yn mynd ymlaen clywodd fod y mathemategydd blaenllaw, Charles Babbage, yn paratoi llyfr ar flwydd-daliadau bywyd gyda'r tablau a ddefnyddid gan William Morgan yn yr Equitable Life yn cael eu haddasu. Gwaith tebyg oedd yn mynd ag amser Griffith a rhaid oedd cyhoeddi o flaen Babbage neu byddai'r holl waith yn ofer.

Dyna a wnaed. Cyhoeddwyd y llyfr yn 1825 ac roedd tablau newydd ynddo ac addasiadau o rai a ddefnyddid eisoes.[52] Ceir eglurhad sut i ddefnyddio'r 22 tabl gyda nifer helaeth o esiamplau penodol yn y llyfr. Mae rhai o'r tablau unigol yn cynnwys cannoedd o ffigyrau i ddelio gydag amrywiadau mewn oedran, premiwm a graddfeydd chwyddiant. Roedd arweiniad a syniadau newydd yn cael eu cyflwyno i'r maes gan actiwari ifanc a fu yn ei swydd ers dwy flynedd.[53] Nid tasg hawdd oedd cynhyrchu llyfr o'r fath ac mae'n cydnabod cymorth parod ei gyfeillion a fu'n gwirio'r holl gyfrifon – Jonas Holbut, ei frawd-yng-nghyfraith o gymdeithas y Reversionary Interest, Thomas Parry o swyddfa'r Hope Assurance, Samuel Ingall (Imperial Life) a David Jones (Royal Exchange). Mae'n ychwanegu fod y ddau olaf yn ŵyr ifanc addawol o ran talent a dyfalbarhad diflino. Dyma reddf yr athro yn ymddangos gan ddeall gwerth anogaeth a chanmoliaeth haeddiannol. Roedd Griffith yn datblygu yn llais ac arweinydd newydd a chyfrannodd y llyfr ymarferol yma i ddatblygu'r maes.

Mae'n werth ystyried cyd-destun datblygiad yr wyddor actiwari i werthfawrogi cyfraniad creadigol Griffith yn ei lyfr diweddaraf. Roedd George Barrett, mewn papur i'r Gymdeithas Frenhinol ers dros ddegawd, wedi rhoi cynllun colofnog ar gyfer adeiladu tablau marwoldeb ar gyfer blwydd-daliadau yn unig. Am ryw reswm ni

TABLES

OF

LIFE CONTINGENCIES ;

CONTAINING

THE RATE OF MORTALITY AMONG THE MEMBERS OF
THE EQUITABLE SOCIETY,

AND

The Values of Life Annuities, Reversions, &c.

COMPUTED THEREFROM:

TOGETHER WITH A MORE EXTENSIVE SCALE OF

PREMIUMS FOR LIFE ASSURANCES,

DEDUCED FROM THE

Nort̨ampton Rate of Mortalitp,

THAN ANY HITHERTO PUBLISHED:

AND THE

PROGRESSIVE VALUES OF LIFE POLICIES.

THE WHOLE CAREFULLY CALCULATED, ARRANGED IN A NEW FORM,
AND ILLUSTRATED BY PRACTICAL EXAMPLES,

By GRIFFITH DAVIES,

ACTUARY TO THE GUARDIAN ASSURANCE COMPANY.

London:

Robson, Brooks, and Co. Printers, Abchurch Lane.

PUBLISHED FOR THE AUTHOR, AND SOLD BY LONGMAN & Co.
PATERNOSTER ROW, AND J. M. RICHARDSON, 23, CORNHILL.

1825.

Y llyfr ar yswiriant bywyd a'r tablau colofnog,
1825 (*Hawlfraint The Royal Society*)

chafwyd sêl bendith pwyllgor, oedd yn cynnwys William Morgan, i gyhoeddi'r papur yn nhrafodion y Gymdeithas Frenhinol – y *Philosophical Transactions*. Ai oherwydd nad oedd y gwaith yn safonol, neu oherwydd eiddigedd? Cyhoeddwyd y gwaith o ganlyniad fel atodiad mewn llyfr ar flwydd-daliadau gan Francis Baily, oedd yn uchel ei gloch a beirniadol o wrthodiad y pwyllgor.[54]

Nid oedd Griffith â diddordeb yng ngwleidyddiaeth y byd actiwari yn y cyfnod hwn a gwelai fod tablau Barrett yn ffordd hwylus i weithio allan fuddion oedd wedi eu gohirio (*deferred*), rhai dros dro (*temporary*) a rhai cynyddol (*increasing*). Teimlai fodd bynnag fod y cynllun colofnog yn anhylaw ac aeth ymlaen i'w hail-lunio i fod o ddefnydd ymarferol ar gyfer yswiriant bywyd. Cynlluniodd nifer o golofnau cyfnewid – M ac R yn ychwanegol i golofnau D, N a S gan Barrett ar gyfer bywyd unigolyn a dau fywyd (*joint lives*) a hyn mewn dull mwy cyfoes a chyda thablau ariannol. Roedd yr addasiadau hyn bron yn ddarganfyddiadau newydd gan eu bod am y tro cyntaf yn rhoi defnydd ymarferol i weithrediadau cyfnewidiol (*commutation functions*) ym myd yswiriant trwy gyfuno gwybodaeth am log blynyddol a marwolaethau. Symleiddio'r broses o brisio a rhoi gwerth ar bolisïau yswiriant bywyd oedd gwerth mawr y colofnau gan osod trefn newydd ar gyfer y proffesiwn actiwari am ddegawdau i ddod ac i'r cyfnod diweddar.[55] Camau breision iawn i ddatblygiad y maes o ganlyniad.[56]

Er iddo ddangos gwelliannau sylweddol yn ei ddull colofnog, roedd ganddo fwy o waith cyhoeddi mewn golwg yn ychwanegol at y gwaith dyddiol trwm gyda'r Guardian. Yn y cyflwyniad i'r llyfr mae'n cyhoeddi fod y dulliau o ffurfio'r tablau yn:

> reserved for a more extensive work on the subject, which the Author has for some time been conducting through the Press. This Work, which is nearly ready for publication, contains a New Theory of the Doctrine of Annuities and Assurances, interspersed with Practical Observations, and more than double the number of tables contained in this Tract.

TABLE XIII.

Being a preparatory Table for determining the Values of Annuities, &c. on Single Lives, according to the Northampton rate of mortality.

(4 per Cent.)

Age.	D	N	Age.	D	N
	- - -	131970.4425	48	458.7150	5360.3419
0	11650.0000	120320.4425	49	429.6574	4930.6845
1	8317.3076	112003.1349	50	402.0159	4528.6686
2	6733.5429	105269.5920	51	375.5944	4153.0742
3	6028.2843	99241.3077	52	350.4804	3802.5938
4	5510.0677	93731.2400	53	326.7429	3475.8509
5	5136.2225	88595.0175	54	304.3128	3171.5381
6	4793.2576	83801.7599	55	283.1246	2888.4135
7	4502.5130	79299.2469	56	263.1162	2625.2973
8	4248.9636	75050.2833	57	244.2281	2381.0692
9	4029.3349	71020.9484	58	226.4038	2154.6654
10	3833.8267	67187.1217	59	209.5891	1945.0763
11	3652.5935	63534.5282	60	193.7331	1751.3432
12	3480.8794	60053.6488	61	178.7866	1572.5566
13	3316.9707	56736.6781	62	164.7033	1407.8533
14	3160.5211	53576.1570	63	151.5234	1256.3299
15	3011.1994	50564.9576	64	139.1137	1117.2162
16	2868.6886	47696.2690	65	127.5126	989.7036
17	2731.1458	44965.1232	66	116.5980	873.1056
18	2597.4711	42367.6521	67	106.3345	766.7711
19	2467.6659	39899.9862	68	96.6878	670.0833
20	2342.1779	37557.8083	69	87.6261	582.4572
21	2220.4980	35337.3103	70	79.1183	503.3389
22	2103.4476	33233.8627	71	71.1353	432.2036
23	1992.1163	31241.7464	72	63.6494	368.5543
24	1886.2372	29355.5092	73	56.6341	311.9202
25	1785.5560	27569.9532	74	50.0642	261.8559
26	1689.8289	25880.1243	75	43.9160	217.9399
27	1598.8244	24281.2999	76	38.1667	179.7733
28	1512.3203	22768.9796	77	32.9410	146.8323
29	1430.1053	21338.8743	78	28.2485	118.5837
30	1351.9773	19986.8970	79	24.0039	94.48981
31	1277.7437	18709.1533	80	20.3472	74.14256
32	1207.2204	17501.9329	81	16.9366	57.20599
33	1140.2317	16361.7012	82	13.8785	43.32749
34	1076.6104	15285.0908	83	11.1463	32.18120
35	1016.1961	14268.8947	84	8.67791	23.50329
36	958.8363	13310.0584	85	6.63253	16.87076
37	904.3858	12405.6726	86	4.97166	11.89910
38	852.7053	11552.9673	87	3.65951	8.23960
39	803.6624	10749.3049	88	2.63114	5.60846
40	757.1306	9992.1743	89	1.88984	3.71862
41	712.7891	9279.3852	90	1.34821	2.37041
42	670.5458	8608.8394	91	.958175	1.41223
43	630.3125	7978.5269	92	.650345	.761890
44	592.1821	7386.3448	93	.416888	.345003
45	556.0523	6830.2925	94	.225480	.119522
46	521.8259	6308.4666	95	.096359	.023163
47	489.4097	5819.0569	96	.023163	.000000

F

Enghraifft o dablau o lyfr, 1825 (*Hawlfraint The Royal Society*)

Ei fwriad yn y llyfr oedd cyfuno damcaniaethu gwreiddiol gyda chanllawiau ymarferol ac roedd mewn sefyllfa fanteisiol i wneud hyn.

Yn 1826 cyhoeddodd Babbage ei waith ac er bod ynddo dablau ceir arfarniad annibynnol gyda thinc awdurdodol am weithrediadau cwmnïau yswiriant yr oes hefyd.[57] Dylid nodi fod Charles Babbage, a oedd i'w benodi i gadair Lucasian mewn mathemateg ym Mhrifysgol Caergrawnt yn 1828, yn gyfrifol am greu peiriant cyfrif, rhagflaenydd cyfrifiaduron ein hoes ni. Roedd hefyd yn arloesol mewn ffyrdd eraill a chyda barn bendant ar wleidyddiaeth ac addysg. Edmygai'r gyfundrefn *Grand Ecoles* yn Ffrainc gyda'r pwyslais ar sgiliau ymarferol a chydnabyddiaeth i beirianwyr, ond yn y maes yswiriant roedd Griffith wedi cael y blaen arno.

Nid oedd Babbage a Morgan yn eneidiau cytûn ac roedd ffraeo cyhoeddus yn nodwedd o'r berthynas.[58] Serch hynny, er i Griffith gyhoeddi addasiadau lled feirniadol o dablau'r Equitable Life, nid oedd yn wrthrych cynnen gan Morgan. Wrth gael ei holi am y gwahaniaeth rhwng ei gasgliad ef a Morgan am werth blwydd-daliadau dywedodd fod 'Mr Morgan became confused in a multiplicity of symbols' tra roedd Griffith yn osgoi cael gormod o lythrennau yn ei fformiwlâu: 'they are fatiguing to the mind ... and sometimes calculated to mislead'.[59]

Ystyriwyd Griffith yn brif fathemategydd y byd actiwari yn sgîl cyhoeddi'r llyfr hwn, a chyda hynny cynyddu a wnaeth y galw am ei arbenigedd. Nid prosiectau mathemategol amrywiol oedd yn dod i'w ran bellach ond ceisiadau, o Ewrop a'r Unol Daleithiau, i gael ei farn a'i sylwadau ar faterion amrywiol y byd yswiriant. Derbyniai ffioedd hael am hyn yn ychwanegol i'w waith i'r Guardian, a sylwodd ar brydlondeb actiwarïaid o Ffrainc yn talu eu dyledion iddo gyda chwrteisi a diolchgarwch yn yr ohebiaeth.[60] Roedd eisoes wedi datgan ei fod am gyhoeddi llyfr arall yn y wyddor actiwari: 'a more extensive work on the subject', ond oherwydd galwadau eraill o bob math, ysbeidiol ac araf oedd y gwaith o lunio'r gyfrol nesaf. Dechreuodd bryderu na wnaeth hawlio gwreiddioldeb y cynllun colofnog yn ddigonol yn ei lyfr diweddar o gymharu gyda gwaith Barrett.

Ymhen degawd daeth rhyddhad gan i'r Athro Augustus De Morgan, mathemategydd disglair yng Ngholeg Prifysgol Llundain, gyhoeddi papur mewn atodiad i'r Almanac Prydeinig gan wneud sylw ar waith George Barrett a Griffith Davies. Meddai:

> This method of Mr Barrett was rendered still more commodious, and we believe extended, by Mr Griffith Davies, in his Tables of Life Contingencies (1825) – a work now unfortunately out of print. The great principle of the method – namely, the formation of tables by which deferred, temporary, and increasing benefits are easily calculated as those for the whole life – belongs to Mr Barrett as much as the invention and construction of logarithms to Napier. On the other hand, Mr Griffith Davies, by the alternation, presently noted, and the separate exhibition of (columns) M and R, has increased the utility and extended the power of the method to an extent of which its inventor had not the least idea, and has all the rest of the claim in the matter which is made for Briggs, in the adaptation of logarithms to practical use.[61]

Derbyniodd Griffith gydnabyddiaeth am ddatblygu gwaith Barrett a'i wneud yn fwy hylaw a defnyddiol. Fodd bynnag, mae gwyddonwyr a mathemategwyr yn newid eu meddyliau wrth ymateb i wybodaeth newydd. A oedd De Morgan felly ymhen blynyddoedd yn cadw i'r un safbwynt Griffith-gefnogol? Cyn cwblhau'r cofiant ysgrifennodd Barlow ato i holi a oedd wedi addasu ei farn ers 1840. Gan fod y cofiant am gael ei gyhoeddi mewn cylchgronau yn y byd yswiriant rhaid oedd i ffeithiau, barn a safbwyntiau fod yn wyddonol gywir ac nid yn rhethreg wag. Fel hyn mae'r athro yn ysgrifennu yn ôl at Barlow:

> I never had the pleasure of seeing Mr Griffith Davies except on one occasion, and he then expressed to me his satisfaction with what I had written on the subject of Barrett's method and his improvements. His words, 'that I had done him justice,'

were so significantly spoken as to convey the impression
that some others had done him injustice; but he said nothing
more. I was aware that there were those who supposed that
he intended to claim the whole method – a supposition
which probably arose from his not having made any allusion
to Barrett in the small work in 1825. I never had any such
impression. So little is said about the method beyond bare
formulae, that it seemed to me the author thought little of
the matter either way; and there is throughout the absence
of historical allusion which marks the person who has not
made history his prominent study, and has little inducement
to mix any account of methods with the method themselves.
All that I have seen and read subsequently has confirmed
my view, as quoted by you, of the relative position of Barrett
and your uncle. I am not aware that it has been contested
by anyone.[62]

Roedd cyhoeddi'r cynllun colofnog yn un o ddatblygiadau
arloesol y wyddor actiwari ac yn arf hanfodol i actiwarïaid am
ddegawdau i ddod yn eu gwaith pob dydd. Byddai cyfoedion Griffith
yn gwerthfawrogi ei feddwl clir a gwreiddioldeb ei fathemateg
ac roedd ei waith yn sylfaen i ddatblygiadau pellach yn y wyddor
actiwari yn y blynyddoedd i ddod. Heb os bu cyhoeddi llyfr mor
ddylanwadol yn un o uchafbwyntiau ei yrfa broffesiynol.

5

YR YMGYRCHYDD

Nid dynion diasgwrn cefn oeddynt ... yr oeddynt yn wyr
annibynnol eu barn, yn llawn ynni. Magasant feibion a
ddaeth yn yr oes ddilynol yn Rhyddfrydwyr pybyr, yn
Ymneilltuwyr cadarn, ac yn gefnogwyr i symudiadau
addysgol a chymdeithasol. Yn y meibion hynny y gwelwyd y
bedwaredd ganrif ar bymtheg yn ei gorau, ffrwyth eu haberth
a'i hymdrechion hwy yw llawer o'r breintiau a fwynheir
gennym yn yr oes hon.

Sylwadau W. Gilbert Williams ar y tyddynwyr[1]

Datblygodd bywyd proffesiynol Griffith yn rhyfeddol yn ystod
blynyddoedd cynnar yr 1820au. Roedd i brif actiwari cwmni'r
Guardian statws ac roedd y llyfr diweddaraf yn estyn ei enw da a'i
ddylanwad. Lledu hefyd yr oedd ei gysylltiadau nid yn unig gyda
mathemategwyr ond drwy'r cwmni yswiriant i gylchoedd newydd
bancwyr, cyfarwyddwyr prif gwmnïau Llundain a nifer o Aelodau
Seneddol oedd yn ymwneud â'r byd masnachol. Roedd sefyllfa'r teulu
wedi gwella'n sylweddol ac fel y gwelwn yn nes ymlaen cafodd Griffith
incwm taclus am ei waith. Cyfnod o newid mawr a llwyddiant yn ei
fywyd proffesiynol oedd hwn ac yntau'n gwneud yn fawr o bob cyfle.

Roedd datblygiadau yn y cartref hefyd. Ganed Jane, y drydedd ferch, ar 24 Gorffennaf 1818 ac yna Sarah ar 6 Mai 1820; bedyddiwyd a chofrestrwyd y ddwy yn y capel Cymraeg yn Wilderness Row.[2] Roedd cyfrifoldebau yn cynyddu ar bob llaw ac yn faterol roedd amgylchiadau'r teulu yn gwella. Anfonwyd y ddwy ferch hynaf, Mary ac Elizabeth, i ysgol breswyl Hainault House, Chingwell, allan yn y wlad ar gyrion Llundain. Yno, gyda 50 o enethod eraill, ac yn eu plith dwy o enethod Thomas Jones, un o flaenoriaid Jewin Crescent, byddent yn derbyn yr addysg a ystyrid yn addas i ferched yr oes gan Miss Nicholson y brifathrawes a'i staff. Byddai'r rhieni balch yn mynd i'r ysgol i weld eu merched yn rheolaidd.

Profedigaethau

Cyfeiriwyd eisoes fod Griffith yn rhannol gyfrifol am gynnal ei fam-yng-nghyfraith weddw a daeth y baich yn drymach pan fu farw Jonas Holbut yn ei dridegau cynnar gan adael ei wraig a thri o blant heb unrhyw gynlluniau i'w cynnal. Ni wyddom union faint y cyfrifoldebau ychwanegol hyn, ond ceir cyfeiriad at drefniadau a wnaeth Griffith i gael y bachgen hynaf i fynychu ysgol y Santes Ann yn Brixton a sicrhau fod y ffi o £105 yn cael ei dalu yn flynyddol ar gyfer ei addysg, llety a bwyd. Gwnaeth drefniadau tebyg i un o blant Eleanor Roberts, trigolion tŷ capel Wilderness Row, yn dilyn marwolaeth ei gŵr hithau.[3]

Daeth tro ar fyd i'w deulu yntau hefyd. Trawyd dwy o'r merched, Elizabeth a Jane, yn wael gyda'r pâs a'r frech goch a llithrodd y ddwy i wendid. Mawr oedd gofid a chonsýrn Mary a Griffith. Dirywiodd cyflwr y ddwy fach ac ym mis Rhagfyr 1820 yn 2 flwydd oed bu farw Jane, ac yna yn gynnar ym mis Ionawr 1821 trengodd Elizabeth yn 5 mlwydd oed. Roedd yn brofedigaeth enfawr gweld y ddwy eiddil yn dioddef ac yn colli eu bywydau. Sut fyddai gwreiddioldeb ac annibyniaeth barn Elizabeth wedi datblygu ymhellach petai wedi cael byw? Roedd eisoes wedi dangos y byddai'n dod i gasgliadau pendant drwy ei rhesymeg ei hun yn hytrach na barn eraill. Mae'n debyg fod Mary a Griffith wedi'u holi eu hunain droeon beth allent fod wedi ei wneud yn wahanol i warchod ac arbed y ddwy.

Byddai'r profedigaethau hyn yn boen enfawr i'r teulu ond roeddent yn byw yng nghanol afiechydon dinas fudr a myglyd. Roedd afiechydon angheuol fel y pla du, teiffoid, difftheria a'r ddarfodedigaeth yn gyffredin a pheryglon i'r fam a'r plentyn mewn genedigaethau. Ychydig a wyddom am y blynyddoedd cynnar yma ym mywyd Griffith ond mae tystiolaeth ei fod wedi symud yng ngwanwyn 1821 o'i lety yng nghanol y ddinas i 11 Palmer Terrace yn Holloway ar gyrion gwledig Llundain.[4] Rhes o dai newydd oedd y rhain sydd bellach yn rhan o Ffordd Holloway. Byddai'r lleoliad yn rhoi mwy o le i'r teulu ac awyr iach yn hytrach na bwrlwm a budreddi canol y ddinas. Roedd rhimyn o dir yng ngardd y tŷ newydd a llwybr troellog heibio i goed lelog ac eirin gwlanog. Cyfle i'r teulu fwynhau awyr iach, tyfu blodau a llysiau, a sylwi ar natur yn yr ardd a'r ardal wledig gyfagos.

Yn yr ysgol yn Chingwell roedd Mary yn dod yn ei blaen ac yn ennill aml i wobr am wahanol weithgareddau. Gartref byddai'n cael arian poced gan ei thad am roi gwersi adnabod lluniau anifeiliaid i'w chwaer fach Sarah a gwnaeth hynny'n drefnus. Roedd y ddwy yn cael llawer o sylw ac yr oedd ei rhieni'n grediniol fod awyr iach y wlad yn llesol i'w hiechyd. Ond roedd gwaeledd pellach i ddod. Daeth Mary adref o'r ysgol yn hydref 1825 a dirywiodd ei hiechyd – 'withered like a flower' yw'r disgrifiad ohoni.[5] Daeth eu meddyg lleol yn Islington, Dr Hunter, i'w gweld, a hefyd Dr George Darling, cyd-weithiwr i Griffith yn y Guardian, ond nid oeddynt yn obeithiol. Roedd y pâs a'r frech goch wedi taro eto a'i gadael mewn gwendid. Clywodd Mary sgwrs ei mam gyda'r meddyg a deall na fyddai'n byw yn hir.

Ei dymuniad oedd cael ffrog newydd, un ysgarlad *bombazine*, iddi hi a'i chwaer a dyna a fu. O gonsýrn am ei henaid rhoddodd ei thad lyfr iddi, sef fersiwn plant o alegori John Bunyan, *Taith y Pererin*. Ond roedd Mary yn ymwybodol o'i sefyllfa a chyhoeddodd yn ystod ei pharti pen blwydd yn 10 oed: 'This is my birthday and the last one I shall ever see.' Ymhen ychydig ddyddiau bu farw ac mae'n amhosib i ni ddeall galar Griffith, Mary a Sarah. Roedd yn sioc anferth i golli tair merch mewn tair blynedd. Gwasanaethwyd yn yr angladd gan y Parchedig Thomas Lewis, gweinidog yr Union Chapel yn Islington,[6] a chladdwyd ei gweddillion gyda'i dwy chwaer ym mynwent Bunhill Fields, oedd hefyd yn orffwysfa i Bunyan ei hun. Sarah bellach oedd eu hunig blentyn a gallwn dybio y byddai hi'n gweld colli ei chwiorydd hŷn wrth weld ei ffrindiau yn yr ysgol gyda chwmni gartref. Sut oedd ei rhieni i'w diogelu rhag yr holl afiechydon ac mewn byd lle'r oedd bywyd mor frau? Gallent gymryd ychydig o gysur fod Sarah yn ferch gryfach na'i chwiorydd.

Nid oedd profedigaethau a cholledion fel hyn yn anarferol yn yr oes. Cyfeiriwyd at yr afiechydon oedd yn gyffredin a byddai Griffith fel actiwari yn ymwybodol o waith John Graunt, un o'r demograffwyr cyntaf oedd wedi edrych ar ddata marwolaethau plant yn Llundain yn benodol. Allan o 100 o blant byddai 36 wedi marw cyn cyrraedd 6 oed, a 24 arall cyn cyrraedd 15 oed.[7] Roedd sefyllfa ei deulu ei hun yn waeth na data Graunt a dim ond Sarah oedd ar ôl a hithau eto'n blentyn ifanc iawn. A fyddai hi'n goroesi a beth ellid ei wneud yn fwy i'w diogelu? A oedd tensiwn rhwng ei waith caled fel actiwari ac awdur a'i gyfrifoldeb i'w deulu? Mae tystiolaeth fod ei iechyd a'i ysbryd yn fregus yn y cyfnod hwn ac iddo ohirio mynd ymlaen i gyhoeddi ymhellach. Er ei fod yn ymwneud â phrosiectau llwyddiannus yn ei waith, nid oedd agweddau allweddol o'i fywyd yn hawdd ac roedd yn cael ei dynnu i bob cyfeiriad yn barhaus. Serch hynny, ymgyrch annisgwyl arall ar y gorwel a fyddai'n dod â'i enw i sylw cylchoedd newydd drwy'r deyrnas.

Ymgyrch y tyddynwyr

Cyfeiriwyd ar ddechrau'r llyfr hwn at leoliad unigryw plwyf Llandwrog gyda'r rhan uchaf yn dir comin mawnoglyd a gweundir, lleoliad y tyddynnod. Dyma ardal a ddaeth yn destun gwrthdaro a gafodd sylw drwy'r wlad. Yn dilyn ei ethol yn Aelod Seneddol yn 1826 penderfynodd Thomas John Wynn, Arglwydd Newborough o ystâd Glynllifon, fod angen cau'r tir yma ac ymestyn ei diriogaeth ym mhlwyfi Llandwrog a Llanwnda. Byddai'r Mesur seneddol yn effeithio ar dros 140 o dyddynnod a thri chapel ym mhen uchaf y ddau blwyf. Roedd dros saith gant o drigolion, a oedd wedi gweithio'n galed i adeiladu eu tai di-rent a gwella'r tir garw – cyfanswm o dua phedair mil acer – yn cael eu heffeithio gan gynllun yr Aelod Seneddol newydd. O ganlyniad, fel mewn rhannau eraill o Gymru, roedd y trigolion yn paratoi am frwydr, ond roedd grym yr ystâd, diffyg pwerau democrataidd a'r angen am arian sylweddol i wrthwynebu yn golygu mai brwydr unochrog a fyddai.

Yn ei lyfr ar gau'r tiroedd comin mae David Thomas yn disgrifio'r prosesau cyfreithiol i gau tiroedd o'r fath gan ystâd fel Glynllifon.[8] Gofynnwyd am ganiatâd i ddod â mesur i gau tir gerbron y senedd yn San Steffan drwy ddeisyfiad. Yr arfer wedyn oedd i'r Aelod Seneddol lleol gyflwyno mesur ac roedd yn gyd-ddigwyddiad hwylus i Newborough gael ei ethol i gynrychioli sir Gaernarfon yn 1826. Byddai pwyllgor o'r Tŷ Cyffredin yn ystyried y mater cyn y darlleniad cyntaf ac ar ôl yr ail ddarlleniad. Yr aelod lleol fyddai'n cadeirio'r pwyllgor ac yn dewis yr aelodau. Gellid gwrthwynebu wrth gwrs drwy fynd i Lundain i roi tystiolaeth ac aros yno am ddyddiau; rhaid oedd i unrhyw wrthwynebwr hefyd brofi ei fod yn berchen tir, neu'n berchen y degwm. Ar ôl i'r mesur ddod yn Ddeddf byddai'r gwaith o fesur a rhannu'r tir, os oedd angen, yn cael ei wneud gan ddirprwywyr a enwid yn y mesur. Siawns wael iawn fyddai gan y tyddynwyr tlawd i lwyddo yn erbyn grym a chyfoeth cyfundrefn oedd yn ffafrio un dosbarth o bobl ac roedd y syniad fod Aelod Seneddol yno i ymladd dros fuddiannau pobl leol yn wrthun.

Byddai'r ardalwyr uniaith Gymraeg wedi clywed am fwriad Newborough gan fod rhybudd, mewn Saesneg, wedi ymddangos yn eglwysi'r ddau blwyf. Bu gwrthwynebiad i ddeddfau cau tir comin mewn nifer o blwyfi yn y sir, o Nefyn i Lanllyfni, gyda'r trigolion yn ymosod ar y dirprwywyr a'r mesurwyr a rhaid oedd cael milwyr i gadw trefn a darllen y Ddeddf Derfysg. Caed terfysgoedd tebyg ar hyd a lled Cymru ac yn y cyfnod hwn caewyd miloedd o aceri o dir comin. Yn lleol ym mhlwyf Llandwrog ceir honiadau o drais gydag ymosodiadau ar eiddo amaethyddol ac anifeiliaid tirfeddianwyr lleol.[9]

Yn ystod 1826 felly cysylltodd y tyddynwyr gyda Griffith Davies i ofyn am ei gymorth i ddiogelu eu cartrefi a'u teuluoedd. Pobl oeddynt a adnabyddai yn dda iawn fel cymdogion, cyd-chwarelwyr neu gyd-addolwyr ym Mrynrodyn. Yn wir, gallai ef ei hun fod wedi cael ei fagu mewn tyddyn ar y tir comin pe na byddai ei hen ewythr wedi rhoi cyfle i'w rieni fyw yn Nhŷ Croes a Beudy Isaf. Fel y gwelwn yn nes ymlaen roedd teulu i Griffith yn un o'r tyddynwyr a fygythid ac ni allai anwybyddu eu cais am gymorth. Yn dilyn ystyriaeth awgrymodd i'r tyddynwyr y dylent baratoi deisyfiad i'r Senedd yn gosod allan eu hachos.

Er ei awgrymiadau, roedd yn ymwybodol nad oedd ganddynt yr adnoddau, y profiad na'r sgiliau i gyflawni hyn. Bu'n rhaid iddo arwain a threfnu cyfreithwyr Cymreig yn Llundain i lunio'r deisyfiad. Dyma gyfieithiad o rannau o'r deisyfiad o lyfr David Thomas:

> Dywedasant mai chwarelwyr oedd y rhan fwyaf ohonynt, a'u bod wedi adeiladu tai ar y comin – rhai ers mwy na deugain mlynedd … gan dybied mai tir heb ei feddiannu ydoedd … mai tir caregog, diffrwyth, oedd y mynydd, nad oedd yn werth ond y nesaf peth i ddim nes iddynt hwy drwy lafur caled ar ôl gorffen eu diwrnod gwaith, ei ddigaregu a'i drin a'i wrteithio … eu bod wedi ymgynnal rhag mynd yn faich ar y trethi, ond hefyd yn talu trethi eu hunain; a gofynnent am gael cadw eu tai ar y tiroedd, a thalu rhent i'r Goron yn ôl beth oedd gwerth y tir cyn iddynt hwy ei ddiwyllio.[10]

Apêl resymol gan gymuned Anghydffurfiol deyrngar a heddychlon oedd hyn.

Rhaid hefyd oedd cael gwybodaeth gywir a manwl am sefyllfa'r tyddynwyr, enwau ac oed y trigolion, maint a phryd y codwyd pob tyddyn, mesuriadau'r tir, nifer yr anifeiliaid a'r trethi a dalwyd. Roedd nifer fel yn Nhŷ Croes plentyndod Griffith yn cadw dwy neu dair buwch a'r cnydau yn datws a llysiau. Nid oedd yr holl dir comin wedi ei feddiannu ac ar gyfartaledd tua dwy i ddwy acer a hanner oedd yn gysylltiedig â'r tyddyn. Oherwydd eu bod mor hunangynhaliol nid oeddynt yn draul ar drethi ac roeddynt wedi talu eu trethi i gyd. Roedd yr arolwg a'r cyfrifiad lleol yma o fantais fawr i'w hachos a

Copy of a Petition which was signed by the fore-mentioned Cottagers, and presented on their behalf to the House of Commons.

To the Honourable the Commons of the United Kingdom of Great Britain and Ireland in Parliament assembled.

The Humble Petition of the several Persons whose Names are hereunto annexed,

Sheweth,

THAT your Petitioners are the occupiers of Cottages erected on the Commons or Waste Lands, known by the names of Mynydd y Cilgwyn, Mynydd yr Hendre, Rhôs y Gadfan, (otherwise called Rhôs y Gadfa,) Rhôs Nennan, and Rhôs Tryfan, and situate in the Parishes of Llanwnda and Llandwrog, in the County of Caernarvon.

THAT your Petitioners are principally employed in the neighbouring Slate Quarries, the produce of which affords the chief article of commerce in the surrounding district.

THAT in consequence of the scarcity of habitations at convenient distances from the said Quarries, and from a notion that the said Commons were unappropriated Lands, and for the purpose of rendering their labour more effectual for the support of their families, your Petitioners have erected Cottages on the said Commons without any grant or permission, and have been suffered in the quiet possession of the same up to the present time, although the greater part of them have been erected for above ten years, a considerable proportion of them above twenty years, several above thirty years, and some above forty years; the whole now amounting to no less than one hundred and forty-one separate Tenements.

THAT most of your Petitioners have also enclosed some portion of the adjoining Wastes, which in their natural state are so stony, mountainous and sterile, as to be (as your Petitioners verily believe) of too small a value to remunerate the Capitalist the expense of cultivation; but which your Petitioners, by incessant labour early and late during their over-hours at the Quarries, have so far cleared of stones, manured and cultivated, as to make them produce Potatoes, in many cases slight crops of Corn, and in some cases afford the means of supporting one or two Cows, for the nourishment of their families. The whole quantity of Land thus enclosed by them somewhat exceeds three hundred Acres, making an average between two and two and half Acres to each separate Tenement.

THAT by these means your Petitioners have hitherto been enabled to maintain themselves and their families without being burdensome to their Parishes, and by the payment of Parochial Rates even to afford assistance for the support of others; for it appears on reference to the Books of the said Parishes, that during the last seven years, exclusive of a Church Rate recently levied upon them, your Petitioners have paid Parochial Rates to more than four times the amount of relief granted during the same period to those among them who have been obliged to seek Parochial aid. Your Petitioners have also paid Tythes in common with their Neighbours, and some of them have lately paid the Assessed Taxes, which the others would have paid in like manner had they been claimed of them.

Deisyfiad i'r senedd gan Griffith Davies ar ran y tyddynwyr
(*Hawlfraint Yr Archifau Cenedlaethol, Kew*)

threfnodd i'r tyddynwyr arwyddo'r deisyfiad. Ynddo, mae'r enwau lleol a ddefnyddid yn cael eu cofnodi – Mynydd y Cilgwyn, Mynydd yr Hendre, Rhôs y Gadfan, Rhôs Nennan a Rhôs Tryfan.[11] Roedd nifer helaeth o'r tyddynnod yno ers dros 20 mlynedd a rhai ers 40. Nid tasg hawdd oedd cael yr holl wybodaeth at ei gilydd yn gywir a chymerodd lawer o amser Griffith. Byddai mynd drwy'r broses fanwl yma yn lleihau'r posibilrwydd o drais yn lleol gan fod y tyddynwyr yn gweld bod eu hachos yn cael sylw.

Y dasg nesaf oedd cyflwyno'r deisyfiad i ddau dŷ'r Senedd. I Dŷ'r Arglwyddi cyflwynwyd y deisyfiad gan y Cyrnol Henry George Herbert, iarll Carnarvon ac i Aelod Seneddol Saesneg arall ar gyfer Tŷ'r Cyffredin. Yn lle cyflwyno'r deisyfiad i'r Tŷ penderfynodd Herbert, o ran cwrteisi, ei gyflwyno i Newborough. Ni fyddai'r deisyfiad felly yn mynd ymlaen ac ymddengys felly fod yr holl waith caled a'r gwario wedi bod yn ofer. Aeth Griffith i weld Comisiynwr Coedwigoedd a Fforestydd i dderbyn cyngor ond roeddynt hwy, heb adnabod yr ardal, yn gweld y tyddynwyr fel tresmaswyr. Ceir llythyrau gan Griffith yn Archifau Cenedlaethol Kew at ysgrifennydd Comisiynwyr Coedwigoedd a Fforestydd, dyn o'r enw A. Milne, yn rhoi tystiolaeth nad sgwatwyr oedd y tyddynwyr.[12] Roeddynt wedi eu hannog gan feistri'r plwyf i gau'r tir comin gan dalu £299 11s. 6d mewn trethi plwyf dros saith mlynedd ac wedi derbyn £55 2s. 3d o gronfa'r tlodion dros yr un cyfnod. Ond nid oedd yr holl ymdrechion yn y Senedd na chyda'r Comisiynwyr i'w gweld yn newid dim.

Penderfynodd Griffith gyhoeddi'r deisyfiad gyda chyflwyniad a'i anfon i bob Aelod Seneddol a Chymry dylanwadol yn Llundain. Yn ei gyflwyniad mae'n ailadrodd rhan o'r deisyfiad ac yn pwysleisio mai pobl weithgar a gonest yw tyddynwyr sydd wedi sefydlu yn yr ardal: 'without grant or permission, without prohibition or interference' ac yn ychwanegol i'r tai fod ganddynt 'three meeting houses for religious instruction and performance of Divine worship'.[13] Mae hefyd yn dadlau fod y mesur gwreiddiol gan Newborough yn cydnabod yr egwyddor o iawndal ond ddim yn manylu am y swm a'r broses o'i reoleiddio. Pa sicrwydd oedd gan y tyddynwyr y byddent yn cael eu talu'n deg drwy iawndal a sut mae mesur gwerth ar y pryd yn erbyn gwerth cyn sefydlu'r tyddynnod? Dros ba gyfnod y byddai angen talu a beth fyddai'r rhent blynyddol wedyn? Mae Griffith yn dadlau dros gyfiawnder:

> I must respectfully submit (on behalf of my poor countrymen) that the interests of the landowners could not be prejudiced by their being awarded to pay the poor cottagers the full value of all the improvements made by them whether in buildings or the cultivation of the soil.

Cyfeiria hefyd at haelioni'r Goron yn rhoi tiroedd i'r rhai fyddai am sefydlu yn y trefedigaethau Prydeinig. Dadleuon grymus i gyd. Ysgrifennodd Griffith erthyglau i bapurau newydd Llundain ond nid oedd y golygyddion yn cyhoeddi ei waith. A oedd dylanwad Newborough yn ymestyn o'r Senedd i'r wasg Lundeinig? Beth mwy allai Griffith ei wneud dros ei gyd-wladwyr tlawd?

Cyhoeddusrwydd

Un noson yn y Gymdeithas Fathemategol cafodd sgwrs gyda'i gyfaill James Mitchell, Albanwr craff, oedd yn gweithio i'r Gymdeithas Blwydd-dâl Prydeinig (British Annuity Society), gan ddweud am ei ymdrechion ofer i gael cyhoeddusrwydd i'w achos. Sut oedd creu diddordeb y Llundeinwyr yn achos tyddynwyr tlawd Arfon? Mae ymateb Mitchell yn wirionedd ar hyd y canrifoedd: 'London Papers would not consider provincial matters that are not of interest to London readers'.[14] Galwodd Griffith felly gyfarfod cyhoeddus o Gymry Llundain a charedigion eraill. Addawodd Mitchell roi cymorth iddo i baratoi areithiau i amddiffyn ei gyd-wladwyr a chyflwyno'r sgript i ohebwyr fyddai'n cael gwahoddiad i'r cyfarfod. Datganiadau i'r wasg oedd y rhain, cysyniad dieithr iawn i Griffith, ac fe weithiodd.

Cafwyd cyhoeddusrwydd helaeth ym mhapurau Llundain i'r cyfarfod cyhoeddus a drefnwyd yn nhafarn y Paul's Head yn Crispin Street, ac yna mewn cyfres o leoliadau eraill, y King's Head, London Coffee House, Ludgate Hill a'r New England Coffee House yn Threadneedle Street. Cyhoeddwyd yr areithiau yn y wasg o dan y pennawd 'Disturbances in Wales'. Dyma frawddeg gyntaf yr erthygl yn y *Saint James's Chronicle*:

> Great ferment has been created in several parts of Wales, in consequence of the intention expressed by many of the landowners to apply to the Legislature for Acts to enclose common lands extensively.[15]

Fe roddodd y gohebydd sylw i'r areithiau niferus o'r cyfarfod ac yn sgil y cyhoeddusrwydd Llundeinig lledodd y newyddion yn gyflym a rhoddwyd sylw i'r mater mewn papurau newydd ledled y wlad.[16] Bu cyfraniad James Mitchell a'i gyfaill yntau Edwin Chadwick yn allweddol i'r ymgyrch, a byddai llwybrau Griffith a'r ddau yn croesi nifer o weithiau dros y blynyddoedd i ddod.

Sefydlwyd pwyllgor ymgyrchu gyda Griffith yn ysgrifennydd ynghyd â 18 aelod arall ac yn eu mysg Thomas Edwards (Caerfallwch), John Lloyd (Einion Môn), William Glynne, Henry Hughes (brethynnwr gwlân a'i wreiddiau yn Nhŷ'n y Weirglodd, Penygroes), Hugh Hughes (arlunydd), a dau gyfreithiwr, Griffith Jones a T. S. Hewitt. Roedd yr ymgyrch hefyd yn ennyn cefnogaeth Saeson ac Albanwyr yn Llundain oedd yn sylweddoli'r anghyfiawnder yn erbyn y tyddynwyr tlawd.

Roedd y cyfarfodydd yn Llundain yn parhau a'r areithiau'n ymddangos yn rheolaidd yn y wasg. Er ei fod yn fater lleol i ddau blwyf yng Nghymru roedd egwyddorion pwysig yn denu sylw. Wrth gadeirio un cyfarfod cyhoeddus dywedodd y cadeirydd, Henry Hughes:

> their case involved questions of the greatest importance to the welfare of the whole laboring community of the Principality, and to the public morals ... whether not the same rule of equity was to serve for the poor that served the rich; whether the doctrine of vested rights was to be made available to the labouring community when they came to ask

for compensation for the produce of their labour taken from
them, or whether it was to be used only by the rich person.[17]

Nid radicalydd penboeth oedd Henry Hughes: yn ychwanegol i'w
fusnes roedd yn cynrychioli ward Bassishaw yn Llys y Cyngor
Cyffredin, y corff a oedd (ac sydd o hyd) yn rheoli Corfforaeth
Dinas Llundain.[18]

Cyhoeddwyd pamffled yn enwi aelodau'r pwyllgor (The
Committee for the Protection of the Interest of the Poor Cottagers)
a roedd apêl am gefnogaeth ariannol i'r rhai oedd wedi 'cultivated
ground on the Waste Lands' ym mhlwyfi Llanwnda a Llandwrog, a
'subscriptions should be received at the Bar of the New England Coffee
House, Threadneedle Street in aid of the Fund for the opposition to
the Bill now pending in Parliament for enclosure and allotment of
the said Waste Lands'. Apeliwyd ar y darllenydd i ddefnyddio 'your
influence in promoting the object of the Committee, by exciting the
sympathy of your Friends in favour of these poor Cottagers'.[19] Roedd
yr ymdrechion hyn i gyd yn tynnu sylw ac yn creu cefnogaeth gref
yn Arfon a Llundain.

Trefnodd Griffith i dri chyfreithiwr Cymreig yn Llundain i'w
hamddiffyn. Un ohonynt oedd Griffith Jones,[20] a cheir eglurhad
ganddo mewn un cyfarfod o draddodiad cyfreithiol y tyddyn unnos
yng Nghymru gan fynd ymlaen i sôn fod:

the sufferers were poor and had hitherto been without
advocates. Those who had the interests of their country at
heart should now come forward, or it would be too late to
prevent the wound that would be inflicted by this act ... he
would give his professional services and personal exertions
gratuitously to oppose the bill in all its stages.[21]

Roedd pob un o'r pwyllgor yn debygol o weld yr ymgyrch fel mater
o gyfiawnder; eraill yn ei weld fel cam cyntaf, ar ran gwerin, i ddileu
awdurdod a gormes bonedd a senedd anghynrychioliadol. Ond
rhaid oedd gweithredu'n bragmataidd a thrwy gael cefnogaeth o bob

SIR,

It having been resolved, at a Meeting of the Committee for Protection of the Interests of the poor Cottagers who have built tenements and cultivated ground on the Waste Lands in the Parishes of Llanwnda and Llandwrog, in the County of Caernarvon, held at the New England Coffee House, on the 15th instant, that Subscriptions should be received at the Bar of the New England Coffee House, Thread-needle Street, in aid of the Fund for the opposition of the Bill now pending in Parliament for enclosure and allotment of the said Waste Lands; I beg, in pursuance of the request of the Committee, to apprize you of that circumstance, and to solicit your aid; I also trust that you will use your influence in promoting the object of the Committee, by exciting the sympathy of your Friends in favour of these poor Cottagers, whose situation must be deplorable in case such Bill should receive the sanction of Parliament.

I have the honour to be,

SIR,

Your most obedient Servant,

GRIFFITH DAVIES,

HONORARY SECRETARY.

Guardian Assurance Office,
May 17, 1827.

COMMITTEE.

Mr. Joseph Bloyd, *Great Prescot Street*	Mr. Mark Hughes, *Plasterers' Hall, Addle Street,*
Mr. James Davies, *New England Coffee House*	*Aldermanbury*
Mr. Griffith Davies, *Guardian Assurance Office*	Mr. Griffith Jones, *Birchin Lane*
Mr. Thos. Edwards, *Fore Street*	Mr. John Jones, *Wilderness Row*
Mr. Thos. Edwards, *Windsor Terrace*	Mr. William Lawrence, *King's Road, Grosvenor Place*
Mr. William Glynne, *Craven Street, Strand*	Mr. John Lloyd, *Church Row, Aldgate*
Mr. J. A. Heraud, *Carey Street, Corner of Bell Yard*	Mr. James Mitchell, *Broad Street*
Mr. T. S. Hewitt, *Tokenhouse Yard*	Mr. Chas. Williams, *St. John Street*
Mr. Henry Hughes, *Basinghall Street*	Mr. Hugh Williams, *Clothfair*
Mr. Hugh Hughes, *York Square, Regent's Park*	Rev. Daniel Williams, *Charles Square*

Pamffled Pwyllgor Amddiffyn y Tyddynwyr
(*Trwy ganiatâd caredig Archifdy Prifysgol Bangor*)

cyfeiriad llwyddodd Griffith Davies, gyda'i gysylltiadau dylanwadol, i lywio'r gwrthwynebiad drwy'r sianelau cyfreithiol gan wario llawer o'i amser ac arian yn y gwaith. Yr unig rai sy'n cael eu henwi gan Barlow fel ei gefnogwyr yw Dr James Mitchell o'r Gymdeithas Blwydd-dâl Prydeinig ac Edwin Chadwick o'r Bwrdd Iechyd (ac yn nes ymlaen o Gomisiwn Deddf y Tlodion), a cheir cyfeiriad ei fod yn gwerthfawrogi eu cymorth caredig ac effeithlon.[22] Mewn cyfarfod yn ystod Ebrill siaradodd Dr Mitchell yn huawdl a chefnogol. Meddai:

The landowners in this instance want to loosen those bands by which society is held together ... The Crown held these lands, as it did all the lands in the kingdom, as a trustee for the general good. It would not, he was confident, sanction the shocking and cruel avarice of a few individuals, or think it promoted the general good, by pauperizing the most useful labour for the benefit of the few.[23]

Nid ymgyrch groch fyrhoedlog oedd hon. Gofalai Griffith yn drylwyr am bob manylyn ynghylch yr achos a chreu cysylltiadau perthnasol yn y cefndir a chael lleisiau amrywiol i gefnogi. Y nod oedd sicrhau tegwch a chyfiawnder i'r tyddynwyr a dim arall. Dyma gryfder a gwendid yr ymgyrch. Byddai radicaliaid fel William Morgan wrth eu boddau'n gweld ei gyd-wladwr yn sefyll dros gyfiawnder i werin gwlad yn erbyn cyfundrefn wleidyddol bwdr, ond nid herio'r drefn oedd nod Griffith.

Gwelai rhai unigolion pwerus eraill yr ymgyrch yn dderbyniol i dorri crib Newborough a sicrhau na allai ddatblygu'r chwareli'n lleol yn Arfon.[24] Ymhen amser cyflwynwyd yr achos yn erbyn y mesur yn Nhŷ'r Cyffredin gan dderyn brith o wleidydd – y Cyrnol William Lewis Hughes, Aelod Seneddol Wallingford ac etifedd mwynfeydd copr Mynydd Parys ym Môn. Roedd hefyd yn dirfeddiannwr sylweddol yn y gogledd gan gynnwys ffermydd ym mhlwyf Llandwrog – Glynmeibion a'r Gelli Ffrydiau. Ai egwyddorion fel cyfiawnder a hawliau'r tyddynwyr oedd yn gyrru Hughes? Go brin. Dialedd teuluol oedd yma rhwng Hughes a'i frawd-yng-nghyfraith Newborough ac nid dyfodol y tyddynwyr.

Llwyddiant

Beth bynnag am y brwydrau rhwng teuluoedd bonedd, roedd y gwynt yn troi. Adroddodd Griffith wrth gyfarfod arall yn Llundain, 'that overtures, a flag or truce, had been sent from the landowners, but in which the Committee did not deem it prudent to confide'.[25] Nid yw Griffith yn egluro natur y cysylltiad gyda'r tirfeddiannwr ond mae'n mynd ymlaen i roi gwybodaeth fod asiant a chynrychiolwyr stad Glynllifon yn bygwth cyfraith ar y tyddynwyr. Roedd datgan hyn i gyd yn gyhoeddus yn dacteg ddoeth i ddangos diffyg ymddiriedaeth yn Newborough. Daeth y cyfarfod i ben 'with the confident expression of success in their patriotic struggle'. Ymhen dyddiau roedd Newborough wedi tynnu'r mesur yn ôl cyn yr ail ddarlleniad.[26] Dathlodd Hughes a'i griw mewn cinio yn y North and South America Coffee House yn Threadneedle Street ar 2 Mehefin.[27] Roedd y ddeiseb a'r ymgyrch wedi llwyddo mewn un rhan o Gymru – ond buddugoliaeth brin oedd hon o ystyried y rhwydd hynt a gafodd ystadau tebyg mewn rhannau eraill o'r wlad.

Fel arwydd o ddiolchgarwch y tyddynwyr anfonwyd casgen o gwrw o fragdy yn Rhostryfan yn rhodd 'i lawenychu calonnau eu cymwynaswyr yn Llundain'. A chafwyd cyfarfod i ddathlu yn y New England Coffee House ar 6 Gorffennaf 1827. Yfwyd llwnc destun 'Llwydd i Fythynwyr Cymru' a chanwyd caneuon gwladgarol.[28] Roedd Griffith wedi gwneud ei ran gydag ymroddiad gan roi arweiniad cyhoeddus allweddol i sicrhau llwyddiant; ond yng nghanol y dathlu roedd Newborough am ddial. Roedd y mesur aflwyddiannus wedi dod â chostau o dros £400 iddo.[29]

Cyhoeddwyd llythyr gan asiant Newborough yn cyhuddo Hughes o gymhelliad amhriodol yn cefnogi'r tyddynwyr ac aeth hyn yn achos enllib mewn llys barn gyda'r canlyniad y cyhoeddwyd llythyr o ymddiheuriad yn y wasg.[30] Yng Nghaernarfon, daeth cyfreithwyr a oedd yn gweithredu ar ran yr Aelod Seneddol newydd ag achos o dresmasiad yn erbyn pedwar o'r tyddynwyr ac yn eu mysg mewn gweithred ddialgar, William Owen, brawd hynaf Griffith.[31] Ar ddiwrnod yr achos fe'i cafwyd yn euog a dirwy o swllt. Ymdrech gan y Goron a'r tirfeddiannwr oedd hyn i roi terfyn ar unrhyw ymdrech bellach i feddiannu'r tir comin. Y barnwr yn yr achos yma oedd Jonathan Raine a oedd yn brif farnwr siroedd Môn, Caernarfon a Meirionnydd, ac a fyddai'n ymweld â swyddfa'r Guardian yn aml.[32] Cyn mynd ar ei gylchdaith gyfreithiol byddai'n gofyn i Griffith â'i dafod yn ei foch a oedd ganddo 'any commands for Caernarvon'.[33] Ni wyddom a fu'r sgwrs yma cyn neu ar ôl yr achos.

Beth bynnag am wamalrwydd y barnwr, byddai nifer o'r cefnogwyr wedi gweld annhegwch y sefyllfa ble'r oedd 700 o bobl heb bleidlais ar drugaredd yr ystâd leol a chyfundrefn wleidyddol estron yn eu herbyn. Ni ellir honni fod yr ymgyrch yn drobwynt yn hanes gwerin gwlad. Roedd, fodd bynnag, yn arwydd fod y drefn gymdeithasol yn dechrau siglo er y byddai'n cymryd degawdau lawer i sicrhau newidiadau gwirioneddol. Gorweddai grym a phŵer yn nwylo lleiafrif bychan breintiedig o hyd ond roedd ysbryd newid yn y tir. Gellir dadlau fod dylanwadau gwleidyddol wedi ffafrio'r ymgyrch ond yn ddi-os arweiniad Griffith Davies oedd y brif ffactor gyda'i drefnusrwydd a'i ddealltwriaeth o'r holl sefyllfa. Defnyddiodd ei rwydwaith ym myd gwleidyddiaeth, bancio, busnes a'r cylchoedd Cymreig yn Llundain i sicrhau llwyddiant. Petai pleidlais rydd ar gael i holl drigolion etholaeth Caernarvonshire y cyfnod a Griffith gyda'r hawl ac yn dymuno sefyll fel Aelod Seneddol, byddai'n fuddugoliaeth ysgubol iddo. Byddai'n rhaid disgwyl canrif arall cyn cael pleidlais rydd i bawb. Cyfiawnder ac nid uchelgais wleidyddol oedd yn gyrru Griffith i gefnogi ei gyd-wladwyr a'i deulu.

Nid oes unrhyw wybodaeth am gost ariannol yr ymgyrch ond byddai Griffith wedi gorfod mynd yn ddwfn i'w boced gan roi llawer iawn o amser ac ynni i'r gwaith ychwanegol. Roedd ganddo'r sgiliau i arwain ymgyrch effeithiol drwy drefnu a chyfathrebu, a'i bersonoliaeth hawddgar a'i enw da yn hwyluso'r gweithredu gwleidyddol ymysg ei gysylltiadau niferus. Gwnaeth ei ddyletswydd dros yr hen ardal ond bu'r ymgyrch yn aberth mawr ar ei ran. Roedd ar ganol gweithio ar lyfr dan y teitl *A New Theory of the Doctrine of Annuity* ar y pryd. Hwn fyddai'r *magnus opus* ond roedd pwysau o bob math ar ei amser yn golygu na fyddai'n rhoi ei ynni i gwblhau'r llyfr am flynyddoedd, er bod fersiynau anghyflawn o'r gwaith wedi'u cynhyrchu i'w gyfeillion ar gost o £300. Cafodd ei synnwyr o gyfrifoldeb a dyletswydd i'w gyd-Gymry flaenoriaeth dros ei ddatblygiad fel mathemategydd ac actiwari.

6

YR ALLTUD

Ac os collwn unwaith y Gymmraeg, dyna ddiwedd arnom fel cenedl am byth; machluda haul y Cymmry heb byth i godi mwy; ac ni sonir am danynt mal cenedl, ond fel dryllan o'r hyn a ddiflannodd yn eigion mawr anghofiant.

Annerchiad at Genedl yr Hen Gymmry[1]

Drwy gydol ei amser yn Llundain bu Griffith yn mynychu oedfaon yn bennaf yng nghapeli'r Methodistiaid Calfinaidd yn Wilderness Row ac yna yn Jewin Crescent. Rhain oedd yn ganolog i'w fywyd yn dilyn ei fagwraeth yng nghapel Brynrodyn. O ganlyniad, ni fyddai ymfudwyr Cymraeg eraill o gefndir tebyg yn cael eu denu i'r cymdeithasau Cymreig yn y metropolis. Y capeli oedd eu cyrchfan a'u cartref newydd a byddent yn deall nad oedd croeso iddynt yn y cylchoedd Cymreig eraill: bu rhwyg ac arwahanrwydd rhwng y Methodistiaid a'r cymdeithasau Cymreig Llundeinig ers degawdau. I ddeall y cyd-destun yn llawnach a'r byd roedd ymfudwyr ddechrau'r bedwaredd ganrif ar bymtheg yn camu iddo mae'n werth ymhél â hanes y Methodistiaid Calfinaidd a'r amrywiol gymdeithasau Cymreig yn y brifddinas.

Yr Hen Gorff

Ddegawdau cyn cyfnod Griffith yn Llundain, daeth arweinwyr y Methodistiaid Calfinaidd yno i bregethu i'r alltudion yn eu mamiaith. Yn eu plith roedd Howel Harris, Daniel Rowlands ac yn nes ymlaen Robert Roberts (Clynnog), Robert Jones (Rhoslan) a Thomas Charles. Byddai Griffith wedi clywed am y rhain i gyd ac wedi gwrando ar rai ohonynt ym mhulpud Brynrodyn. Sefydlwyd yr achos cyntaf yn Llundain yn 1774, yr un degawd â Brynrodyn, ac mewn ystafelloedd yn cael eu rhentu yn Cock Lane, ar gyrion marchnad Smithfield, cyrchfan y porthmyn Cymreig. Sonia Huw Edwards yn ei lyfr ar hanes capeli ac eglwysi Cymraeg Llundain am Edward Jones o Lansannan yn wreiddiol, arweinydd unbenaethol yr achos yn Cock Lane yn y blynyddoedd cynnar a chymeriad lliwgar.[2] Erbyn cyfnod Griffith yn Llundain roedd yr achos wedi symud i gapel newydd a adeiladwyd yn 1785 ar ddarn o dir yn perthyn i Charterhouse ger pont Blackfriars, un o'r prif ffyrdd i'r ddinas. Dyma gapel Wilderness Row (Rhes Anial) yn Clerkenwell Road, ychydig i'r gogledd o Cock Lane, a ddatblygodd yn nes ymlaen yn gapel Jewin, un o gapeli Cymraeg mwyaf Llundain o ran maint a dylanwad.[3]

Yn Lloegr roedd y Methodistiaid Calfinaidd wedi datblygu fel mudiad o fewn yr eglwys Anglicanaidd gan dderbyn y credoau craidd ac ymlynu wrth ddiwinyddiaeth uniongred Galfinaidd. Yng Nghymru drwy bregethu grymus Howel Harris a Daniel Rowlands denwyd miloedd o ddilynwyr drwy gydol y ddeunawfed ganrif ond nid oedd Eglwys Loegr yn gefnogol i'r mudiad newydd. Yn 1811, daeth y rhwyg yn amlwg pan ddechreuodd y Methodistiaid Calfinaidd ordeinio eu gweinidogion eu hunain, gan ffurfio enwad ac eglwys newydd (gan ddefnyddio'r term cyfundeb yn hytrach nag eglwys yn y cyfnod yma) o dan Ddeddf Goddefiad 1689.[4] Roeddynt hefyd yn sefydlu trefn lywodraethu newydd, yn Bresbyteraidd yn hytrach nag esgobol, gyda chyfarfod misol a sasiwn y gogledd a'r de. Erbyn 1816 roedd gan y Methodistiaid 343 o achosion yng Nghymru a dyma'r corff an-Anglicanaidd mwyaf o bell ffordd.[5]

O gymharu â llonyddwch Eglwys Loegr yng Nghymru roedd y Methodistiaid yn creu cyfleoedd a bwrlwm newydd yn grefyddol, addysgol a chymdeithasol. Y seiat oedd un o ddatblygiadau canolog yr enwad newydd ac yno yn eu capel byddai'r aelodau'n cael cyfle i gyffesu eu pechodau ac i roi mynegiant i'w profiadau a'u pryderon. Ceid cysur a chefnogaeth mewn cwrdd o'r fath a thröedigaeth i ffyrdd a chred newydd. Roedd gan y seiat hefyd rôl bwysig i gynnal y rhai oedd wedi newid cwrs a gosod safonau disgwyliedig. Ceid lle pendant i'r unigolyn felly o fewn cymdeithas drefnus, ddisgybledig a lled-ddemocrataidd oedd yn cynnwys gwahanol ddosbarthiadau cymdeithasol.

Byddai pwysau teuluol, gan ei gyd-aelodau ym Mrynrodyn a chan Evan Richardson yng Nghaernarfon, ar i Griffith fynychu moddion gras yn Llundain, a chawn dystiolaeth o deyrngedau iddo yn dilyn ei farwolaeth ei fod wedi dechrau mynd i oedfaon yn Wilderness Row ddeufis wedi iddo gyrraedd ym mis Medi 1809. Yno yn yr oedfaon yma byddai'n clywed pregethwyr newydd gydag acenion dieithr. Nid oedd yn adnabod neb yn y capel ar y cychwyn a phrin oedd y cyfle i gyfarfod ei gyd-aelodau mewn dinas mor fawr. Roedd yn mynd o fyd ble roedd yn adnabod pawb ym Mrynrodyn i ddieithrwch capel dinesig. Eto, yr un oedd y neges a ffurf y gwasanaeth.

Erbyn 1811 roedd capel Wilderness Row yn achos bywiog oedd yn datblygu. Sefydlwyd ysgol sabothol i oedolion ac ymhen naw mlynedd roedd ysgol Sul i blant gyda thros 150 wedi cofrestru.[6] Dechreuwyd cynnal cymanfa flynyddol yn 1812 gydag o leiaf un pregethwr o'r de ac un o'r gogledd yn pregethu. Byddai tyrfaoedd mawr yn mynychu ar hyd y blynyddoedd ac weithiau benthycid 'addoldai gan y Saeson' am nad oedd digon o le i'w cynnal.[7] Yn 1816 cyhoeddodd y capel gasgliad o emynau ar gyfer yr oedfaon yn Wilderness Row a chapeli'r enwad yn Deptford a Woolwich.[8] Ac ers 1799, roedd gan y capel gymdeithas Feiblau er mwyn cyflwyno Beiblau Cymraeg i Gymry tlawd 'am ychydig neu am ddim', a'r gwaith cenhadu yma'n mynd ymlaen yn Llundain gan Thomas Charles bum mlynedd cyn sefydlu'r Feibl Gymdeithas Frytanaidd a Thramor.[9] Byddai Griffith oherwydd ei gysylltiadau a'i gefndir wedi cael ei dynnu i mewn i'r bwrlwm crefyddol yma yn Wilderness Row. Cawn dystiolaeth ei fod yng nghanol ei brysurdeb gwaith a gofalon teulu wedi cydweithio gyda James Hughes yn 1824 ac 1825 i gywiro proflenni argraffiad pocedlyfr o'r Beibl Cymraeg gan Argraffwyr y Brenin a gyhoeddwyd yn 1829.[10] Gan i dros ddau gant o argraffiadau o'r Beibl Cymraeg weld golau dydd yn ystod y ganrif, bu'n anodd nodi'r union argraffiad a gywirwyd.[11]

Blaenor yn Wilderness Row oedd James Hughes (gyda'r enw barddol Iago Trichrug) a ddaeth yn weinidog llawn amser ar ôl ei ordeinio yn sasiwn Llangeitho yn 1816. Yn frodor o Giliau Aeron, Ceredigion daeth i Lundain yn 21 oed fel Griffith, a gweithiai fel gof yn nociau Deptford cyn gwasanaethu'n ffyddlon fel gweinidog, ar gyflog bychan iawn hyd ei farwolaeth yn 1844.[12] Roedd yn emynydd, bardd, esboniwr ysgrythurol ac arweinydd cyfrifol. Yn ystod ei weinidogaeth agorwyd capel newydd helaeth yn Jewin Crescent (Cilgant Jewin), 'stryd barchus iawn o fewn terfynau'r Ddinas' ar lain o dir oedd yn eiddo i'r Goldsmith Company.[13] Agorwyd y capel newydd oedd wedi costio £3,200 yn ystod cymanfa'r Pasg 1823. Yn 1823 cyhoeddwyd rhestr o gyfranwyr i ddileu'r ddyled a gwelwn enw 'Griffith Davies, Cannon Street', oedd wedi rhoi £1 0s. 0d.[14] Yn y gymanfa cafwyd 18 pregeth gan saith gweinidog ond y brif dynfa oedd John Elias.[15] Pregethodd chwe gwaith mewn pedwar diwrnod i dyrfaoedd mawr. Dyma beth oedd seren gyda dilynwyr. Fel hyn mae Owen Thomas, un o sêr eraill Methodistiaeth ymhen blynyddoedd, yn disgrifio dylanwad Elias:

> Pan ymwelai a Llundain, fel y gwnai pob dwy flynedd, byddai Cymry o bob parth a gradd i'w canfod; offeiriaid Eglwys Loegr a wasanaethant mewn cynulleidfaoedd Seisnig, gweinidogion ymneilltuol o'r amrywiol enwadau yr un modd; Owain Myfyr, William Owen Pughe a'r beirdd a'r llenorion Cymreig yn ddieithriad, a phob dosbarth o Gymry a breswylient yn y ddinas fawr.[16]

Fel hyn mae Robert Owen (Eryron Gwyllt Walia) yn disgrifio'r capel a'r gweinidog mewn llythyr at ei deulu yn haf 1824 ar ôl bod yn Llundain am ychydig wythnosau:

Y mae moddion gras mor helaeth yma ag yng Nghymru. Eglwys luosog, a thorfeydd mawrion o Gymry hawddgar a threfnus yn dod i wrando bob Sabbath. Y mae gennym hefyd Mr James Hughes yn weinidog i ni; a'm meddwl amdano ydym na chynsgaeddwyd dyn erioed â mwy o gymhwysderau nag ef i fod fel goruchwyliwr yn nhŷ Dduw.[17]

Deiseb gan aelodau Jewin

Dadl wleidyddol fawr ar ddiwedd yr 1820au oedd bwriad llywodraeth Teyrnas Unedig Prydain Fawr ac Iwerddon i ryddfreinio'r Catholigion, gan ddiddymu deddfau yn cyfyngu ar hawliau dilynwyr Eglwys Rufain. Rhain oedd gelynion traddodiadol y wladwriaeth ac roedd amheuon am eu teyrngarwch. Roedd rhai cyrff crefyddol, gan gynnwys y Methodistiaid Calfinaidd, yn wrthwynebus iawn i ryddfreinio Anghydffurfwyr Catholig ac anfonasant nifer o ddeisebau i'r senedd i ddatgan eu barn. Yn niadell Jewin roedd rhai aelodau mwy radicalaidd yn cytuno gyda bwriadau llywodraeth y dydd. Iddynt hwy mater o gyfartaledd a thegwch oedd yn bwysig. Anfonwyd deiseb gan bedwar o aelodau'r capel i'r llywodraeth yn cefnogi'r ddeddfwriaeth arfaethedig, gan nodi yn y ddogfen eu bod yn aelodau yng nghapel Jewin. Roedd dau tra enwog ymysg y llofnodwyr – Thomas Edwards (Caerfallwch) y geiriadurwr, a Hugh Hughes, yr arlunydd a mab-yng-nghyfraith David Charles Caerfyrddin, arweinydd yr enwad yn y de ac un o lunwyr ei chyffes ffydd. Cyffrowyd aelodau Jewin Crescent ac aelodau'r corff yn gyffredinol pan welwyd y ddeiseb yn y *Times* a'r *Morning Post* ar 10 a'r 11 Mehefin 1828.[18] Bu trafod, ffraeo, llythyru a phwyllgora a'r canlyniad oedd diarddel y deisebwyr o'r capel a'r enwad gyda John Elias yn arwain y frwydr. Tori a brenhinwr teyrngar oedd Elias a gredai ym mhwysigrwydd yr Eglwys Esgobaethol Brotestannaidd (Eglwys Loegr). Gwelai ef y rhai oedd o blaid rhyddfreinio'r Catholigion yn ochri gydag Eglwys Rufain yn erbyn Eglwys Loegr a Phrotestaniaeth.[19] Ymhen blynyddoedd a chydag arweinwyr mwy rhyddfrydol byddai'r Hen Gorff yn dod i farn y dylid datgysylltu Eglwys Loegr yng Nghymru.

Nid oes unrhyw dystiolaeth am safbwynt Griffith ar ryddfreinio'r Catholigion na'i farn chwaith ar y diarddel a'r esgymuno. Roedd yn gyfarwydd iawn â safbwyntiau diwinyddol Protestaniaeth. Yr enwadau Anghydffurfiol oedd, yn eu barn hwy, yn driw i'r ysgrythur o gymharu gyda chredoau, rhwysg a defodau'r Babyddiaeth – Eglwys yr Anghrist yn Rhufain – ond mater arall oedd hawliau pob dinesydd yn y deyrnas. Byddai wedi gweld yn uniongyrchol annhegwch yn erbyn Iddewon yn Llundain drwy ei gyfeillgarwch gyda Benjamin Gompertz ac roedd yn adnabod nifer o Gatholigion yn y cylchoedd cyllidol a mathemategol. Yn wir, roedd Steward Marjoribanks, Aelod Seneddol a chadeirydd cwmni'r Guardian, yn gefnogol i ryddfreinio Catholigion.[20] Roedd y berw hefyd yn rhwygo'r enwad gyda'r frwydr rhwng ceidwadaeth gymdeithasol arweinwyr fel John Elias ac aelodau mwy rhyddfrydig a radicalaidd. Tybed a oedd y parch i John Elias o fewn ei enwad yn y cyfnod hwn yn golygu fod rhai aelodau mwy rhyddfrydig yn cadw'n dawel ac yn sicr ddim am gael eu cyhuddo o amddiffyn Eglwys Rufain beth bynnag am hawliau eu cyd-ddinasyddion? Yn ôl Owen Thomas, 'nid oedd nenmawr neb yn ddigon mawr ei ddylanwad i'w wrthwynebu mewn dim', a chadw ei ben i lawr a wnaeth Griffith – hyd y gwyddom.[21] Ond a oedd grym ac awdurdod cyfundrefnau'r enwad newydd yn cael eu tanseilio'n raddol gan annibyniaeth barn rhai o'r aelodau oedd am frwydro am rywbeth gwell yn y byd hwn? Nac oedd ar unrhyw gyfrif fyddai ateb John Elias (y pab o Fôn) a oedd am gadw'r enwad 'yn fudiad-achub-eneidiau ac nid yn fudiad fyddai'n ymyrryd â gwleidyddiaeth y dydd'.[22] Nid oedd cartref felly ymysg y Methodistiaid Calfinaidd i garfan gynyddol o gredinwyr.

Cymdeithasau Cymreig yn Llundain

Roedd bywyd diwylliannol Cymreig Llundain wedi ei sefydlu cyn sefydlu'r capeli. Ffurfiwyd nifer o gymdeithasau a oedd yn apelio at ddosbarth arbennig o Gymry. Yr hynaf o'r rhain oedd Cymdeithas yr Hen Frythoniaid a ffurfiwyd yn 1715, ond cyfyng fu maes ei gweithgarwch. Yn 1751 sefydlwyd Anrhydeddus Gymdeithas y

Cymmrodorion gan ddau o Forrisiaid Môn – y brodyr Lewis a Richard. Roeddynt am i'r gymdeithas amddiffyn purdeb y Gymraeg, meithrin diddordeb yn hanes a llenyddiaeth Cymru, a hybu cynlluniau economaidd a gwyddonol a fyddai'n llesol i'w gwlad. Roedd ymdeimlad o snobyddrwydd yn perthyn i'r gymdeithas a chryn anfodlonrwydd ynghylch y math o Seisnigrwydd a oedd yn cael ei annog a'i atgyfnerthu gan aelodaeth o dirfeddianwyr. Yn ôl John Davies, 'bychan oedd ei gorchest o'i chymharu â'i huchelgais'.[23] Eto i gyd fe wnaed cyfraniad drwy argraffu hen lenyddiaeth Gymraeg, cefnogi tlodion Cymreig yn Llundain a sefydlu'r Ysgol Elusennol yn Clerkenwell. Erbyn 1780 roedd y Cymmrodorion wedi edwino ond ailsefydlwyd y gymdeithas yn 1820 gyda Syr Watkin Williams-Wynn fel llywydd.[24]

Fel yr edwinodd y Cymmrodorion ffurfiwyd cymdeithas arall unigryw yn Llundain yn 1770 – y Gwyneddigion. Roedd yr aelodaeth yma yn fwy bywiog a phoblyddol a chyda llawer mwy o bwyslais ar lenyddiaeth a diwylliant. Eu llywydd oedd Owen Jones (Owain Myfyr) a oedd yn datgan mai 'rhyddid mewn gwlad ac eglwys yw amcan y gymdeithas'.[25] Roedd y crwynwr llwyddiannus yma'n rhoi cyfeiriad i'r Gwyneddigion ac yn gymeriad lliwgar, unbenaethol a hael. Llwyddodd i ddenu nifer o Gymry galluog i'r gyfeillach newydd ac yn eu plith Robert Hughes (Robin Ddu yr Ail o Fôn), John Edwards (Siôn Ceiriog), Thomas Jones (y Bardd Cloff), William Owen Pughe (Geiriadurwr), Thomas Edwards (Twm o'r Nant), Edward Jones (Bardd y Brenin), David Samwell (Dafydd Ddu Feddyg – llawfeddyg yn y llynges), a'r anghymharol John Jones (Jac Glan-y-gors).[26] Rhaid hefyd cyfeirio at Edward Williams (Iolo Morganwg) a oedd yn mynychu cyfarfodydd y Gwyneddigion yn Llundain ac yn cael ei noddi gan Owain Myfyr i gasglu barddoniaeth Gymraeg ac adysgrifio dogfennau.[27]

Llenyddiaeth oedd prif ddiddordeb y Gwyneddigion a byddai englyn neu gywydd yn ennyn trafodaeth frwd. Roedd ganddynt reolau clir ac yn eu cyfarfodydd yn nhafarn y Bull yn Walbrook ceid 'digon o grwth a thelyn, mwyniant a diddanwch, canu a chellwair'.[28] Roeddynt yn gymdeithas wrth-glerigol a di-fyddigion yn mwynhau 'diota, dwnwr a mwg tybaco'.[29] Yn y cyfnod hwn roeddynt yn wrthwynebus iawn i Fethodistiaeth ac ni fyddai croeso iddynt yn y gyfeddach. Ni allai Iolo Morganwg

ddygymod â 'Phlaid Calfin gerwin eu geiriau' a brithir ei bapurau â sylwadau difrïol ar bwyslais afiach y 'Welsh Jumpers' ar lesmeirio, llefain a llamu wrth fynegi eu llawenydd ysbrydol ac ar eu tuedd i'w galw eu hunain yn 'bobl Dduw'. I Iolo, roedd pen golau yn bwysicach na chalon ar dân. Casâi hefyd y ffaith fod arweinwyr y Methodistiaid yn siarsio eu dilynwyr i barchu brenin, gwlad ac eglwys ac i fod yn ufudd a thawel yng ngŵydd eu harweinwyr gwleidyddol. Credai hefyd eu bod yn lladd hen ysbryd llawen y Fro (Morganwg) drwy eu hobsesiwn â phechod, cystudd ac arteithiau uffern. Pa ryfedd felly iddo ddisgrifio'r Methodistiaid fel 'the greatest pest of all true religion'?[30]

Pa ryfedd hefyd na fu Griffith yn aelod o'r Gwyneddigion (na'r Cymmrodorion) ond bu'n aelod gweithgar o gymdeithas arall – am gyfnod.

Cymreigyddion Caerludd

Sefydlwyd Cymreigyddion Caerludd ar ddiwedd y ddeunawfed ganrif gan ddwsin o aelodau'r Gwyneddigion a datblygodd yn gymdeithas arall unigryw a dylanwadol yn Llundain. Ymysg yr aelodau cychwynnol cawn enwau John Jones (Jac Glan-y-gors, Cerrigydrudion) a Thomas Roberts (Llwyn'rhudol, Abererch) y Crynwr – dau bamffledwr radical eu barn a'u bwriad wrth sefydlu'r gymdeithas newydd oedd cael cyfle i drafod a dadlau yn y Gymraeg.[31] Erbyn i'r trydydd fersiwn o reolau'r gymdeithas gael eu cytuno yn 1827 roedd cymal yn gwahardd dadleuon gwleidyddol a diwinyddol ond anodd fyddai tynnu cast o hen geffylau.[32]

Roedd y gymdeithas hon yn gefnogol iawn i'r Gymraeg nid yn unig drwy noddi barddoniaeth a thrin hynafiaethau, ond hefyd drwy gyfrannu at y Cymry anghenus yn y ddinas. Defnyddient y Gymraeg yn eu holl weithgareddau. Caerludd oedd yr enw mabwysiedig ar Lundain a byddent yn Cymreigio enwau eu man cyfarfod fel Arwydd yr Haul yn Heol Porth yr Esgob, Gwesty'r Goron yn Heolan y Bwa, ac eraill fel Tafarn Owain Glyndŵr ac Arwydd y Goron. Yn aml byddai'r tafarnwr yn 'Gymro gwaraidd a theilwng, yn haeddu cymmeradwyaeth gan ei gyd-genedl'.[33] Wrth edrych drwy eu cofnodion nodwn eu bod wedi cyfarfod mewn dros ddeg o dafarnau eraill yn Llundain mewn cyfnod o 20 mlynedd ac ni cheir eglurhad amlwg am y crwydro hyn.[34] Roeddynt hefyd yn derbyn cyhoeddiadau Cymraeg – *Seren Gomer, Lleuad yr Oes* a'r *Cambrian Quarterly*. Cyfrifoldeb y llyfrgellydd swyddogol oedd y rhain ac yn ychwanegol i'r swyddogion arferol, roedd gan y Cymreigyddion fardd a chofiadur.

Erbyn 1828 roedd y Cymreigyddion wedi addasu eu dull gweithredu gan gyhoeddi yn *Seren Gomer* eu bwriad i ddefnyddio'r Gymraeg, i noddi achosion da ac i gynnal dadleuon ar faterion athronyddol ond nid pynciau diwinyddol a gwleidyddol. Roedd y math yma o newid at ddant Griffith Davies a'r llu o Gymry oedd wedi eu dylanwadu'n drwm gan ddiwygiadau crefyddol cyn ymfudo i Lundain. Erbyn hyn roedd croeso iddynt ymaelodi gyda'r Cymreigyddion er bod rhai o flaenoriaid Jewin yn gwgu o hyd ar y gweithgarwch. Yn gyffredinol, gyda thua chant o gymdeithasau tebyg yng Nghymru, y Cymreigyddion oedd y man cyfarfod i'r Cymro cyffredin heb unrhyw rwystr crefyddol neu wleidyddol. Ond yng Nhaerludd byddai tensiynau'n ymddangos cyn hir.

Un o uchafbwyntiau blynyddol Cymreigyddion Caerludd oedd y wledd flynyddol. 'Yfid llwncdestunau; traddodid anerchiadau; coffeid arwyr y gorffennol; ymosodid ar elynion y Gymdeithas; ac ambell dro gwobrwid am draethawd.'[35] Yn eu cinio blynyddol, ar 8 Ionawr 1829, yn y Tair Baril, Heol Coleman ar achlysur cychwyn eu 33ain blwyddyn:

yfwyd iechyd da Mr Griffith Davies, un o'r Gorfydrianwyr goreu yn Lloegr, a'r hwn a addawodd roddi Darlith i'r Gymdeithas yn y Gymraeg, nos Iau cyntaf o bob mis, ar rai o ganghenau Celfyddyd a Gwyddoniaeth. Cyfododd Mr Davies a thraddododd araeth dda a dysgedig.[36]

Yn nes ymlaen yn y flwyddyn mae'r trefniant yn cael ei ffurfioli wrth iddynt adolygu eu rheolau a phenderfynu

mynd ymlaen a'r arferiad godidawg a ddechreuwyd y flwyddyn hon trwy ymdrech y Cyfaill Dysgedig Mr Griffith Davies, sef Traddodi Darlithiau, hynny yw, Darlith ar y nos Iau gyntaf ym mhob mis, ar ryw gainc o Gelfyddyd a Gwyddoniaeth ac na bydd caniatad ar y cyfryw amser i neb ond yr aelodau ddyfod i'r ystafell.[37]

Etholwyd Griffith i gyngor y gymdeithas yn 1832,[38] a bu'n ddylanwad arnynt i symud y darlithoedd o'r dafarn a'u cynnal

mewn Cell (*Private Room*) fel na bydd esgus i neb ... ac felly disgwylir cael cynnorthwy y Cymry oll; canys ni bydd gwahaniaeth rhwng y pleidiau, neu enwau neilltuawl, ond un genedl, dan faner 'Undeb a Brawdgarwch', o un ymgais, i ddysgu a choleddu eu gilydd, a chwiliaw trysorau Celfyddyd a Gwyddoniaeth.[39]

Mae'r dyfyniad hwn o lythyr Ieuan ab Gruffydd, y cofiadur, yn *Y Gwyliedydd* yn datgan yn gyhoeddus eu croeso i Anghydffurfwyr i ymuno yn y gweithgareddau. Cafwyd ymateb a chreu cyfnod euraidd i'r Cymreigyddion yn Llundain gyda Griffith yn gwneud ei ran yn yr adfywiad.

Roedd y Cymreigyddion yn eu brwdfrydedd yn ymboeni am dranc y Gymraeg a chyhoeddwyd anerchiad, argraffedig gwladgarol i Genedl yr Hen Gymmry [*sic*] gan Edward Griffith.[40] Mae'n cychwyn wrth osod cwestiwn:

Pa beth sydd yn ein hiaith ni yn fwy nag mewn ieithoedd eraill, i'w hatal rhag myned mewn amser yn ddifancoll ... heb y Gymraeg ni sonir amdanom mwy dan yr enw Cymmry ac adweinir ni o hyn allan oddieithr wrth ryw enw megis West Countrymen a'u clepiaith Seisnigaidd.

Prif neges yr anerchiad helaeth yw sicrhau 'gweinyddiaeth y Gyfraith yn y Gymraeg, a chael Esgobion a Phendefigion Eglwysig yn medru ei siarad yn huawdl' ac eir ymlaen i annog y Cymry i ddeffro. Mae'r anerchiad yma yn dangos fod y Cymreigyddion yn rhoi arweiniad mewn materion Cymreig ac yn awyddus i hyrwyddo eu gwaith drwy'r holl gyhoeddusrwydd roeddynt yn ei roi i'w gweithgareddau yn y wasg. Onid dyma'r ymgyrchwyr cyntaf dros y Gymraeg a hawliau ei siaradwyr? Eto ni chafodd yr un esgob allai bregethu yn y Gymraeg ei benodi i esgobaeth yng Nghymru rhwng 1713 a 1870.[41] Nid gwaith hawdd oedd newid yr Hen Estrones.

Ymddiswyddo

Er bod blwyddyn 1832 wedi cychwyn yn dda nid oedd yn un hawdd ym mherthynas Griffith â'r gymdeithas. Mewn cinio mawreddog yn Ostyl Owain Glyndwr, Heol y Porthgwern ar 12 Ionawr 1832 cynhaliwyd y wledd flynyddol. Cafwyd llwnc destunau niferus unwaith eto – i'r brenin, oes y byd i'r iaith Gymraeg, cymdeithasau Cymreigyddawl trwy Gymru a Lloegr, undeb a brawdgarwch (arwyddeiriau un arall o gymdeithasau Llundain – y Cymmrodorion) ac i'r darlithwyr. Griffith oedd yn ymateb ar ran yr addysgwyr a gwnaeth hynny mewn 'araeth hyawdl, ddwysgall, a chynnwysfawr'.[42] Ond yn y cefndir roedd tensiynau'n ymddangos rhwng y parchusrwydd newydd a'r hen ysbryd ysgafn a herfeiddiol, a daeth y rhain yn gyhoeddus mewn gohebiaeth a dadleuon yn *Y Gwyliedydd*.

Yn rhifyn Awst 1832 cyhoeddodd Griffith mewn llythyr ei fod yn ymddiswyddo o'r Cymreigyddion am eu bod 'wedi dileu un o'i rheolau a waharddai ymyraeth a phynciau gwleidyddol [a bod] pethau wedi ymddangos yr wyf yn eu cyfrif yn wrthbleidiol a chythruddol dan ei henw'.[43] Mae'n datgan ei fod yn cefnogi amcanion y gymdeithas 'i goleddu yr Iaith Gymraeg a lledaenu gwybodaeth ddefnyddiol ym mysg y Cymry' ac mae'n 'gwir barchu nifer o'r rhai sy'n perthyn i'r gymdeithas'. Mae'n cynghori'r aelodau i 'ochel rhag i aidd yr aelodau dros Iaith Gomer oddef iddynt fod yn rhu barod i gefnogi yr hyn sy'n ddychmygol'. Roedd ffiniau felly i'w gefnogaeth.

Ymddiswyddiad diemosiwn a boneddigaidd a gafwyd ond tybed a fyddai'n briodol i amau ei gymhelliant wrth wneud hyn mor gyhoeddus? Gallai fod wedi llithro'n dawel o'r gymdeithas heb adnewyddu ei aelodaeth. A oedd tensiynau cudd gydag aelodau eraill y Cymgreigyddion neu garfan o'r aelodaeth? A oedd pawb yn cytuno gyda'r pwyslais addysgol newydd ac mai ceisio adfer cyfeddach y gorffennol oedd dileu un o'u rheolau? Ai tacteg yn unig oedd hyn i gryfhau ei arweiniad gan wybod y byddai eraill yn ail-sefydlu'r genhadaeth? Er gwaethaf hyn oll, nid amharwyd ar ei enw da mewn nifer o gylchoedd.

Yn rhifyn Medi 1832 o'r un cylchgrawn cyhoeddwyd llythyr mewn iaith rodresgar a choeglyd gan Ieuan ab Gruffydd a Richard Thomas ar ran y Cymreigyddion yn cyhuddo Griffith o fod yn anwadal ac anghyson, gan egluro ei fod yn y cyfarfod pryd y gwnaethpwyd y penderfyniad.[44] Nid un i fynd i ddadlau'n gyhoeddus mewn cylchgrawn misol oedd Griffith ond cafodd ladmerydd huawdl a thrylwyr ar ei ran. Yn rhifyn Tachwedd 1832, roedd cyn-fardd Cymreigyddion Caerludd, Einion Môn, a chyd-ymgyrchydd dros hawliau'r tyddynwyr yn amddiffyn Griffith mewn epistol hirfaith a chwerw.[45] Roedd y Cymreigyddion, meddai Einion Môn, yn troi yn *Public House Political Debating Club* a'u bod yn ddrewdod yn ffroenau ac yn ddirmygedig hollol yng ngolwg hyd yn oed y Saeson mwyaf isel-radd' ac y byddai gweinidogion yr efengyl ac aelodau parchus eraill yn gadael. Roedd Mr Davies, meddai'r bardd o Fôn, wedi gwneud mwy na neb i ledaenu gwybodaeth, wedi gwario dros ddeg punt i brynu offer i egluro dwy o'r ddarlithoedd ac y 'byddai ugeiniau o Saeson yn heidio ato i wrando arno yn traddodi darlith ac yn barod i dalu arian mawr am hynny'.

Yn rhifyn Chwefror 1833 ceir traethawd o lythyr arall gan Einion Môn a pharhaodd y croesi clefyddau yn y wasg am fisoedd.[46] Erbyn Ebrill 1833 mae Einion Môn yn ymddangos ei fod yn cael y llaw uchaf ar Ieuan ab Gruffydd gan ddechau ei lythyr gyda: 'Nid yn aml y gwelwn ni ddyn wedi cael ei lwyr orchfygu mewn dadl, a gwendid ei resymau a'i ffolineb yn eglur i bawb.'[47] Yn y bôn adlais oedd y dadleuon hyn o'r tensiwn oedd yn bodoli rhwng y meddylfryd radical oedd yn amlwg ym mywyd y Cymreigyddion a'r math o geidwadaeth oedd yn nodweddu'r Efengylwyr Methodistaidd. A oeddynt yn rhy eiddgar i addysgu ac yn llethu rhai gyda'u darlithoedd? Ble oedd yr hwyl a'r mwynhau bellach? Roedd Griffith yn rhan o'r llif newydd o Gymry oedd yn ymsefydlu yn y ddinas ac wedi dod o dan ddylanwad y mudiad newydd yng Nghymru. Yn hyn o beth roedd Cymry Llundain ar ei hôl hi ond buan y newidiodd hyn.

Tybed beth gollodd Griffith wrth ymddiswyddo? Cofnodir un ddadl ar bwnc crefyddol: 'Pa un yw'r drwg mwyaf i Gymdeithas a'i Enllibiwr Crefydd ai yntau y rhagrithiwr crefyddol', ac un arall ar y cwestiwn 'Pa un sydd dan fwya o rwymau a'i Meistr i'r gwas ai yntau y gwas i'r Meistr?' Onid oedd dadleuon fel hyn yn miniogi meddwl, yn addysgu am safbwyntiau, yn gofyn am arddull gyflwyno unigryw ac yn hwyl? Nid i Griffith, ond parhaodd y Cymreigyddion i gynnal darlithoedd am nifer o flynyddoedd ond nid gyda'r un argyhoeddiad addysgol.[48] Ni fu llawer o raen ar bethau wedi'r rhwyg er iddynt fel cymdeithas lusgo byw am 20 mlynedd arall. Roedd brwydrau gwleidyddol a chrefyddol yr oes yn creu rhwygiadau. Fodd bynnag, roedd Cymreigyddion Caerludd yn rhoi arweiniad pwysig i Gymru gan gyhoeddi ei bodolaeth a'i gweithgareddau'n hyderus gan ddatgan barn o blaid y Gymraeg. Roeddynt yn rhoi cefnogaeth i addysg Gymraeg i genedl oedd heb unrhyw sefydliad cenedlaethol o gwbl. Roedd yr alltudion yn gweld sefyllfa Cymru'n gliriach ac ymhen amser byddai rhai o'u hymdrechion yn dwyn ffrwyth.

Y darlithoedd

Yn ystod ei gyfnod byr yn aelod o Gymreigyddion Caerludd cafodd Griffith gryn ddylanwad a datblygu'n arweinydd *de facto* uchel ei barch. Dan ei arweiniad ef Cymreigyddion Caerludd oedd y gymdeithas gyntaf i gynnal rhaglen o ddarlithoedd mewn gwyddoniaeth drwy gyfrwng y Gymraeg. Yn Llundain roedd hynny'n bosib oherwydd bod cynifer o Gymry galluog wedi crynhoi yno. Cyhoeddwyd nifer o'r darlithoedd ar ffurf pamffled a byddai papurau newydd y cyfnod yn eu cyhoeddi'n llawn. Gyda'r darlithoedd roedd y Cymreigyddion yn torri tir newydd i'r Gymraeg. Mae'r Gymdeithas Wyddonol heddiw a holl hanes gwyddoniaeth a'r Gymraeg yn tarddu o frethyn cartref Cymreigyddion Caerludd yn yr 1820au.

Rhan o bwyslais newydd ar gyflwyno addysg oedd y darlithoedd. Yn Llundain roedd cymdeithas newydd wedi ei sefydlu yn 1826 gan yr Arglwydd Brougham, Albanwr a oedd yn edmygydd mawr o waith Syr Isaac Newton. Enw'r gymdeithas oedd The Society for the Diffusion of Useful Knowledge (Cymdeithas i Hyrwyddo Gwybodaeth Fuddiol) a'i bwriad oedd gweithredu yn unol â'i henw. Roedd nifer cynyddol o unigolion yn hunanaddysgu ac roeddynt angen cymorth ymarferol. Byddai'r gymdeithas yn comisiynu awduron, yn argraffu a gwerthu llyfrynnau a chylchgronau ar nifer helaeth o bynciau. Byddai Griffith wedi edmygu gwaith cymdeithas o'r fath.[49]

Dechreuwyd ar gyfres darlithoedd y Cymreigyddion gan Griffith ei hun nos Iau, 5 Chwefror 1829 – a'r testun oedd 'Naws a Dibenion Cymdeithas Ddynol'.[50] Dyma ddarlith i osod safon a chawn drosolwg ar y math o gymdeithasau oedd wedi eu ffurfio gan ddyn a holi beth oedd eu nodweddion. Pa ystyriaethau oedd yn dylanwadu ar eu creu a sut oedd mesur ai da oeddynt yn eu gweithrediadau? Darlith ddadansoddol debyg i agor mater mewn seiat. Eto ei obaith oedd gosod y canllawiau ar gyfer y gyfres o ddarlithoedd. Mae'n feirniadol o rai cymdeithasau, y rhai masnachol sy'n codi prisiau, peryglon cymdeithasau lle mae cyfoeth neu allu yng ngafael rhai a hwythau'n ei ddefnyddio 'er trais a gormes'; ac mae'n condemnio'r 'melltith ac annrhefn a ddygir ar wledydd Pabaidd' am 'wahardd priodi yn groes i ddeddfau y greadigaeth'. Felly er gwaethaf rheolau'r Cymreigyddion, gwneir nifer o bwyntiau gwleidyddol a chrefyddol gan Griffith a chyfaddef 'na gallwn yn hollol gadw atti heno, heb wneud anghyfiawnder ar destyn a ddewisais dderlleu arno'. Anghysondeb anarferol ar ei ran.

Yn y ddarlith gyntaf yma cawn gipolwg ar ei brofiadau a'i farn ar wahanol faterion. Cyfeiria at fanteision addysg i blant a'r angen am athrawon da, llyfrau addas, ymgyfeillachu, magu profiad ac ymweliadau. Mae'n awyddus i weld cymdeithasau i ehangu gwybodaeth yng Nghymru a geilw am eiriadur Cymraeg i osod safon. Roedd am i areithyddiaeth a dadleuaeth gael eu dysgu er bod 'perygl wrth i rai goleddu ysbryd dadleugar i raddau gormodol'. Cyfeiria hefyd at gymdeithasau sy'n rhoi diogelwch rhag afiechydon a phrofedigaethau gan fynd ymlaen i wneud sylwadau am gymdeithas wladol, hynny yw, y drefn lywodraethol: 'Os na ffurfid llywodraeth o'r fath oreu ... dylai y deiliad fod yn dra gofalus am ymegnio at ei hadferu o radd i radd, yn hytrach na cheisio ei chyfnewid yn drwyadl ar unwaith.' Roedd Griffith am ddiwygio llawer iawn o bethau yng Nghymru ac er ei fod yn rhyddfrydol ei agwedd ni ellir ei ddisgrifio yn radical a chwyldroadwr.

Argraffwyd a chyhoeddwyd y ddarlith ac yna ymhen blwyddyn ei chyhoeddi yn *Y Cymro*, sef cylchgrawn a gyhoeddwyd gan rai o aelodau'r Cymreigyddion i hyrwyddo'u hymgyrchoedd.[51] Cyn hir, roedd y darlithoedd yn Llundain yn cael sylw cyson yn y wasg Gymreig gan addysgu a phrocio. Roedd gan y Cymreigyddion fantais fawr gan fod Samuel Evans, golygydd *Seren Gomer*, yn aelod a thri arall yn gyd-gyhoeddwyr *Y Cymro* – John Reece, Jenkin Jenkins a John Jones.[52] *Y Cymro* felly oedd papur bro Cymry Llundain a datblygodd yn gylchgrawn radical ar gyfer yr holl Gymry gan ledaenu gwybodaeth, cyhoeddi darlithoedd, barddoniaeth ac erthyglau amrywiol – a'r cyfan yn ffrwyth cylch deallusol Caerludd. Cyhoeddent yn flynyddol enwau'r 40 aelod oedd wedi talu eu haelodaeth o goron (5 s.) a Griffith yn weledig hael yn talu chweugain (10 s.).[53]

Roedd Griffith hefyd yn cael gwahoddiad i gyflwyno gwybodaeth i'r *Cymro* a chawn dri llythyr ddechrau 1830 gan 'Eich ewyllysiwr da, GD'. Yn y cyntaf mae'n cyhoeddi tabl gyda phoblogaeth dwsin o siroedd Cymru (yr hen siroedd ac eithrio Mynwy) am y blynyddoedd 1700, 1750, 1801, 1811 a 1821.[54] Cyfanswm y boblogaeth yn 1821 oedd 732,500. Ymhen mis mae'n ymfalchïo fod 'hil Gomer yn cynyddu mewn nifer' ac yn defnyddio mwy o wybodaeth o'r senedd ynghylch treth y tlodion ar gyfer yr un siroedd.[55] Ac yna yn epistol olaf y gyfres mae'n rhoi gwybodaeth am faint pob swydd (sir) mewn erwau a dwysedd poblogaeth (erw am bob tŷ).[56] Mae'n rhestru prif drefydd pob swydd gan roi eu poblogaeth (e.e. Caernarfon gyda 5,788) a milltiroedd o Lundain (247m o dre'r Cofis). Ni wyddom ai ymateb i gais y cyhoeddwyr oedd hyn neu a oedd awch am y wybodaeth gan ddarllenwyr neu ei fod yn awyddus i roi data am Gymru i'w gydgenedl yn y Gymraeg. Beth bynnag yw'r rheswm, y darlithoedd yn Llundain oedd yn mynd â'i brif ddiddordeb.

'Mordwyaeth' oedd testun yr ail ddarlith ganddo a hynny mewn dwy ran.[57] Gallai'n hawdd fod wedi darlithio am dymor cyfan ar y pwnc yma ond rhaid oedd bodloni ar ddwy sesiwn o ddwy i dair awr. Nid athronyddol a chyffredinol oedd yr ail ddarlith ond technegol a diddorol, a chysurir ei wrandawyr wrth iddo egluro natur y pwnc nad yw am 'ei blino a manylrwydd casgliadau rhifyddawl'. Ceir eglurhad o olrhain tuad (bearing), pellter llong ar y môr o bwynt penodol a chyflwynir geiriau newydd i'r Gymraeg – nawn-gylch, lledgylch, hydred a lledred, llywel ac arlywel, ac eglurhad ar sut i ddefnyddio offer fel theodolit, cwadrant, cwmpawd, oriadur (chronometer) a'r planedur (orrery). Defnyddid darluniau tryfal (triongl) i fesur hyd llynnoedd, lled afonydd ac uchder mynyddoedd. Darlith gydag ôl paratoi trylwyr arni.

Pwnc ei drydedd ddarlith oedd 'Daearyddiaeth'.[58] Mae'n dechrau drwy herio'r rhagfarnau ac anwybodaeth ynghylch y ddaear gan ddatgan fod daearyddiaeth yn ganolog i ddealltwriaeth dyn o'r byd o'i amgylch. Ceir disgrifiad o'r tymhorau, cyfandiroedd, maint a mesuriadau, modelau a mapiau, amrywiaeth tywydd, afonydd a chrastiroedd. Tour de force eang ac ysblennydd. Cydnabu'n gynnil ei fod wedi paratoi Syr John Franklin i 'olrhain y Parthau Gogleddol o'r belen ddaearol' ac mae'n defnyddio'r ddarlith i ddatgan ei farn ar faterion amrywiol. Mae ei sylwadau rhagymadroddol mor ddifyr â'r ddarlith.

Teimlai y dylai gwybodaeth o bob math fod ar gael i'r Cymry yn eu hiaith eu hunain ac roedd yn hynod wrthwynebus i'r rhai oedd am gyfyngu'r Gymraeg 'at bethau crefyddol yn unig'. Mae'n ymfalchïo mai'r Cymreigyddion yw'r unig gymdeithas Gymreig yn Llundain oedd yn 'cario eu gorchwyl' ymlaen yn y Gymraeg. Canmolodd ddarlithoedd ei gyd-aelodau gan gyfeirio'n benodol at ddarlith Einion Môn ar seryddiaeth ac ymhyfrydu ymhellach yn y doniau traddodi sydd gan yr aelodau. Cyfeiria at 'ein cydgenedl' gan gyferbynnu eu hynt a'u helyntion mewn cymhariaeth â'r 'Cymdogion Gogleddol'. Roedd yr Albanwyr yn 'heidio i lawr i lenwi sefyllfaoedd mwyaf parchus o'r naill ben o'r Ynys hyd y llall a'n cydwladwyr megis caethweision yn ennill eu bywoliaeth gyda'r galwedigaethau iselaf'.

A'r ateb ym marn Griffith oedd meithrin gwybodaeth gyffredinol sef gwybodaeth ymarferol mewn technoleg a gwyddoniaeth. Cymerai flynyddoedd hirfaith i wireddu llawer o'r dyheadau hyn a rhoi cyfundrefn yng Nghymru a fyddai'n cwmpasu pob agwedd o addysg, o lythrennedd i addysg uwch. Dyn o flaen ei amser oedd Griffith Davies.

Roedd ei ddwy ddarlith nesaf i'r Cymreigyddion yn torri tir newydd eto am iddynt fod yn gyfres o arbrofion i arddangos deddfau ffiseg. 'Awyrolaeth' oedd y maes yn Hydref 1830 ac 'Awsafiaeth' yn Ebrill 1831.[59] Yn y ddarlith gyntaf eglurodd bwysedd yr awyr gan ddefnyddio sugnai, llestri gwydr, dŵr ac arian byw. Eglurodd hefyd sut oedd hin-nodydd (baromedr) yn gweithio a hefyd y llengig wrth anadlu. Roedd ei gyflwyniad yn cynnwys cyfeiriadau cyson at hanesion o'r Ysgrythurau a storïau eraill o'i brofiad ei hun. Yn yr ail ddarlith ar 'Awsafiaeth', term roedd Griffith wedi ei fathu ei hun, delio'n bennaf gydag arbrofion mewn hydrostateg a gawn. Mae dwysedd cymharol yn ganolog i'w ddarlith a 'trymedd' yw'r term gan Griffith. Ceir nifer o arddangosion pellach gydag eglurhad manwl ar nodweddion awon (hylifau) a defnyddio hydromedr i 'fesur nerth cwrw neu laeth a werthir gan ein cyd-wladwyr yn y dref hon'.

Fel darlithydd roedd ganddo'r ddawn i grynhoi a gosod cyd-destun ac fel cyn-athro roedd yn gwybod sut i gyflwyno gwybodaeth i gynulleidfa leyg. Mae R. Elwyn Hughes yn cyfeirio at 'elfen o wreiddioldeb ac ystyrlondeb' yn ei ddarlithoedd ac mai'r rheswm pennaf am eu llwyddiant yn y wasg boblogaidd oedd 'mai fel darlithiau y'u lluniwyd hwynt'.[60] Maent yn gronicl o ddatblygiad

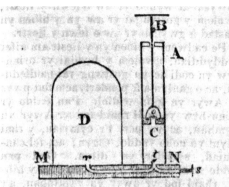

Yn hwn y mae M N yn arwyddo ystyll-
en, a thaflen o bres wastadlefn arni: A, yn
dangos Sugnai *(Pump)* wedi ei gydio
wrthi, ac iddo Esgid C, i gael ei chodi a'i
gostwng gyd â'r Rhoden B, a phiben
ddwy-gaingc yn myned o waelod y Sugn-
ai, un gaingc yn arwain i'r ochr uchaf, a
Throellen *(Screw)* o fewn ei genau *r*, a'r
llall yn rhedeg o'r naill du, a Thwsel *(Top*

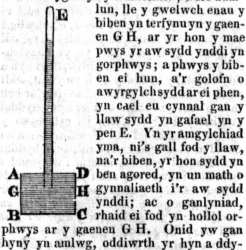

Er amlygu hyn ym mhellach, wele ddar-
lun, lle y gwelwch enau y
biben yn terfynu yn y gaen-
en G H, ar yr hon y mae
pwys yr aw sydd ynddi yn
gorphwys; a phwys y bib-
en ei hun, a'r golofn o
awyrgylch sydd ar ei phen,
yn cael eu cynnal gan y
llaw sydd yn gafael yn y
pen E. Yn yr amgylchiad
yma, ni's gall fod y llaw,
na'r biben, yr hon sydd yn
ben agored, yn un math o
gynnaliaeth i'r aw sydd
ynddi; ac o ganlyniad,
rhaid ei fod yn hollol or-
phwys ar y gaenen G H. Onid yw gan
hyny yn amlwg, oddiwrth yr hyn a ddy-
wedais eisoes, na lonyddai yr aw o fewn
y llestr heb fod pwys ar bob rhan o'r

Offer arddangos yn y Cymreigyddion. Ysgythriadau gan Hugh Hughes
(Trwy ganiatâd Llyfrgell Genedlaethol Cymru)

gwybodaeth wyddonol yn bennaf. Roedd cyfranwyr galluog eraill yn y gyfres. Darlithient ar destunau gwyddonol, athronyddol, cyfreithiol a chymdeithasol drwy osod patrwm ac arddull traddodi newydd yn y Gymraeg gan gyhoeddi'r darlithoedd yng nghyhoeddiadau'r cyfnod. Addysgu yn fwy na difyrru oedd y bwriad ac maent yn crynhoi gwybodaeth ac yn mentro i diroedd diddorol.

Cyd-ymgyrchwyr gyda Griffith dros hawliau'r tyddynwyr oedd rhai o'r prif gyfranwyr – John Lloyd (Einion Môn) yn darlithio ar 'Seryddiaeth' ac 'Arianyddiaeth'; Hugh Hughes ar 'Ryddid, cymdeithas a llywodraeth' a 'Cyfoeth, Dysg, a Synwyr' a Thomas Edwards (Caerfallwch) yn darlithio ar 'Fwnai' ac yn nes ymlaen ar 'Ddyled y Wlad', gan hyd yn oed feirniadu'r frenhiniaeth. Roedd Caerfallwch yn eiriadurwr ac yn gyfrifol am fathu geiriau newydd i'r iaith yn enwedig mewn gwyddoniaeth. Dichon iddo fod o gymorth i Griffith. Mewn oes heb drefn ryngwladol i gysoni termau mae'r geiriau Cymraeg a fathwyd yn haws eu deall na'r geiriau gwyddonol Saesneg. Un o eiriau Caerfallwch yw 'pwyllgor' – cyfuniad o 'bwyll' a 'chôr' ac o na fyddai aml un ohonynt yn dilyn safon ddisgwyliedig Caerfallwch. Cyfaill arall a fu'n gymorth i Griffith wrth gyhoeddi'r darlithoedd, drwy gynllunio'r blociau i ddangos yr offer gwyddonol, oedd yr arlunydd Hugh Hughes.[61]

Bu'r ychydig flynyddoedd fel aelod brwd o Gymreigyddion Caerludd yn werthfawr i ddeall ei werthoedd a'i safbwyntiau. Nid oedd yn fyr o roi ei farn yn gyhoeddus a châi gyfle yn aml wrth ymateb i lwnc destun neu wrth ddiolch a'r sylwadau'n cael eu cofnodi gan y wasg. Cymro cenedlatholgar-Prydeinig, ceidwadol a theyrngar i frenhiniaeth sy'n cael ei amlygu yn y cyfnod hwn.[62] Ymfalchïai fod 'wir grefydd yn cael ei meithrin ymysg y Cymry ac yn helaethach nag unrhyw genedl arall a wyddom ni amdani', a bod ymysg y Cymry lonyddwch gwladol, a pharch i'r llywodraeth 'er cymaint y terfysg sydd ymysg cenedlaethau cymdogaethol' – sylw at Iwerddon a Ffrainc mae'n debyg. Ond mae'n gofidio

fod y Cymry yn cyfyngu eu hymdrechion yn ormodol, at gywreinrwydd pynciau crefyddol, ynghyd a barddoniaeth a cherddoriaeth; ac ymgecru'n ormodol ynghylch hanafiaeth, llythyreniad a rhagoroldeb yr iaith Gymraeg, yn hytrach nag ymegniau iddi ei gwneuthur yn foddion lledaniad gwybodaeth gyffredinol.

Roedd angen i'r pwyslais fod fwy ar wyddoniaeth a masnach.

Dyma felly'r egwyddorion oedd yn ganolog i'w holl fywyd – pwysigrwydd addysg i wella'r unigolyn a chymdeithas, datblygiad y Gymraeg i bob cylch ar fywyd, crefydd fel elfen o fywyd, teyrngarwch i lywodraeth fel ei gyd-Galfiniaid a'r angen i'r Cymry feithrin blaenoriaethau gwahanol. Yn sicr roedd byw yn Llundain wedi dylanwadu ar ei bersbectif a'i farn. Roedd yn gwerthfawrogi gwladgarwch y Cymry yn Llundain ac roedd yn wfftio 'dallbleidiaeth neu egwyddorion coeg-falch y Dic Sion Dafydd'.[63] Yn Llundain roedd yn gweld 'sail cadarnach i gymdeithasgarwch yn eu plith nag ymysg ein cyd-genedl yn y wlad'. Gwelai fanteision cyfleoedd i wybodaeth yn Llundain ac roedd mwy o Gymry o gyffelyb fryd yn y metropolis nag yn unrhyw ran o Gymru. Yr her fawr i'r Cymry Llundeinig dosbarth canol fyddai gwireddu rhai o'r egwyddorion hyn. Ond roedd seiliau'r Gymru fodern yn dechrau cael eu trafod mewn cymdeithasau Cymreig ym mhrifddinas answyddogol Cymru ac ymhen amser byddai symudiadau i'w gwireddu.

7

ARLOESI AC ANRHYDEDDAU

Ei ddoniau gwych a ddenodd
'Sgolheigion mawrion eu modd,
A daethiw feib y doethion,
Dorf o heirdd wyr y dref hon,
Dan ei athrawiaeth ffraeth ffrau,
A dynion gloyw eu doniau,
Iddeu ceraint, braint a bri,
Wyl einioes, ynt eleni.

Einion Môn[1]

Un o binaclau gyrfa gwyddonwyr disglair yn ein hoes ni yw cael eu hethol yn Gymrawd o'r Gymdeithas Frenhinol (Fellow of the Royal Society), cydnabyddiaeth o safon a chyfraniad mewn maes penodol. Sefydlwyd y gymdeithas ddysgedig hon yn 1660 i hyrwyddo a thrafod gwyddoniaeth a chynnal arbrofion o bob math. I ymuno â'r etholedigion mae angen bod wedi gwneud cyfraniad nodedig i wella gwybodaeth mewn meysydd fel mathemateg, gwyddoniaeth, peirianneg neu feddygaeth a thros y canrifoedd mae cymrodyr enwog iawn wedi cael eu hethol – Isaac Newton, Michael Faraday, Charles Darwin, Alfred Wallace, Alexander Fleming, Humphry Davy,

Isambard Kingdom Brunel, Francis Crick, Dorothy Hodgkin a Stephen
Hawking. Mae'n gofrestr sy'n cynnwys arloeswyr athrylithgar.[2]

Drws yn agor

Yn ystod 1831 cafodd Griffith Davies wahoddiad gan ei gyfaill
Benjamin Gompertz, prif actiwari gyda'r Alliance erbyn hyn, i ddod
gydag ef i gyfarfod o'r Gymdeithas Frenhinol yn Somerset House
yn y Strand. Roedd Gompertz yn gymrawd ers 1819 ac ymhen
blwyddyn byddai wedi ei ethol i gyngor y Gymdeithas. Bu Griffith yn
bresennol gyda Gompertz mewn nifer o gyfarfodydd y Gymdeithas
yn ystod 1831. Yn un o'i gyfarfodydd cyntaf, ym mis Chwefror, y
darlithydd oedd Humphry Davy, athro cemeg Cymdeithas Frenhinol
Dulyn, yn trafod 'On a new combination of chlorine and nitrous
gas'.[3] Y darlithydd mis Mai oedd neb llai na Michael Faraday oedd
yn yr Academi Wyddoniaeth Frenhinol ym Mharis ar y pryd.[4] Pwnc
Faraday oedd 'On a peculiar class of Acoustical Figures, and on
certain forms assumed by groups of particles upon vibrating elastic
surfaces'. Erbyn diwedd Mai roedd Griffith yn y Gymdeithas eto a'r
tro hwn darlith mewn maes mwy cyfarwydd gyda Davies Gilbert yn
trafod 'A table facilitating the computations relative to Suspension
Bridges'. Yn wir roedd Griffith ei hun wedi cyfrannu i ddatblygu'r
fathemateg yn ystod ei waith gyda Samuel Ware. Yn y Gymdeithas
Frenhinol felly, roedd rhai o'r meysydd yn gyfarwydd iawn iddo ac
eraill yn agor bydoedd newydd a chyffrous.

Roedd yn arferiad i gyflwyno llyfrau i lyfrgell y Gymdeithas
ac yn ei gyfarfod cyntaf cyflwynodd Griffith ei lyfr *Tables of Life
Contingencies* fel rhodd gan yr awdur; yn ystod Mai 1831 ceir cofnod
iddo gyflwyno ei lyfr ar drigonometreg.[5] Heddiw, mae'r ddwy gyfrol
yn rhan o gasgliad ac archif unigryw'r Gymdeithas Frenhinol.

Ar ôl mynychu nifer o gyfarfodydd ni chymerwyd llawer i
berswadio Griffith i'w enw gael ei roi ymlaen i fod yn Gymrawd.
Cefnogwyd ei enwebiad gan y ddau actiwari, Benjamin Gompertz
a William Morgan, a hefyd dri arall: y llyngesydd a'r arloeswr mewn
seryddiaeth, William Henry Smyth, y crisialegwr Henry James

Tystysgrif derbyn Griffith Davies yn Gymrawd o'r Gymdeithas Frenhinol
(*Hawlfraint The Royal Society*)

Brooke, a dyfeisydd telesgopau newydd ac optegydd y Brenin Sior
IV, George Dollond. Roedd Grffith yn adnabod Gompertz, Smyth
a Dollond ers iddo ddechrau mynychu cyfarfodydd Cymdeithas
Fathemategol Spitalfields. Roedd y pum cefnogwr felly yn ddynion o
safon a pharch a byddai eu cefnogaeth, ac yn enwedig felly Morgan,
tad y proffesiwn actiwari, wedi golygu llawer iawn i Griffith. Dylid

nodi bod rhai ymgeiswyr wedi eu gwrthod oherwydd diffyg parch i un neu fwy o'r cefnogwyr, ond nid felly yn achos Griffith.[6] Mewn etholiad o'r fath roedd y Gymdeithas yn defnyddio pleidlais gudd a hynny ddegawdau cyn i drefn debyg gael ei defnyddio mewn etholiadau seneddol a lleol.

Mae cofnodion y Gymdeithas Frenhinol yn dilyn eu cyfarfod ar 16 Mehefin 1831 yn dangos i Griffith Davies gael ei ethol yn unfrydol fel Cymrawd ac mae'n cael ei gyflwyno fel:

a Gentleman well versed in mathematical investigations and also aquainted with various subjects of natural knowledge being desirous of the honour of being admitted a Fellow of the Royal Society we of our personal knowledge do recommend him as worthy of being elected a fellow thereof.[7]

Roedd bellach yn dod i adnabod a chydweithio gyda phrif wyddonwyr, mathemategwyr a pheirianwyr y cyfnod yn eu cyfarfodydd a byddai nifer o'r prif gymrodyr yn gwybod am waith mathemategol Griffith yn barod. Y llywydd flwyddyn ynghynt oedd Davies Gilbert, cynghorydd mathemategol Thomas Telford ar Bont y Borth, a ddefnyddiodd waith Griffith Davies a Samuel Ware. Byddai Charles Babbage, dyfeisydd y cyfrifiadur mecanyddol cyntaf, yn cofio i Griffith gael y blaen arno yn cyhoeddi ei lyfr ar fathemateg y wyddor actiwari yn 1825. Y llywydd ers blwyddyn oedd dug Sussex (Tywysog Augustus Frederick a brawd William IV), a gyflwynodd y fedal arian i Griffith am ei ddeial haul o lechen dros ddegawd yn gynt. Roedd yn ymuno â chymdeithas o unigolion disglair a'r sêr disgleiria yn sicr oedd Thomas Young, polymath os bu un erioed, a Michael Faraday, a osododd sylfaen i electromagneteg ac electrocemeg.

Byd newydd

Cyfnod o newid oedd dechrau'r 1830au i'r Gymdeithas Frenhinol gydag addasiadau yn ei chyfansoddiad a'i gwaith. Roedd Charles Babbage wedi cyhoeddi llyfr oedd yn feirniadol iawn o safon gwyddoniaeth yn Lloegr ac yn beio'r Gymdeithas Frenhinol.[8] Roedd am iddi fod yn glir yn ei chenhadaeth ac yn gymdeithas gyfyngedig i wyddonwyr gweithredol fel yr Académie des Sciences yn Ffrainc. Roedd ei gyfrol yn llawn argymhellion ac er bod gan Babbage safbwyntiau adeiladol a chyfoes roeddynt yn gymysg gyda gosodiadau annoeth ac enllibus. Rhestrodd holl gymrodyr cyfredol y Gymdeithas gyda dau ddarn o wybodaeth amdanynt – blynyddoedd eu haelodaeth a'r nifer o bapurau a gyflwynwyd ganddynt i gyfarfodydd. Ffordd syml ac effeithiol o fesur eu cyfraniad, eu hymroddiad i wyddoniaeth a'u gwybodaeth ohoni. Ymosodiad oedd hyn mewn gwirionedd ar y tywysogion, arglwyddi, uchelwyr, esgobion a'r cyfrin gynghorwyr. Ac roedd lleisiau eraill yn galw am newidiadau radical. Un o'r rhain oedd Augustus Bozzi Granville, a ddaeth i'r casgliad fod llu o'r cymrodyr yn annheilwng i gael eu galw'n wyddonwyr.[9] Dyma beth oedd codi helynt.

Roedd sefydlwyr y Gymdeithas wedi gweld yr angen i ddylanwadu ar y byd gwleidyddol a denu nawdd i'w gwaith. Daeth y byddigion yn aelodau ond ni wireddwyd gobeithion y sefydlwyr gwreiddiol yn nhermau nawdd. Pan dderbyniwyd Syr Roderick Murchison yn Gymrawd yn 1826 cyhoeddodd y llywydd, Syr Humphry Davy, nad oedd a wnelo'i lwyddiant etholiadol ddim byd â'i waith gwyddonol fel daearegwr, ond yn hytrach iddo gael ei ethol oherwydd ei gyfoeth personol.[10] Ymddengys nad oedd y byddigion yn gwyddona nac yn cyfrannu i'r coffrau. Roedd angen newid ond nid oedd argymhellion a chwyldro Babbage yn dderbyniol a bu trafod ei ddiarddel. Dim ond yn raddol dros y blynyddoedd i ddod oedd y rhaglen ar gyfer newid am gael ei llunio a'i gweithredu. I Babbage roedd mathemategydd fel Griffith yr union fath o gymrawd oedd ei angen – actiwari llawn amser disglair, yn cyhoeddi ei waith a oedd yn cyfrannu i drafodaethau a phwyllgorau'r Gymdeithas. Byddai Griffith yn cytuno – gweithredu ar sail rhesymeg oedd y ffordd ymlaen ac nid chwyldro.

Peidier â chymryd gair neb – *Nullius in verba* – yw arwyddair y Gymdeithas Frenhinol. Mae'n ddatganiad amheugar ac yn wrth-awdurdod, dwy nodwedd anamlwg yng nghymeriad Griffith. Erbyn yr 1830au datblygodd y Gymdeithas ymhellach fel fforwm i rannu syniadau a darganfyddiadau. Roedd hefyd yn ganolfan i drefnu a chomisiynu ymchwil, cysylltu gyda chyrff eraill yn rhyngwladol ac yn ganolog i'r gweithgareddau roedd arbrofi a hyrwyddo dysg. Byddai'r cyfarfodydd wythnosol ar nos Iau yn Somerset House yn gyfle i Griffith dderbyn gwybodaeth newydd amlddisgyblaethol a'i gyflwyno i feysydd newydd gan ymestyn ei orwelion y tu allan i waith actiwari. Er bod rhai o'r cymrodyr gydag obsesiynau diniwed a hynod gan ddablo'n ddiletantaidd mewn gwyddoniaeth, roedd Griffith yn perthyn i'r garfan newydd o aelodau oedd yn gweld estyn gwybodaeth yn arwain i gynnydd mewn masnach, cynhyrchiant a chyfleoedd newydd. Yn dilyn cyfarfodydd ceid sgwrsio a rhwydweithio gyda chymrodyr eraill dros de a choffi, ac unwaith y chwarter byddai'r llywydd, y dug Sussex, yn cynnal *soiree* gan wahodd pendefigion eraill a diplomyddion oedd yn Llundain.

Cyfarfod o'r Gymdeithas Frenhinol yn Somerset
House (*Hawlfraint The Royal Society*)

Un cyfrifoldeb oedd yn dod i ran Griffith fel cymrawd oedd derbyn neu wrthod enwebiadau i unigolion gael eu hethol yn gymrodyr. Cawn dystiolaeth fod Griffith wedi cynnig nifer ar gyfer yr anrhydedd a'r mwyafrif ohonynt o'r un cylchoedd. Cyd-actiwari gyda chwmni'r Atlas yn Llundain oedd Charles Ansell, actiwari arall oedd Arthur Morgan, mab William, o gwmni'r Equitable, a mathemategydd yn arbenigo mewn ystadegaeth oedd Francis Corbaux.[11] Ar ddechrau'r 1840au bu'n cefnogi ethol Bartholomew Parker Bidder, actiwari gyda'r Royal Exchange, y llawfeddyg Alfred Smee, y gwyddonydd lleyg James Tulloch a'i gyfaill a'i gymydog Charles Woodward, llywydd Cymdeithas Lenyddol a Gwyddonol Islington y cyfeirir ati ymhellach yn nes ymlaen.[12] Gwelwn o'r enwau hyn fod Griffith yn bleidiol iawn i'w gyd-actiwarïaid a mathemategwyr y cyfnod os oeddynt wedi arloesi drwy ddatblygu gwaith newydd a'i gyhoeddi. Y Gymdeithas Frenhinol oedd yr unig fforwm i'r criw bychan o actiwarïaid i drafod a datblygu syniadau. Roeddynt yn gefnogol i'w gilydd, ar hyn o bryd, ac yn sylwi ar ddisgyblaethau eraill yn ymffurfio'n gymdeithasau dylanwadol.[13]

Ceid pwyslais gwyddonol o fewn y Gymdeithas Frenhinol ar ddadansoddi, mesur, cyfrifo, gwirio a phrofi – i ddamcaniaethu a rhagweld – yr union nodweddion oedd eu hangen i actiwari o'r radd flaenaf. Byddai'r damcaniaethu o fewn y Gymdeithas fodd bynnag yn mynd i diroedd diddorol yn y blynyddoedd i ddod, yn enwedig felly ym maes daeareg a bioleg gan greu gwrthdaro ar adegau rhwng crefydd a gwyddoniaeth. Cyhoeddodd Charles Lyell lyfr yn yr 1830au yn honni fod y byd yn hynach na 6,000 o flynyddoedd, safbwynt gwrth-feiblaidd i'r cymrodyr crefyddol.[14] Nid oes unrhyw dystiolaeth am ymateb Griffith i'r datblygiadau hyn na chwaith ei fod wedi cyflwyno papur mathemategol i'r Gymdeithas Frenhinol. Datblygiad y wyddor actiwari a'r proffesiwn fyddai'n mynd â'i fryd gan ei fod yn ôl yr hyn a ddeallwn yn fynychydd gweddol ffyddlon yng nghyfarfodydd y Gymdeithas Frenhinol am nifer o flynyddoedd. Gwnaeth gysylltiadau gwerthfawr ac roedd ei gyflogwyr yn y Guardian yn gwneud defnydd llawn o'r tair llythyren ynghlwm wrth ei enw i hysbysebu statws a safon ei hactiwari. Roedd yr FRS hefyd yn agor drysau eraill.

Yr anrhydedd o Ffrainc

Anrhydedd annisgwyl a phleserus a ddaeth i'w ran yn 1833 oedd cael ei dderbyn, ynghyd â'i gyfaill Gompertz, yn *membres étrangers* (aelodau tramor) o'r Société Française de Statistique Universelle ym Mharis. Roedd diddordeb mawr yn Ffrainc yn hanner cyntaf y bedwaredd ganrif ar bymtheg mewn data ac ystadegaeth gyda llawer o gymdeithasau ystadegol yn cael eu ffurfio. Un o'r rhain oedd y Société Française de Statistique Universelle a sefydlwyd gan César Moreau, sef cyn is-gennad Gweriniaeth Ffrainc yn Llundain. Roedd wedi sylwi ar ddatblygiad cymdeithasau ystadegol yn Lloegr a dyma fu'r sbardun i sefydlu cymdeithas newydd yn ôl yn Ffrainc fyddai'n canolbwyntio ar ystadegaeth, gyda'r uchelgais o greu canolfan unedig ar gyfer Paris, Ffrainc, Ewrop a'r byd.[15] Erbyn 1836 roedd gan y Société Française de Statistique Universelle 1,000 o aelodau a thua chant ohonynt mewn gwledydd y tu allan i Ffrainc. Ni wyddom a oedd Griffith wedi cyfarfod Moreau neu wedi ymweld â'r

Tystysgrif Griffith Davies fel aelod tramor o gymdeithas Ffrengig ar gyfer ystadegaeth byd-eang (*Trwy ganiatâd Llyfrgell Genedlaethol Cymru*)

gymdeithas ym Mharis. Ceir cyfeiriad at Davies, Griffith, Esq. FRS yn nhrafodion y gymdeithas a hefyd iddynt dderbyn llyfrau ganddo i'w llyfrgell helaeth a gwybodaeth am brofiadau cymdeithasau cyfeillgar yn Llundain.[16]

Cymdeithas Lenyddol a Gwyddonol Islington

Ar gychwyn yr 1830au bu Griffith yn weithgar yn y Gymdeithas Frenhinol a Chymreigyddion Caerludd a hefyd yn sefydlu a chefnogi cymdeithas newydd weithgar ar gyrion Llundain ble roedd yn byw. Sylfaenydd yr Islington Literary and Scientific Society oedd Charles Woodward, Compton Terrace, cymydog o allu a gweledigaeth. Bwriad addysgol yn unig oedd i'r gymdeithas newydd ac fe'i sefydlwyd yn nhafarn Canonbury ym mis Tachwedd 1832 mewn cyfarfod cyhoeddus. Dan lywyddiaeth Woodward profodd y gymdeithas dwf sylweddol gan ddenu aelodau a chyfalaf. Roedd ganddynt ddau ddosbarth o aelodaeth – cyfranddalwyr yn talu £15 a thâl blynyddol o ddwy gini (£2.10) gyda'r tanysgrifwyr yn talu'r ffi flynyddol yn unig.

Nid oeddynt fel y Cymreigyddion am barhau i gyfarfod mewn tafarn ac erbyn 1837 roeddynt wedi prynu tir ac wedi trefnu cystadleuaeth bensaern'iol ar gyfer eu hadeilad newydd. Yn 1838 ar ôl gwariant o bron £2,000 roedd ganddynt adeilad ysblennydd gyda darlithfa ar gyfer 550 a cherfluniau a lluniau yn ei haddurno. Cymdeithas i bobl ddosbarth canol cefnog a diwylliedig o ardal a ddatblygai'n faestref oedd yr Islington Literary and Scientific Society. (Mae'r adeilad hanesyddol bellach yn gartref i Theatr Almeida.[17]) Ymaelododd Griffith gyda'r gymdeithas hon o'i chychwyn gan fod yn un o'r rhai cyntaf i arwyddo'r cyfansoddiad newydd a gwasanaethu ar bwyllgor am chwe blynedd.[18]

Lledaenu gwybodaeth drwy ddarlithoedd, darlleniadau, arbrofi, trafod a chyflwyno traethodau – dyma oedd prif amcanion y gymdeithas a gwneud hynny ym mhob maes ac eithrio dau. Gwaharddai un o'r 72 rheol unrhyw ymdriniaeth â diwinyddiaeth a gwleidyddiaeth a rhaid oedd i bob aelod dderbyn y rheolau hyn gan arwyddo i gadarnhau. Tybed a oedd llaw Griffith yn amlwg yn rhai o'r rheolau hyn ac yn ailadrodd ei hanes gyda Chymreigyddion Caerludd? O'r cychwyn roedd yn fwriad gan y gymdeithas i sefydlu amgueddfa a llyfrgell a chyflwynodd Griffith ddau o'i lyfrau iddynt fel rhodd. Yn fuan iawn daeth yn aelod o'r pwyllgor llyfrau ac amgueddfa, gan dderbyn a phrynu miloedd o lyfrau a thanysgrifio i brif gylchgronau Saesneg y dydd mewn nifer o feysydd. Bu hefyd yn rhan o'r broses i benodi W. H. Butterfield yn llyfrgellydd, a W. M. Higgins, darlithydd o Ysbyty Guy, yn guradur anrhydeddus yr amgueddfa a'r offer gwyddonol; ac fel rhan o'r prif bwyllgor bu'n rhan o'r penderfyniadau i benodi ymddiriedolwyr, archwilwyr ac ysgrifennydd.[19] Cymdeithas flaengar, drefnus ac uchelgeisiol oedd yn datblygu yn Islington.

Unwaith roedd gweinyddiaeth a threfn y gymdeithas newydd wedi'u sefydlu, y darlithoedd rheolaidd oedd y prif weithgaredd. Daeareg, seryddiaeth a pheirianneg oedd y testunau mwyaf amlwg yn y blynyddoedd cynnar ond buan yr ymestynnwyd i ddisgyblaethau eraill fel anthropoleg, hanes, llên gwerin, ieithoedd clasurol a llenyddiaeth Saesneg. Cyflwynodd y llywydd gyfres o ddarlithoedd ar drydan a chyfres arall am oleuni polaraidd. Un o'r cyfranwyr cyntaf i'r gymdeithas newydd oedd Griffith ei hun gan ddarlithio ar 'Hydrostatics' ar 29 Mawrth 1833. Addasiad oedd y ddarlith o'i gyflwyniad i'r Cymreigyddion ar 'Awsafiaeth' ddwy flynedd ynghynt. Ceir llyfr trwchus yng Nghanolfan Hanes Lleol Islington gyda chofnod manwl, mewn ysgrifen copor-plât, o ddarlithoedd y gymdeithas.[20] Dechreuwyd ar y gwaith cofnodi hwn ym mis Gorffennaf 1833 ac felly nid oes cofnod o ddarlith Griffith a draddodwyd yn gynharach yn y flwyddyn. Er i gymdeithasau tebyg gael eu ffurfio drwy Loegr yn y cyfnod hwn, roedd gweithgareddau, adnoddau a'r cefnogaeth i'r datblygiad yn Islington yn dangos blaengaredd eithriadol.[21]

Bu'r cyfnod hwn gyda'r gymdeithas yn Islington, fel ei brofiad gyda'r Gymdeithas Frenhinol, yn ffrwythlon iawn o ran ehangu ei wybodaeth ddeallusol a'i gylchoedd cymdeithasol. Roedd yn fawr ei edmygedd o'r llywydd, Charles Woodward, ac ymhen blynyddoedd byddai'n cefnogi ei ethol yn Gymrawd o'r Gymdeithas Frenhinol am ei waith yn hyrwyddo gwyddoniaeth a'i ymchwil i opteg a thrydan.

Ond nid oedd byd yr actiwari yn cael ei anwybyddu chwaith. Un o'r aelodau gweithgar oedd ei gyfaill James John Downes, mathemategydd disglair arall, a benodwyd yn 1832 yn actiwari i gymdeithas yswiriant yr Economic Life. Byd gwrywaidd oedd y gymdeithas yn Islington ond roeddynt yn flaengar i'r oes gan fod caniatâd i ferched ddod i'r darlithoedd a bu Sarah Davies gyda'i thad mewn amryw gyfarfodydd. Tra oedd y cymdeithasau gwyddonol hyn yn mynd â'i fryd, roedd cymdeithasau eraill angen ei arweiniad hefyd.

Cymdeithasau cyfeillgar ac 'Addodau Cynniliant'

Un dull i gefnogi teuluoedd cyn dyddiau yswiriant modern a'r wladwriaeth les oedd cymdeithasau cyfeillgar ac fe sefydlwyd y rhain drwy'r wlad i wasanaethu ardaloedd, diwydiant penodol, aelodau o enwad crefyddol neu broffesiwn. Talai'r aelodau swm penodol yn rheolaidd a gellid cael cymorth yn ystod dyddiau blin o afiechyd neu brofedigaeth. Cyfraniadau'r aelodau oedd yn cyllido unrhyw fudd-dal a byddai cymdeithas o'r fath yn defnyddio tablau i weithio cyfraniad unigolion. Roedd y cymdeithasau hyn yn aml yn mynd i drafferthion am fod y tablau'n wallus neu ddim yn cael eu dilyn, a hynny yn arwain at sefyllfa lle nad oedd digon o incwm ar gael i'w dalu allan yn ôl yr angen.

Yn dilyn gwaith Pwyllgor Dethol Seneddol yn 1825, roedd y Llywodraeth Brydeinig wedi deddfu i roi canllawiau i gymdeithasau o'r fath. Y cyfarwyddyd oedd defnyddio tablau Cymdeithas Gyfeillgar Southwell oedd wedi cael eu cymeradwyo gan neb llai na William Morgan o'r Equitable Life. Ymhen dwy flynedd ailystyriodd y Pwyllgor Dethol addasrwydd y tablau hyn a galw am farn a thystiolaeth gan fathemategwyr blaenllaw ac yn eu mysg Benjamin Gompertz, Joshua Milne, John Finlaison, Francis Baily, Charles Babbage a Griffith Davies. Holwyd actiwari'r Guardian yn drwyadl am ei brofiad a'i farn ac yntau'n ateb yn gytbwys a thrwyadl.[22] Roedd y chwech yn unfryd yn eu beirniadaeth o dablau Southwell ac yn cyflwyno rhesymau technegol i'r pwyllgor, ond roeddynt yn amrywio yn eu barn ar y ffordd ymlaen. Roedd Griffith wedi cyflwyno tablau yn tarddu o brofiad yr Equitable ac felly'n addasiad o waith Morgan. Aseswyd y dystiolaeth gan y Pwyllgor Dethol[23] a chyhoeddwyd eu hadroddiad gan wahodd dau a gyflwynodd dystiolaeth, sef John Finlaison a Griffith Davies, i gyhoeddi rheolau a thablau ar gyfer holl gymdeithasau cyfeillgar y wlad fel atodiad i'r adroddiad.[24] Bu'r ddau'n cydweithio'n effeithiol i gynhyrchu tablau i nifer o gyhoeddiadau gan Lyfrau ei Mawrhydi yn y blynyddoedd i ddilyn.[25]

Canlyniad y gydnabyddiaeth gyhoeddus hon oedd bod cymdeithasau cyfeillgar drwy'r wlad yn dod i gysylltiad â Griffith i gael ei farn am eu cyflwr ariannol a'u cydymffurfiad gyda'r rheolau a'r tablau newydd. Nid oedd deddf gwlad ar y pryd yn mynnu fod angen i actiwari roi barn ar stad cymdeithasau cyfeillgar unigol. Rhaid oedd disgwyl hyd 1846 i wneud hynny'n orfodol.[26] Byddai rhai o'r cymdeithasau blaengar yn cysylltu gyda Griffith yn ei swyddfa yn y Guardian i dderbyn ei farn a honno'n cael ei chyhoeddi mewn hysbysebion neu adroddiadau o gyfarfod blynyddol mewn papurau newydd drwy'r wlad.[27] Erbyn dechrau'r 1830au roedd enw Griffith Davies yn amlwg, nid bellach fel ymgyrchydd dros y tyddynwyr neu ei aelodaeth o gymdeithasau nodedig, ond mewn hysbysebion drwy'r deyrnas a thu hwnt gan y Guardian, Cymdeithas y Reversionary a llu o gymdeithasau cyfeillgar. Enwogrwydd annisgwyl unwaith eto.

Credai Griffith yn gryf yng ngwerth cymdeithasol trefniadau'r cymdeithasau cyfeillgar ond i ba raddau roeddynt yn datblygu yng Nghymru ac a oedd canllawiau'r llywodraeth yn ddealladwy i'w gyd-wladwyr? Gwelodd ei gyfle wrth ddarllen hysbyseb am gystadleuaeth ysgrifennu traethawd ar gymdeithasau cyfeillgar mewn eisteddfod ym Maentwrog, sir Feirionnydd. Yng nghanol ei brysurdeb yn 1829 cyflwynodd y gwaith i ysgrifennydd yr eisteddfod a deall drwy ei deulu ei fod yn fuddugol ac am dderbyn medal, ond ni ddaeth unrhyw gadarnhad ffurfiol. Ymhen amser wrth iddo fynd drwy'r ardal ar un o'i deithiau haf i Gymru galwodd i ymholi gydag ysgrifennydd yr eisteddfod a chafodd ddeall fod gweinyddiaeth yr eisteddfod wedi mynd i'r gwellt oherwydd bod noddwyr yr ŵyl wedi ffraeo a'r trefniadau heb eu cwblhau. Ni chafodd fedal na gwobr ond cafodd addewid y byddai'r traethawd yn cael ei drosglwyddo i gefnder Griffith

TRAETHAWD

AR

GYMDEITHASAU

Cyfeillgar,

YN YR HWN Y DANGOSIR

NATUR, A CHYWIR SEILIAD, BUDDIOLDEB, AC EFFEITHIAU
Y CYFRYW SEFYDLIADAU.

Gan GRIFFITH DAVIES, Yswain., Llundain.

(GWYNEDDWR.)

GWYNDOD-WRYF:

LLANRWST:

ARGRAFFWYD GAN JOHN JONES.

1841.

Traethawd ar gymdeithasau cyfeillgar, 1841
(*Trwy ganiatâd Llyfrgell Genedlaethol Cymru*)

oedd yn byw yn lleol. Ymhen amser clywodd fod argraffydd o Lanrwst yn awyddus i gyhoeddi'r 'Traethawd ar Gymdeithasau Cyfeillgar' a chyflwyno rhif penodol o'r argraffiad i Griffith fel rhan o'r cytundeb.[28] Cytunodd i'r trefniant gan wybod y byddai cyhoeddiad o'r fath yn wybodaeth fuddiol i nifer yng Nghymru, ond pan ddaeth y traethawd printiedig i Lundain roedd Griffith yn siomedig iawn. Roedd y print yn hynod fân a'r tablau i egluro'r gwaith wedi eu cyflwyno ar wahân i'r rhannau perthnasol o'r traethawd.[29]

Gwelai Griffith y cymdeithasau cyfeillgar fel arf i gynorthwyo eraill a magu ysbryd o 'hunan-ymddibyniad' am genedlaethau. Yn ei draethawd mae'n apelio at weinidogion yr efengyl a swyddogion gwladol i gynorthwyo i sefydlu'r cymdeithasau hyn ac i 'foneddigion y dywysogaeth' sy'n hael eu cefnogaeth i eisteddfodau hefyd wneud cyfraniad. Heddiw mae'r traethawd yn ddiogel yn y Llyfrgell Genedlaethol ac mae'r 5,000 o eiriau a'r tablau yn llawlyfr i weithrediad cymdeithasau cyfeillgar yng Nghymru. Tybed beth oedd effaith y traethawd manwl a gwreiddiol hwn ar Gymru'r cyfnod?

Bu Griffith hefyd yn llafar ynghylch trefniadau ar gyfer cynilo ac yn teimlo unwaith eto fod angen i'w gyd-Gymry weithredu. Roedd y llywodraeth yn cymryd diddordeb yn y maes hwn hefyd ac yn rhoi trefniadau i reoleiddio 'Addodau Cynniliant' (banciau cynilo). Mewn llythyr yn *Y Gwyliedydd* mae'n rhestru manteision addodau o'r fath i werin gwlad er mwyn iddynt 'grynhoi o'u mebyd o fân geiniogau' ac yn ychwanegu ei fod yn

gofidio na bydd mân ddyddynwyr a chrefftwyr y Dywysogaeth yn ymddiried ffrwyth eu llafur i'w cadwraeth, yn hytrach na rhoi benthyg eu harian i grach-foneddigion gwastraffus, fel yr wyf yn gwybod i lawer ei wneuthur, er eu colled, yn ardal fy ngenedigaeth.[30]

Yn ei lythyr galwodd hefyd ar i'r wasg roi cyfrifon yr addodau 'ger gŵydd eu darllenwyr ar ddechrau pob blwyddyn', ac mae'n cyhoeddi enwau'r addodau yng Nghymru a oedd heb gyflwyno eu cyfrifon i Lundain cyn diwedd 1830: Caerfyrddin, Bangor, Gwrecsam a

Llanelwy oedd y pechaduriaid ac roedd ganddo sylwadau amdanynt. Fel cosb am beidio cyflwyno eu cyfrifon ataliwyd llog gan y llywodraeth i addawd Gwrecsam. Yn ôl Griffith roedd hyn yn fater o warth cenedlaethol. Roedd hefyd yn cyhoeddi fod £13 miliwn wedi ei fuddsoddi yn Lloegr ond dim ond £370,000 yng Nghymru. Hyn eto yn feirniadaeth ar ddiffyg blaengaredd ac yn fater o hunan-barch cenedlaethol. 'Onid yw yn warth ar ein cenedl bod esgeulustod boneddigion y Dywysogaeth yn peri bod eiddo gwerin Cymru yn llai diogel nag eiddo ein cymmydogion?' Ar ôl dweud ei farn roedd yn dda ganddo nodi bod cyfrifon addawd Caernarfon yn 'tra boddlonawl'. Dyma iaith ofalus archwilydd oedd yn barod iawn i ganmol addawd ei hen ardal. Drwy'r enghreifftiau hyn i gyd roedd yn amlwg fod buddiannau Cymru yn bwysig iawn ganddo.

Cydweithredu o fewn y proffesiwn?

Er bod Griffith yn treulio llawer o'i amser yn y capel, y Cymreigyddion a'r Gymdeithas Frenhinol, ei waith pob dydd oedd gweithio fel actiwari i'r Guardian yn ei swyddfa yn Lombard Street yng nghanol dinas Llundain. Wrth gychwyn y gwaith fel yr actiwari cyntaf iddynt byddai wedi gosod ei reolau ei hun ynghylch dull gweithredu ac o bosib wedi cael cyngor William Morgan oedd wedi gosod trefn ar waith yr Equitable Life. I osgoi argyfwng ariannol yn y dyfodol roedd Morgan wedi mynnu na ellid rhannu elw i'r aelodau heb werthusiad o'r cronfeydd bob degawd, na ddylid rhoi unrhyw fonws i'r aelodau heb werthusiad ac na ddylai gwerth bonws fod yn fwy na deuparth yr elw.[31] Dull doeth a rhesymol o weithredu.

Gweithredai Griffith mewn dull tebyg gan roi arweiniad clir i fwrdd cyfarwyddwyr y Guardian. Ym mis Mai 1831 cyflwynodd adroddiad ar raddfeydd marwoldeb yn 1830 ac mae'n cael caniatâd y bwrdd i rannu'r canlyniadau gyda swyddfeydd yswiriant bywyd eraill, ond, roedd i ymarfer ei ddisgresiwn wrth wneud hynny. Roedd y penderfyniad hwn yn golygu y gallai Griffith symud ymlaen gyda'i weledigaeth o gael tablau marwoldeb cyffredin ar gyfer yr holl broffesiwn. Yn yr un cyfarfod o'r bwrdd cafodd ganiatâd i weithredu unwaith eto fel actiwari gyda chymdeithas y Reversionary Interest ar gyflog o £150 y flwyddyn a byddai'r gymdeithas newydd, fel y Guardian, yn defnyddio ei enw, gyda'r FRS i ddilyn, mewn llu o hysbysebion ym mhapurau newydd Prydain ac Iwerddon yn y blynyddoedd i ddod. Ymestyn ei brofiadau oedd y cyfrifoldeb hwn heb gystadlu gyda gwaith ei gyflogwr. Ymhen blwyddyn mae'n rhoi gwybodaeth i'r Guardian fod dull y llywodraeth o werthu blwydd-daliadau ar raddfa benodol yn golygu na all unrhyw gwmni masnachol gystadlu. Teg fyddai casglu mai gair i glustiau'r Aelodau Seneddol niferus ar y bwrdd oedd hyn.

Erbyn diwedd yr 1820au datblygodd y proffesiwn actiwari gyda'i statws yn cael ei gadarnhau o fewn y byd yswiriant a chyllid. Eto i gyd, unigolion digyswllt yn gweithio i fentrau cystadleuol oeddynt ac nid oedd unrhyw gorff boed yn gymdeithas neu'n awdurdod i ddod â hwy at ei gilydd. Roedd Gompertz mewn papur i'r Gymdeithas Frenhinol eisoes wedi awgrymu y dylai'r cymdeithasau yswiriant ddod at ei gilydd er mwyn gwella cywirdeb data,[32] ac roedd Griffith drwy gyhoeddi ei lyfr yn 1825 yn ceisio dangos gwerth cyd-weithio a chyd-drafod o fewn y proffesiwn. Dyma fyddai'r dull gwyddonol roedd y Gymdeithas Frenhinol yn ei fynnu ac roedd yr elît actiwaraidd o blith y cymrodyr yn unfrydol i arddel y safon. Ond roedd lleisiau eraill yn erbyn y dull hwn o weithredu ac am i ddata, arbenigaeth a phrofiad gael eu diogelu i roi mantais fasnachol i rai cwmnïau. Sut felly oedd cyfannu'r rhwyg fel y gellid datblygu'r egin broffesiwn?

Dull Griffith o weithredu oedd gwahodd yr actiwarïaid o gyffelyb fryd at ei gilydd i'w gartref yn Palmer Terrace ar nosweithiau Sadwrn i gymdeithasu a thrafod materion y dydd a'r ystadegau diweddaraf – a gwneud hynny wrth sipian jin.[33] Mae ffynhonnell arall yn disgrifio'r cymdeithasu'n fwy helaeth ac yn nodi bod ganddynt 'an unwritten sumptuary law forbidding any refreshment save bread, cheese and gin and water'.[34] Yn eu mysg byddai ei gyfaill Gompertz o'r Alliance, yr Albanwr Thomas Galloway o'r Amicable, y ddau Charles, Ansell o'r Atlas a Jellicoe o'r Eagle, ac o bosib Jenkin Jones o'r National Mercantile.

Nid oes unrhyw gofnod o'r seiadau actiwaraidd hyn ac ni allwn ond dyfalu beth fyddent yn ei drafod. Cyfle efallai i wyntyllu model mathemategol Gompertz oedd yn ceisio gosod perthynas rhwng oed a marwoldeb? Neu drafod pam fod graddfeydd marwolaethau yn amrywio cymaint rhwng gwlad a thref, rhwng Prydain ac Iwerddon, rhwng dynion a merched o oedrannau penodol, a rhwng dosbarthiadau cymdeithasol? Beth oedd y rhesymau fod graddfeydd marwolaeth wedi lleihau dros y ganrif ddiwethaf? Beth oedd oblygiadau'r brechiad diweddar yn erbyn y frech wen a sut oedd egluro hynny? Roedd graddfeydd marwolaethau cymharol isel yn rhan o brofiad y swyddfeydd yswiriant yn brawf mai pobl dda eu byd ac iach o'r dosbarthiadau proffesiynol oedd yn prynu polisïau yswiriant bywyd a rhaid oedd cymryd hynny i ystyriaeth wrth dderbyn busnes.[35] Roedd cant a mil o faterion pwysig i'w trafod.

Un canlyniad i'r seiadu a'r swpera ymysg y detholedigion oedd lliniaru ychydig ar y gystadleuaeth rhwng y swyddfeydd yswiriant ac o bosib creu cartel cyfforddus. Roeddynt fel lleiafrif elitaidd o fewn y proffesiwn yn awyddus i ddileu gor-gystadlu a hefyd i rannu data a phrofiadau. Ond sut oedd creu undod a dileu rhai o'r tensiynau rhwng y swyddfeydd yswiriant?

Ym mis Mehefin 1837 roedd Griffith yn un o'r 40 o gynrychiolwyr swyddfeydd bywyd a arwyddodd ddeiseb i'r senedd yn gwneud cais iddynt gyhoeddi'r tablau a ddefnyddid gan y llywodraeth i weithio allan flwydd-daliadau. Y gobaith oedd y byddai tablau o'r fath yn cael eu defnyddio gan yr holl swyddfeydd.[36] Yn ystod 1838 clywyd fod Cymdeithas Ystadegol Llundain am gasglu a chyhoeddi data ar fywydau oedd wedi eu hyswirio. Roedd hyn yn sbardun i'r actiwarïaid weithredu. Daeth cynrychiolwyr o 55 o swyddfeydd at ei gilydd yn y London Coffee House, Ludgate Hill ar 19 Mehefin 1838 a daethant i'r casgliad mai buddiol fyddai rannu eu data fel y gellid cynhyrchu tablau graddfeydd marwoldeb cyfansawdd. Dim ond 17 o swyddfeydd bywyd a gyflwynodd ddata oedd yn delio gyda 83,905 o bolisïau a 3,928 o farwolaethau. Roedd diffygion ac anghysondebau yn y data a gasglwyd ac o ganlyniad ni chyhoeddwyd y gwaith. Er hynny, byddai'r data wedi ei rannu i'r 17 swyddfa a gymerodd ran yn y broses. Roedd cyfrinachedd yn dal i deyrnasu – am ychydig.[37]

Yna yn 1843 cyhoeddodd Jenkin Jones y data mewn llyfr newydd.[38] Nid oedd yn aelod o'r 17 detholedig ac felly roedd rhywun wedi rhoi'r wybodaeth iddo. Yn ei lyfr mae Jones yn cyhoeddi'r ddeiseb i'r senedd ac yn diolch i Joseph Cleghorn, dirprwy Griffith yn y Guardian, ac Evan Owen Glynne o'r Legal and General a oedd yn gyd-aelod gyda Griffith yng nghapel Jewin. Nodir hefyd fod y penderfyniadau cyfreithiol (*legal decisions*) yn y llyfr wedi eu casglu gan Mr Hugh Owen o Swyddfa Comisiwn Deddf y Tlodion (Poor Law Commission Office), un arall o'r Jewiniaid.

Ceir dau ddyfyniad helaeth gan Griffith Davies yn y rhagair i lyfr Jones. Y cyntaf yn talu gwrogaeth i hirhoedledd a pherthnasedd tablau William Morgan i'r proffesiwn actiwari. A'r ail mewn brawddeg hirfaith, aml gymalau, mae'n gosod allan ei farn ar y safon sy'n ddisgwyliedig gan y proffesiwn. Ceir beirniadaeth o'r peryglon mawr a'r drwg a wneir drwy godi gormod o bremiwm ar ddeiliad polisïau bywyd ar un llaw a hefyd mewn byd cystadleuol y demtasiwn o gynnig premiwm rhad sydd ddim yn diogelu'r unigolyn na'r cwmni. Byddai hyn yn arwain at golledion, siomedigaethau, achosion llys a distryw. Yn ei farn rhoi bendithion, diogelwch a chyfleoedd yw manteision yswiriant bywyd. Mae'n ganllaw ac yn rhybudd i'r cwmnïau yswiriant bywyd gan hyrwyddo enw da ac arweiniad actiwari'r Guardian.

8

Y PENTEULU

Nyddaf bill i'r ddifai bau –
Hon ydoedd bro fy nhadau;
Hiraethais yn hir weithion
Yn y dref ddifryndir hon
Am su alaw Cwm Silyn
A siog lef hesg ei lyn;
Dyfal ddyhea'r galon
Am wynt teg y foment hon,
Awel i'm gwadd o'r caddug
I nawdd gref y Mynydd Grug.

Gwilym R. Jones[1]

Nid oes dyddiaduron a llythyrau personol ar gael rhwng Griffith a'i deulu yn Rhosnenan. Byddent wedi rhoi gwybodaeth am ei fywyd pob dydd, hynt a helynt y teulu, bywyd yn y chwarel ac ym Mrynrodyn yn ogystal â'i obeithion a'i waith yn Llundain. Gellir fodd bynnag ganfod gwybodaeth am gerrig milltir ei yrfa a'i gysylltiadau teuluol a chymdeithasol o sawl ffynhonnell arall. Roedd yr ymgyrch dros y tyddynwyr wedi cryfhau cysylltiad Griffith gyda bro ei febyd ac yn raddol dros y blynyddoedd gwelwn deulu Beudy Isaf yn edrych fwyfwy i'r metropolis i dderbyn addysg a gwaith. Treuliodd Margaret a Catherine amser gyda'u brawd yn rhoi cymorth yn y tŷ ac mae un cofnod yn sôn am ei dad yn dod i Lundain ar un o'r llongau llechi.[2]

Yng ngwanwyn 1828 daeth John y brawd ieuengaf i fyw at Griffith. Gweithio ar y tir gartref a wnaeth am ychydig flynyddoedd ond roedd gwaeledd wedi arwain at iddo fod yn gloff ac felly'n anaddas i waith corfforol caled. Yn dilyn gwahoddiad Griffith daeth i Lundain a chael croeso gan y teulu yn Palmer Terrace. Cafodd hyfforddiant gan ei frawd mewn gramadeg Saesneg a chlywed yr iaith yn gyson yn y cartref a'r gymdeithas. Yn fuan iawn roedd ei fathemateg hefyd wedi gwella yn dilyn y cyfleoedd cyson i ymarfer drwy roi cymorth i Griffith yn ei waith. Ceir cyfeiriad iddo hefyd gael hyfforddiant gan y Parchedig David Williams (Charles Square) ond nid oes manylion pellach am y maes llafur.[3]

Ymhen amser cafodd John waith gyda chyfreithiwr y Guardian, sef Thomas Metcalfe o Lincoln's Inn, a byddai'n cyd-deithio'n ddyddiol i'r ddinas gyda'i frawd. Ar ôl 18 mis o brofiad gweinyddol ym myd y gyfraith penodwyd John i swydd clerc yn Swyddfa'r Consol ym Manc Lloegr yn 1831 a'i waith oedd delio gyda dyledion y llywodraeth ar ffurf bondiau. Ar ôl ychydig o flynyddoedd yn Llundain roedd John bellach yng nghanol bwrlwm cyfundrefn fancio fwyaf y byd a byddai Griffith hefyd wrth ei fodd yn cael ei gwmni a'i weld yn datblygu yn ei waith. Daeth yn aelod ffyddlon, fel ei frawd, yng nghapel Jewin Crescent ac ymhen ychydig flynyddoedd, yn 1833, priododd gydag Elizabeth Evans, gwraig weddw a chyd-aelod yn y capel cyn symud i dŷ yn ymyl ei frawd yn Palmer Terrace. Roedd John a Griffith yn deall ei gilydd i'r dim.

Yn hydref 1830, ymddangosodd mwy o'r teulu yn Llundain. Un o'r rhain oedd Robert Hughes, nai i Griffith. Cyrhaeddodd swyddfa'r Guardian yn Lombard Street yn ddirybudd a gofyn am weld ei ewythr, ar ôl porthmona'r holl ffordd o Bwllheli i Brentwood. Wrth gyfarfod y nai 18 oed a'i gydymaith Seimon Jones awgrymodd yr ewythr eu bod yn disgwyl amdano yn nhafarn y Cock and Bottle yn y Strand tua chanol dydd. Ar ôl ychydig o fwyd yno, anfonwyd y ddau borthmon ifanc i dafarn y Waterman's Arms, yn ymyl lleoliad dadlwytho llongau llechi Caernarfon, i gael llety dros nos. 'Lle ofnadwy, llawn o forwyr a dihirod a bob math', yn ôl Robert Hughes.[4] Yn nes ymlaen anfonodd Griffith ei frawd John i fynd â'r trempyn blêr o nai i Greenwich i'w ddilladu'n daclusach a threfnodd iddo gael ei gyflogi yng ngwaith sebon Charles Parry, cymydog iddo yn Palmer Terrace ac a fu'n gefnogol iawn i ymgyrch y tyddynwyr.[5] Rhoddodd John hefyd gymorth ymarferol i Robert Hughes i ddysgu gramadeg Saesneg cyn iddo ymhen amser ddychwelyd i Gymru lle y bu iddo gyfrannu i'w gymdeithas yn Llŷn ac Eifionydd fel amaethwr, bardd, pregethwr ac arlunydd.

Hamddena â chyfeillion

Gydag amgylchiadau'r teulu'n gwella, treuliwyd wythnosau haf 1829 yn nhref Gravesend, swydd Caint. Yr oedd yn gyrchfan poblogaidd o'r brifddinas, ryw 20 milltir i lawr yr afon Tafwys, ac yn ddihangfa o fudreddi a sŵn dinas i dawelwch y môr a chefn gwlad. Byddai Griffith, ambell ddiwrnod, yn mynd a dod ar y stemar i'w waith gyda'r Guardian a'r teulu'n ei groesawu wrth y lanfa pan ddoi'n ôl. Roedd digon o amser i hamddena. Byddent fel teulu yn rhyfeddu at erddi ysblennydd Parc Cobham gerllaw a phentref Milton gyda'i ffermydd, bythynnod a'r eglwysi hynafol. Ac roeddynt ymysg cyfeillion a chydnabod gan fod aelodau eraill Jewin Crescent a rhai o'u cymdogion o Holloway hefyd yn treulio'u hafau yn Gravesend neu'r dref gyfagos, Northfleet. Cymdogion yn byw yn 17 Palmer Terrace oedd Mr Charles Parry a'r teulu, masnachwr glo llwyddiannus o dras Gymreig a chyd-aelodau yn Jewin oedd Mr a Mrs William Glynne. Ymhen blynyddoedd byddai Mary Glynne a Griffith yn dod i adnabod ei gilydd yn llawer gwell.

Cyfeillion eraill oedd yn cyrchu i'r ardal yn yr haf oedd James John Downes a'r teulu. Actiwari gyda chymdeithas yswiriant yr Economic Life oedd Downes a ddilynodd lwybr tebyg i Griffith gan ddechrau fel saer llong gan ddefnyddio adnoddau'r Gymdeithas Fathemategol yn Spitalfields ynghyd ag addysg yn ysgol Griffith i wella ei amgylchiadau. Byddai nifer o brif gyfalafwyr y ddinas yn Gravesend hefyd. Un o'r rhain oedd Richard Mee Raikes a oedd yn aelod o fwrdd y Guardian pan benodwyd Griffith fel actiwari cyntaf y cwmni.[6]

Byddai teulu Palmer Terrace yn cael gwahoddiad ganddo i dreulio amser ar ei long hwylio yn Gravesend a Griffith bob amser yn derbyn cyn belled nad oedd y gweithgaredd yn digwydd ar y Sabath. Roedd gwraig Raikes, Jane Thornton cyn iddi briodi, o deulu Anghydffurfiol a chyda daliadau tebyg iawn i'r Methodistiaid. Gwnaed Raikes yn llywodraethwr Banc Lloegr yn 1834 a bu'n gefnogol i John Davies wrth iddo ymgeisio am waith yn y sefydliad hwnnw. Ond, yn 1834, fe aeth yn fethdalwr a bu rhaid iddo ymddiswyddo.[7] Yn dilyn ei gwymp, fe aeth i fyw i'w ddinas noddfa yn Calais a bu Griffith trosodd yn Ffrainc yn ei weld nifer o weithiau gan gadw mewn cysylltiad.

Cyfeiriwyd eisoes at yr actiwarïaid a fyddai'n ymgynnull yn nhŷ Griffith i drafod materion yswiriant a chymdeithasu. Yn yr un modd, roedd Palmer Terrace yn gyrchfan i'r rhai oedd â diddordeb yn y Gymraeg ac yn addysg y Cymry. Un o'r cyfeillion hyn oedd Thomas Edwards (Caerfallwch) a oedd yn gweithio i fanc N. M. Rothschild yn Llundain ac wedi ei ddiarddel o'r Hen Gorff ers degawd am ei safbwynt cyhoeddus o blaid rhyddfreinio'r Catholigion. Roedd Caerfallwch, fel rhan o'i waith yn y banc, wedi treulio amser yn yr Almaen a gwledydd eraill ar y cyfandir yn archwilio cwmnïau. Er hyn oll, un o'i brif ddiddordebau oedd y Gymraeg a bathu termau newydd, yn enwedig rhai gwyddonol.[8] Serch hynny, nid trafod a phwyllgora oedd wastad yn mynd â'u bryd. Byddai Caerfallwch hefyd yn difyrru'r teuluoedd drwy chwarae'r chwibanogl (*flageolet*).[9] Edmygai Griffith dalent a nodweddion arbennig ei gyfeillion a'i gydnabod.

Ni ellir cyfeirio at gyfeillion Griffith heb gynnwys John Lloyd (Einion Môn). Buont yn cydweithio'n glos yn ystod ymgyrch y tyddynwyr ac Einion Môn oedd ei amddiffynnydd yn y wasg Gymraeg pan ymddiswyddodd yn gyhoeddus o Gymreigyddion Caerludd.[10] Roedd yntau hefyd yn teithio i Gravesend yn rhan o'r gyfeillach ac yn cael aml i seiat yng nghartref Griffith. Cymeriad ymarferol a haelfrydig oedd Einion Môn, yn wreiddiol o Bwllgynnau, Ceidio, Môn. Fel plentyn amddifad cafodd ef a'i ddwy chwaer eu twyllo o'u hetifeddiaeth gan ewythr ac fe gymerodd flynyddoedd o hunan-addysgu ac ymroddiad cyn gallu ennill ei safle yn brifathro Ysgol Syr John Cash, lle'r addysgwyd meibion Dug Wellington. Cyfeirir ato yn

Y Drych fel '[g]wladgarwr, gwladwriaethydd a Rhyddfrydwr neilltuol'
ac fel 'ysgolhaig campus mewn mesureg, daearyddiaeth, seryddiaeth'
a saith o ieithoedd.[11] Bu farw'n gymharol ifainc yn 42 oed a chafodd
nifer o farwnadau i goffáu ei fywyd, ei ymgyrchoedd a'i waith.[12] Mae
Robert Owen (Eryron Gwyllt Walia) yn cyfeirio ato fel

Gŵr da'i air, agored wedd,
Gŵr unair â gwirionedd.[13]

Yn dilyn marwolaeth Einion Môn yn 1834, cyflwynodd ei deulu
gywydd o'i waith yn talu gwrogaeth annisgwyl i Griffith Davies.
Ymhen blynyddoedd argraffwyd y 228 llinell o farddoniaeth, yn
ei chrynswth, fel cywydd anerchiadol a oedd yn rhan o gofiant
yn y Saesneg gan Barlow.[14] Ac yno'n hel llwch yn archif Athrofa'r
Actiwarïaid y mae ers bron i ddwy ganrif.

Yn dilyn sgwrs, derbyniais nodiadau manwl ar y cywydd
anerchiadol gan Derec Llwyd Morgan ac mae'r rhannau a ddyfynnir
isod a'r eglurhad yn dod yn uniongyrchol o'r nodiadau gwerthfawr
hyn.[15] Disgrifia'r cywydd fywyd Griffith, ei daith i Lundain a'r
gwerthfawrogiad ohono gan ysgolheigion:

Athraw doeth, coeth awdwr cu,
O foddion i'n rhyfeddu;
A chrefyddol dduwiol ddyn,
Hygar, nefawl blanhigyn!

Gan fynd ymlaen i ganmol ei ddoethineb (fel Ofydd y bardd mawr
Lladin) a'i ddealltwriaeth o wyddoniaeth (Elfydden);

Sylwedydd ac Ofydd call,
Byw eryr, uwch pawb arall,
A'i ddrych yn entrych y nen,
O'i fodd syllu'r Elfydden,
Tremydd, uwch byd yn tramwy!
Or fraith, oror faith, pwy wyr fwy!

Darllen ei ber wiwber waith,
Da genuf, o do, ganwaith,
Ceiniant dysg, o'm co nid aeth
Gwiw eiriau ei gu araeth.

Er bod Griffith yn cael clod gan Saeson blaenllaw nid anghofiodd dylwyth ei wlad ei hun. Ymorolodd am eu lles ac roedd yn ddrwg ganddo am bob camwri a ddioddefai Cymru:

Ond er y clod hynodawl,
Gaiff gan Saeson, foddlon fawl,
Nid ai'n anghof o'r cof cu,
Tylwyth ei wlad a'u teulu.
Plant ei wlad, yn anad neb,
Yw yndid ei diriondeb;
Cymro glwys, – camwri gwlad,
Sy gur trwm ias i'w gariad
Mor beraidd ei lariadd lais,
Mewn awch clau mynych clywais,
Dymuno ond am unwaith
Wel'd iawn hwyl i'n gwlad a'n Iaith!

Cyfeiria Einion Môn at egwyddorion cymdeithasol Griffith a'i ymroddiad at gefnogi'r anghenus, y gwan a'r amddifad, cyn mynd rhagddo i gyfeirio ato'n codi ei lais yn erbyn dicllonedd, gormes a rhwysg. Darlun a geir o gymeriad cryf a hunanymwybodol na chafodd ei swyno gan statws ac a fu wastad yn ffyddlon i'w wreiddiau a'i genedl. Er hynny, ceir cyfeiriad at rai a oedd yn elyniaethus tuag ato oherwydd eiddigedd a chenfigen – adlais o'r gynnen yn y Cymreigyddion o bosib. Yna dysgwn am nodweddion mwy personol ei gymeriad wrth i Einion Môn ddisgrifio fel y gallai Griffith godi'i galon pan oedd yn isel ei hwyliau.

Dyn odiaeth, a dawn ydyw,
Uniawn iawn i Einion wyd;

... Pan fyddwyf mewn poen feddwl,
A'm calon ddilon yn ddwl,
Afrywiog fy oer awen,
Sal o'm hwyl, isel ym mhen,
Golwg dy wyneb gwiwlon,
Wnai'm hysbryd llupryd y'n llon.

Bu Griffith yn gymwynasgar wrth deulu Einion Môn ar ôl ei farwolaeth hefyd gan negodi ar ran ei chwaer yn flynyddol i sicrhau pensiwn a throsglwyddo'r arian i'w chartref yn ne Cymru. Daethpwyd â'r trefniant hwn i ben pan oedd iechyd Griffith yn dirywio.

Ymweliadau â Chymru

Wrth i amgylchiadau Griffith wella byddai hefyd yn mynd adref i Rosnenan yn rheolaidd. Ceir cyfeiriad at daith a wnaeth gyda'i wraig a'i ferch drwy Gymru yn haf 1830. Aros ym Mryste ac yna Cas-gwent, Y Fenni, Aberhonddu, Rhaeadr, Llandrindod, Carno, Dolgellau, gan gerdded i fwynhau 'godidowgrwydd y golygfeydd a'r mynyddoedd' ac anfon eu bagiau ymlaen i'r Bermo. Ceir cyfeiriad at groesi twyni tywod Harlech i Dremadog a'r ceffylau'n mynd drwy'r dŵr yn ystod trai.[16] Ar un daith gartref daeth ei fam i'w gyfarfod yn Nhremadog. Y ddwy Fary o'r un enw ond o gefndiroedd hollol wahanol. Y gwledig Gymreig a'r ddinas Seisnig yn cyfarfod a Griffith fel cyfieithydd mae'n debyg. Byddai eu crefydd Anghydffurfiol yn gyffredin ond a fyddai wedi bod yn ofynnol i Mary'r wraig fynychu'r oedfaon uniaith Gymraeg ym Mrynrodyn? Cyflwynodd Griffith rodd o £20 tuag at y gwariant o £300 i adeiladu capel newydd.[17]

Ar ei deithiau adref arhosai ym Meudy Isaf, ac yn nes ymlaen yn y Gilwern wedi i'w rieni symud yno. Galwai hefyd yng nghartref ei fam ym Modgarad, Rhostryfan a mynychu oedfaon yng nghapel Horeb yn y pentref, achos y gwnaeth ei fodryb Ellen gymaint i'w sefydlu. Wrth ymadael â'r capel un noson daeth cawod o law a Griffith, yn naturiol, yn gafael mewn ambarél a oedd yn gontrapsiwn anghyffredin yn lleol yr adeg honno. Fodd bynnag, peidio â'i hagor a wnaeth Griffith rhag rhoi camargraff o falchder. Gwlychu'n wlyb domen er mwyn diogelu ei wyleidd-dra.[18] Dro arall, wrth sgwrsio gyda'i gefnder Owen Roberts ym Modgarad, rhoddodd wahoddiad iddo ddod i Lundain, fel y gwnaeth gyda nifer o aelodau'r teulu, i weld y ddinas a'i rhyfeddodau: 'os y dof', meddai Owen, 'hwyrach mai fy ngwerthu a gaf'. 'Wel', meddai Griffith, wedi ei siomi gyda'r ymateb, 'pwy pryn di Owen?'.[19] Sgwrs ddiniwed rhwng dau gefnder oedd yn byw mewn dau fyd cwbl wahanol.

Byddai hefyd yn mynd i fyny'r llethrau at y tiroedd comin i ymweld â'i frawd William a'i wraig yn nhyddyn bychan Brynbugeiliaid, a chael croeso mawr gan bawb yno, gan gynnwys eu cymdogion a oedd yn werthfawrogol o waith Griffith trostynt yn torri crib ystâd Glynllifon. Roedd William yn flaenor gyda'r Hen Gorff yng Ngharmel er sefydlu'r achos yn 1827 ac roedd 'yn sefyll allan o ran ei ddylanwad ar yr aelodau gan gadw disgyblaeth lem yn ystod yr Ysgol Sul' ac 'yn ŵr llawn tân gyda'r achos'.[20] Nodweddion teuluol cyffredin felly gan y ddau mewn perthynas â'u capeli. Ar ddiwrnod braf yn yr haf Brynbugeiliad oedd nefoedd Griffith. Edmygai waith ei frawd yn gwella'r tir, yr ardd fechan a'r olygfa i lawr at y môr. O gymharu gyda budreddi, poblach a dwndwr Llundain, dyma beth oedd paradwys. Byddai hefyd yn mynd i lawr y llethrau i Ddyffryn Nantlle ac yn ymweld ag un o brif arweinwyr yr enwad – John Jones Talysarn – gan alw yn chwarel y Cilgwyn ar ei ffordd yn ôl a'r chwarelwyr yn sylwi, ar ôl herian boneddigaidd, fod ei sgiliau hollti llechi gystal ag erioed.[21] A feddyliodd am ddod gartref i ymddeol ar ôl gwneud ei gelc? Neu a oedd heriau proffesiynol a mathemategol, a oedd yn ei lwyr feddiannu yn Llundain bellach, yn anghenraid i'w fywoliaeth a dyfodol ei deulu?

Nid mêl i gyd oedd ei arosiadau gartref. Byddai rhai unigolion, dieithriaid yn aml, yn cymryd mantais ohono ac yntau bob amser yn gwrtais yn ymwneud â hwy. Deuai rhai ato i gael barn neu gymorth ynghylch eiddo neu stad oedd yn honedig ddyledus a hwythau'n honni iddynt gael eu twyllo neu eu camarwain gan gyfreithwyr neu fanciau. Cawn gyfeiriad at un Cymro o Lerpwl yn erfyn am ei gefnogaeth wrth gyflwyno dyfais deial haul newydd chwyldroadol i Fwrdd y

Morlys fyddai'n rhoi gwybodaeth i longau beth oedd eu hydred a lledred ar y môr, pwnc pwysig yn y cyfnod. Ofer oedd ymdrechion Griffith i'w oleuo na allai ei 'ddyfais' benderfynu'r lleoliad gan egluro fod hyd y cysgod mewn un safle ar awr benodol yr un fath ag a fyddai ar unrhyw leoliad arall ar y llinell lledred ar yr un awr, er y gallai'r ddau leoliad amrywio mewn hydred.[22] Dro arall roedd gweinidog Anghydffurfiol yn honni iddo ddyfeisio cerbyd ymsymudol (*self-moving*) ac yn awyddus i gael cefnogaeth Griffith wrth ei gyflwyno i'r Swyddfa Batent.[23] Ymddengys fod gwerin gwlad yn gwybod am ei enwogrwydd a'i gysylltiadau ac yn meddwl ei fod yn gynrychiolydd pob gwasanaeth Llundeinig a fyddai o gymorth iddynt.

Yn ystod un ymweliad â Beudy Isaf mae'n dychwelyd i Lundain gyda Mary a Sarah ar ddwy fordaith dymhestlog. Rhan gyntaf y siwrne oedd croesi o Gaergybi i Ddulyn a chymryd 13 awr, oherwydd y gwyntoedd cryfion. Yn Nulyn derbyniodd Griffith a'r teulu groeso a lletygarwch cynrychiolwyr cwmni'r Guardian ar yr Ynys Werdd. Cafwyd cinio gydag ysgrifennydd y pwyllgor lleol, R. C. LeCren, a'r cyfarwyddwyr lleol.[24] Byddai presenoldeb Griffith yn hwb i'w gwaith. Wrth ymadael â phorthladd Dulyn, tybed a fyddai Griffith wedi pendroni pa fath o yrfa a bywyd y byddai wedi ei arwain petai wedi penderfynu byw ar lannau'r afon Liffe yn 1809 yn hytrach na'r Tafwys? Y stemar *Shannon*, un o longau newydd y Dublin Steam Packet Company, oedd eu cartref am y chwe diwrnod nesaf ar ei daith yn ôl i Lundain ac unwaith eto cafwyd tywydd garw.[25] Wrth i'r llong fynd heibio penrhyn deheuol Cernyw, Pwynt Lizard (Lysardh), cael a chael oedd iddynt osgoi'r creigiau wrth i'r storm dorri'r brif hwyl (*mainstay*). Cafwyd lloches ym mhorthladd Aberfal (Falmouth) ac yna yn Deal, cyn cyrraedd y Tafwys a Llundain.

Profedigaethau

Gyda dau o feibion Beudy Isaf eisoes yn Llundain, y nesaf i fentro yno ym mis Mai 1836 oedd William y brawd hynaf a ddefnyddiodd y drefn deuluol o deithio dros y môr ac yna aros gyda Griffith, Mary a Sarah. Bu'r ymweliad yn agoriad llygaid i'r chwarelwr-dyddynwr o'r Cilgwyn a chafodd weld rhyfeddodau un o ddinasoedd mawr y byd yng nghwmni'r teulu. Prif bwrpas ei daith i Lundain oedd cynorthwyo'r teulu wrth i iechyd Mary, gwraig Griffith, ddirywio. Cafodd y teulu gefnogaeth hefyd gan gymdogion ac aelodau'r capel, fel Mrs Glynne. Bu farw Mary ar 9 Mehefin 1836 yn 55 oed.

Drwy gydol eu bywyd priodasol bu Mary'n gefn rhyfeddol i Griffith, yn ddarbodus yn eu tlodi, yn gefnogol gyda'i waith a'i yrfa ac yn allweddol iddo ar adegau anodd o iselder ac anobaith. Roedden nhw wedi bod trwy amser anodd iawn gyda'i gilydd gan golli tair merch fach, ac fel roedd y rhod yn dechrau troi dyma golled arall gan adael bwlch enfawr yn ei fywyd. Roedd bellach yn weddw gyda'i unig ferch Sarah yn 16 oed. Claddwyd Mary yn Bunhill Fields, mynwent yr Anghydffurfwyr yn ymyl Capel John Wesley ar ffiniau dinas Llundain. Un llun o Mary sydd wedi goroesi – llun ohoni gyda'i merch Sarah yn eu dilladau gorau a Mary'n cael ei phortreadu fel cymeriad cadarn a chefnogol.

Yn dilyn y brofedigaeth, bu'r ymweliadau â Chymru'n fwy rheolaidd ac amrywiol. Aed ar stemar ar draws Bae Ceredigion i dreulio'r Sul yn Aberystwyth ac ymweld â'i gyn-ddisgybl John Evans cyn ymweld â Chwm Rheidol, rhaeadr Pontarfynach ac yna ymlaen drwy'r deheudir a swydd Henffordd yn ôl i Lundain. Oherwydd y mynych deithiau hyn roedd Griffith yn llawer mwy cyfarwydd gyda daearyddiaeth Cymru na'r teulu yn Arfon. Yn hydref 1836 daeth y newyddion o Rosnenan fod Mary Williams, ei fam, yn gwaelu a phenderfynodd drefnu i fynd adref i Feudy Isaf. Cyflwynodd lyfr emynau i'w fam oedd yn cynnwys cyfres o benillion i'w chyfarch gan ei weinidog, James Hughes (Iago Trichrug). Dyma un ohonynt:

> Chwi gewch yma lawer Emyn
> Mawl i Dduw yr unig ddoeth
> Cenwch weithiau'n Mryn yr Odyn
> Weithiau yn yr Hafod Boeth
> Chwi gewch ganu'r gan dragwyddol
> Cyn bo hir heb glwy na loes
> Yn y nef i'r Iesu grasol
> Am ei gariad, am ei groes.[26]

Mary Holbut a'i merch Sarah (*Hawlfraint Storiel, Bangor*)

Mae'n debyg i'r rhodd hwn ddod â chysur mawr i Mary. Bu farw Mary Williams yn ystod Ebrill 1837 ac fe'i claddwyd ym mynwent Llandwrog. Yn wahanol iawn i hanes y teulu yn Llundain dyma'r brofedigaeth gyntaf yn Rhosnenan ers i Griffith ymadael yn 1809.

Griffith Davies – y nai
Er gwaethaf yr helyntion morwrol cyson doedd dim yn cadw Griffith draw o fro ei febyd ac am flynyddoedd bu'r mordeithiau hafaidd cyson

i Rhosnenan yn gyfle i ymlacio a gorffwys. Yn yr un modd roedd yr amser yn Gravesend yn iachus ac yn gyfle i gymdeithasu. Yn ôl yn Islington, byddai'r cerdded gyda'r nos o Palmer Terrace yn ddefod reolaidd a phwysig ganddo ac yn aml byddai Sarah yn dod fel cwmpeini. Byddent yn cerdded ar gyrion Llundain i Battle Bridge (yr hen enw ar Kings Cross) ac i'r wlad i fwynhau natur yn Hornsey a Highgate Hill. Trafod a chyfle i feddwl oedd un pwrpas y crwydro rheolaidd hwn ar ôl prysurdeb diwrnod gwaith yn y ddinas. Rheswm arall oedd rhoi sylfaen yn y Gymraeg i Sarah. Byddent yn trafod pob math o bynciau ond yn tueddu i lithro i faterion crefyddol a'i chael hi i gyfieithu ymadroddion o un iaith i'r llall. Byddai hyn o fantais fawr iddi yn nes ymlaen yn ei bywyd ar ôl gadael Llundain. Roedd Griffith hefyd wedi trefnu ar ôl marwolaeth ei mam i Sarah gael tiwtor personol yn y tŷ.[27]

Yn dilyn colli Mary'r flwyddyn flaenorol, fe wnaeth benderfyniad nad oedd yn anarferol i'r oes. Yn ystod 1837 anfonwyd mab Dafydd, brawd Griffith, i Lundain yn blentyn yn ei arddegau cynnar a phwrpas y 'mabwysiadu' hwn oedd rhoi cyfle i'r nai, o'r enw Griffith Davies, gael addysg a gyrfa.[28] O ran gallu ac ymroddiad ymddengys ei fod yn ymdebygu i'w ewythr. Byddai'n gwmni i'w gyfnither Sarah ac, yn y man, yn gymorth i'r teulu ym mhlwyf Llandwrog. Cafodd ei addysg dan oruchwyliaeth Griffith yn Palmer Terrace am dri mis er mwyn gwella ei Saesneg. Gwyddai Griffith na fyddai'n ddoeth anfon plentyn trwsgl ei Saesneg i'r cyfundrefn addysgol heb anwythiad dwys gan y teulu yn gyntaf. Roedd y nai yn fachgen deallus a chafodd Griffith foddhad mawr yn ei weld yn datblygu mewn ysgol ddethol (ysgol Mr Baker) ac yn gwneud cynnydd.

Cyfnod o ddygymod â'r brofedigaeth o golli ei wraig oedd diwedd yr 1830au i Griffith gyda chyfrifoldebau'r cartref yn cynyddu. Roedd gardd helaeth yn 11 Palmer Terrace gyda blodau, llysiau a pherllan fechan i'r teulu ei mwynhau a cheir hanes am Griffith yn defnyddio coeden a gwympodd i greu cadair a chilfach i'r teulu.[29] Er hynny, yn 1839 mae'n symud tŷ o 11 i 12 Palmer Terrace – tŷ helaethach yng nghanol y teras ond â gardd lai yno. Rhaid oedd i fywyd fynd yn ei flaen ac roedd cenhedlaeth newydd ifanc y teulu yn paratoi ar gyfer eu dyfodol. Cilio wnaeth y cymylau duon erbyn dechrau'r 1840au pryd y bu dwy briodas.

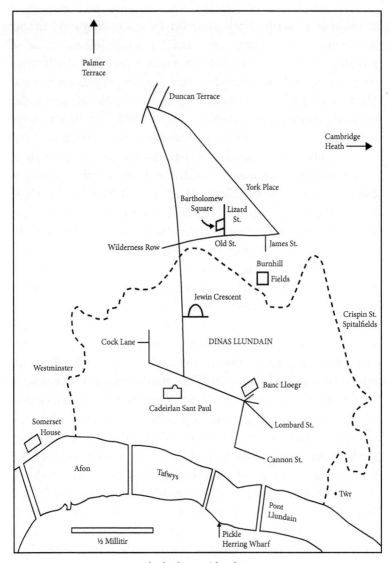

Lleoliadau yn Llundain

Sarah a Samuel

Y briodas gyntaf oedd priodas Sarah a Samuel Dew ar 19 Mehefin 1840 yn Eglwys y Santes Fair, Islington.[30] Drwy'r cysylltiadau cyfundebol y cyfarfu Sarah â Samuel Dew, a oedd yn gyfreithiwr llwyddiannus o Langefni ym Môn yn wreiddiol ac yn aelod gweithgar gyda'r Methodistiaid Calfinaidd. Maes o law, daeth yn un o brif flaenoriaid cyfarfod misol Môn a hefyd yn gadeirydd cyntaf Plaid Ryddfrydol y sir.[31] Byddai Griffith wedi ei blesio'n arw gyda'r briodas a chyflwynodd iddynt waddol o £2,000. Er y byddai colled ar ôl Sarah yn y cartref yn Llundain roedd yn falch ei bod wedi cael sylfaen addysgol a chrefyddol gadarn ganddo ac roedd yn rhugl yn y Gymraeg a'r Ffrangeg.[32] Roedd Sarah fel ei rhieni yn berson duwiol a chrefyddol a chyfieithodd emyn Felix Neff, yr efengylydd Protestannaidd o Genefa, i'r Saesneg. 'A most profound scholar and a most amiable creature' yw disgrifiad Mary Jones ei hathrawes ysgol Sul yn Jewin mewn llythyr at Mrs Prytherch, ei theulu ym Môn. Sonnir hefyd fod ei thad wedi rhoi 'Miss Davies a very handsome fortune' ac anogaeth i'w theulu: 'I hope you and Betsan will pay her a visit before long when they come to Llangefni'.[33]

Roedd y dynfa yn ôl i Gymru'n cryfhau a'r ymweliadau'n amlach yn dilyn priodas Sarah a byddai'n cyfuno gwaith neu fusnes wrth ymweld â'r teulu. Yn haf 1841 cafodd Griffith ei alw i roi barn mewn achos llys ym Miwmares ynghylch gwerth ariannol Ynysoedd y Moelrhoniaid oddi ar arfordir gogledd-orllewin Môn. Perchennog yr ynysoedd oedd Morgan Jones a phan fu farw roedd Tŷ'r Drindod (Trinity House) am brynu'r eiddo a chymryd drosodd y goleudy preifat oedd wedi ei leoli ar y safle. Cyngor Griffith i'r llys oedd bod gwerth yr ynysoedd yn £444,984 a'r swm i'w rannu rhwng disgynyddion Morgan Jones.[34] Mae'n debyg mai drwy law Samuel Dew y daeth y gwaith ymgynghorol hwn i Griffith. Roedd Griffith yntau yn rhoi cymorth i'w fab-yng-nghyfraith ac erbyn 1843 Samuel Dew oedd cynrychiolydd y Guardian dros ardal helaeth o'r gogledd gan dderbyn comisiwn am y busnes.[35]

Mary a Griffith

Yn ôl yn Llundain roedd ymadawiad Sarah i Gymru wedi gadael bwlch yn y cartref. Roedd angen cefnogaeth yn y tŷ, trefnu'r morynion

Cymreig oedd yn gweithio yno a'r cant a mil o ddyletswyddau domestig oedd i'w gwneud mewn cyfnod cyn hwylustod bywyd modern. Penderfynodd ailbriodi:

Ar y 3ydd Chwefror 1841 yn eglwys Sant Marc, Sgŵar Myddleton, Clerkenwell, Llundain priododd Griffith Davies Yswain Cymmrodawr o'r Gymdeithas Frenhinol o Uwchrawd Palmer, Islington, â Mary gweddw y diweddar William Glynne, Yswain, Pall-Mall, Llundain.[36]

Ceir hefyd gyfarchiad o englynion gan awdur anhysbys:

> Gruffydd ab Dafydd heb dwyll, – priododd
>   Pa raid nad ei grybwyll?
> A Mair wen, perchen pwyll,
> Dau, odid, mwyaf didwyll.

> Ef a hi ynt yn briod, – yr eilwaith
>   Ar ôl hir weddwdod;
> Cedfawr a fyddo'u cydfod
> Hyd fedd; – *mae'n diwedd yn dod.*

Nid y cyfarchiad mwyaf gobeithiol i'r ddau ar ddechrau bywyd priodasol. Mae'n amlwg mai'r capel oedd man cyfarfod y ddau ac roedd Mary Glynne yn wraig weddw ifanc ers ei hugeiniau gyda thri o fechgyn ac yn aelod ffyddlon a pharchus yng nghapel Jewin Crescent. Roedd y teuluoedd yn adnabod ei gilydd ers blynyddoedd ac wedi bod yn treulio'r hafau yn Gravesend a chyda llawer yn gyffredin rhyngddynt. Un o Aberystwyth oedd Mary yn wreiddiol ac yn chwaer i Ellen Owen, gwraig Robert Owen (Eryron Gwyllt Walia), un o gyfeillion agosaf Griffith Davies.

Cyflwynodd yr Eryron 15 o englynion iddynt gyda'r pennawd 'Damuneb', sef dymuniad areithydd. Mae'r englynion yn frith o gyfeiriadau beiblaidd gan gyffelybu'r briodferch i rai o nodweddion Hannah, Sarah a Mair Judea, a Griffith yntau i Abram, Esaias a Daniel.

Cymysgfa aruchel. Mae'n amlwg fod y bardd yn gweld y rhinweddau buccheddol gorau yn y ddau. Dyma'r cyntaf a'r pymthegfed englyn:

Gwên Nef wen a myrdd gwyn fyd – a rodder
  Ar weddill eich bywyd;
Dyddiau a mawr ddedwyddyd,
Tan wawr hedd tyner o hyd.

Pan ddaw awr i'r pen i ddirwyn – einioes,
  Boed yna i'ch derbyn
Bywyd o wedd Mab y Dyn,
Uwch awyr hen frycheuyn.[37]

Mae cysylltu priodas gyda'r byd a ddaw yn ddieithr i ni heddiw ond nid felly, yn amlwg, i Fethodistiaid yng nghanol y bedwaredd ganrif ar bymtheg. Nid rhywbeth ymylol oedd crefydd i'r teuluoedd hyn ond sylfaen bywyd yn gyfan gwbl. Fel y gwelwn, roedd Griffith yn barod iawn i wneud ei ran yn y capel ac i'w enwad.

—

9

ADDYSG A CHYMWYNASAU

Er y parch a delid iddo,
Yn Mhrifddinas fawr y byd;
Er ei gyfoeth a'i anrhydedd,
Ymddwyn wnai yn isel fryd;
Hawdd oedd gydag ef ymddyddan,
Gallai'r unig dd'weyd ei gŵyn,
Ca'i ei wrando mewn amynedd,
Ca'i ei ateb ganddo'n fwyn.

Robert Hughes[1]

Capel Jewin yn sicr oedd canolbwynt bywyd Griffith y tu allan i'w waith ac fe'i codwyd yn un o bedwar blaenor newydd yn 1839. Roedd hyn yn fraint ac yn gyfrifoldeb. Byddai ei deulu a'i gydnabod, yn enwedig ym Mrynrodyn, yn falch iawn o ddeall iddo ddod i sêt fawr un o brif gapeli'r Methodistiaid Calfinaidd. Disgwylid iddo fel blaenor arwain cyfarfodydd, cymryd rhan amlwg mewn seiadau a chyfarfodydd gweddi a hefyd gefnogi gwaith y gweinidog gyda'r aelodau a cheisio denu rhai newydd. Yn ychwanegol roedd angen gweinyddu'r achos, yn enwedig y wedd gyllidol, heb sôn am gymryd rhan yn llywodraethiant yr enwad mewn cyfarfod misol a chyfarfodydd gydag enwadau eraill. Roedd llawer mwy i'r cyfrifoldebau na mynychu oedfaon ac eistedd yn y sêt fawr.

Griffith Davies (*Trwy ganiatâd Llyfrgell Genedlaethol Cymru*)

Y tri blaenor newydd arall oedd Joseph Jehu, Evan Angell a Robert Owen. Yr olaf gyda'r enw barddol lliwgar Eryron Gwyllt Walia, yn wreiddiol o'r Ffridd, Nantlle, a'i fam yn chwaer i Robert Roberts (Clynnog) a John Roberts (Llangwm) – dau o bregethwyr amlycaf yr enwad. Daeth Griffith a Robert Owen yn gyfeillion mynwesol ac, fel y cyfeiriwyd eisoes, yr oeddynt wedi priodi dwy chwaer. Roeddynt o'r un ardal, yn gyn-ddisgyblion ysgol Evan Richardson a Robert Owen wedi mentro i Lundain ar ôl cael prentisiaeth yng nghelfyddyd lliwiedydd (arlunydd). Er hynny, roedd y ddau yn meddu ar dalentau tra gwahanol i'w gilydd. Fel hyn y mae Griffith Parry, cofiannydd Robert Owen, yn cymharu'r ddau:

> Un yn ymhyfrydu mewn Rhifyddiaeth a changhenau uchaf *Mathematics*, a'r llall a'i holl fryd ar farddoniaeth a duwinyddiaeth; un braidd yn drymaidd ei dymher, a'r llall – er o olwg pruddaidd a thawedog – yn llawn o sirioldeb ac arabedd. Ond yr oeddynt yn debyg yng nghrefyddolder eu hysbryd, eu cydwybodolrwydd, eu ffyddlondeb i'r gwirionedd ac i wasanaeth crefydd. Bu y ddau yn cydweithio am flynyddoedd lawer yn Eglwys y Crescent: yr oeddynt yn wir gyfeillion, a meddent yr ymddiried llwyraf yn eu gilydd, er nad oeddynt bob amser yn gallu cydweld yn rhai o'r helyntion blin a aethant dros yr Eglwys yn Llundain.[2]

Pwnc llosg oedd yn codi ei ben yn gyson yn Llundain oedd y mater o werthu llaeth ar y Sul. Yn y cyfnod hwn roedd nifer cynyddol o Gymry Llundain, yn enwedig y rhai o Geredigion, yn ymwneud â'r fasnach laeth. Roedd cadw'r Saboth yn hollbwysig i'r enwad a masnachu ar y Sul yn torri un o'r Deg Orchymyn. Yn wir, ymgyrchodd John Elias i gadw'r Sul drwy ei yrfa. Ym Môn, yn enwedig, roedd wedi 'rhoi i lawr wâg arferion yr oes', sef 'y gwylmabsantau, yr interliwdiau yr arferid eu chware' a 'gweithio melinau gwynt ar y Sul'.[3] John Elias, unwaith eto, oedd yn arwain yr ymgyrch i gadw cyfraith Moses yn ei bregethau, areithiau ac ysgrifau gan ddadlau y dylid diarddel o'r capel a'r enwad bawb oedd yn 'euog' o werthu llaeth ar y Sul. Ar ôl trafod helaeth mewn dau sasiwn, daeth Deddf Elias fel y'i gelwid i rym yn 1835. Canlyniad gweithredu'r 'ddeddf' oedd chwerwedd a rhwyg gyda nifer yn gadael capel Jewin ac yn mynd i addoldai eraill.[4]

Blaengaredd Jewin

Wedi deud hynny, er gwaethaf y cecru a'r anghydweld, roedd capel Jewin yn achos byrlymus gyda'r aelodaeth yn cynyddu ac achosion eraill yn ymganghennu i ardaloedd eraill yn Llundain. Ac roedd bwrlwm hefyd ym mywyd cymdeithasol a materol yr aelodau. Yn 1836 ffurfiwyd Cymdeithas i Hyrwyddo Cynildeb ar gyfer aelodau'r capel gyda'r ddau frawd o fyd cyllid, Griffith a John Davies, ynghyd ag un arall o'r aelodau, Hugh Owen, yr addysgwr blaenllaw, yn arwain.[5] Byddai'n warth i unrhyw aelod o'r capel fynd yn fethdalwr a rhaid oedd bod yn ddarbodus.

Mae'n briodol nodi bod ffurfio cymdeithas o'r fath yn Jewin yn arloesol ac ymhen blynyddoedd byddai adroddiadau yn y wasg am gyfarfodydd y 'London Welsh Provident Society', gyda Griffith yn teyrnasu fel llywydd. Mewn un araith yn ystod 1841, mae'n datgan mai cymdeithas o'r fath, sydd â sylfaen gadarn, yn ofalus wrth dderbyn aelodau newydd ac sy'n gweinyddu cyllid yn drefnus, yw'r ffordd orau i'r dosbarth gweithiol sicrhau eu hannibyniaeth a chael cymorth i ddelio gydag afiechydon a henaint.[6] Er mwyn sicrhau safon, lluniodd Griffith reolau a thablau perthnasol ar gyfer gweithredu. Roedd o'r farn mai'r ysbryd annibynnol a nodweddai'r gymdeithas oedd conglfaen ffyniant cenedlaethol.

Yn y cyfnod hwn roedd Jewin yn bair o ddatblygiadau newydd o bob math. Sefydlwyd cangen Gymreig o'r gymdeithas ddirwestol yn y capel ym mis Mai 1837 gyda dau o'r ysgrifenyddion yn chwarae rhan amlwg ym mywyd cyhoeddus Cymru ymhen blynyddoedd i ddod – Hugh Owen unwaith eto a Thomas Gee o Ddinbych, sef y newyddiadurwr a'r cyhoeddwr a dreuliodd gyfnod yn Llundain yn dysgu'r grefft o argraffu. Ymhen blwyddyn roedd cyfarfodydd a chymanfaoedd canu yn dod yn rhan o weithgareddau'r capel pan sefydlwyd Cymdeithas Ganyddawl Gymreig Llundain.[7] Ac yn 1847 sefydlwyd llyfrgell yn y capel a chymdeithas i bobl ifainc – dau ddatblygiad newydd arall.[8]

Parhau, drwy'r holl arloesi, oedd y gwaith o efengylu a chenhadu gan yr enwad. Yn 1842 ffurfiwyd cangen gynorthwyol i Gymdeithas Genhadol Dramor y Trefnyddion Calfinaidd Cymreig yn Llundain, ac yn yr un flwyddyn daeth y Parchedig John Mills o Lanidloes i'r ddinas i wasanaethu fel cenhadwr ymhlith Iddewon Llundain.[9] Bu'r eglwys Anglicanaidd yn weithgar yn y genhadaeth yma ers dechrau'r ganrif ond yn yr 1840au dechreuodd yr Anghydffurfwyr fentro i'r maes gydag eglwys yr Alban yn rhoi arweiniad.[10] Datblygodd capel Jewin, fel achosion tebyg, yn ganolfan gymdeithasol a diwylliannol yn ychwanegol i'r crefydda gan leihau'r awydd a'r angen i fynychu cymdeithasau seciwlar fel y Cymreigyddion a fu'n cwrdd mewn tafarndai neu westai.

Tra oedd y bwrlwm newydd yma'n ymffurfio a datblygu roedd yr ymgecru wedi tawelu ond yn dal i fod yn destun trafod ymhlith gweinidogion yr enwad. Ysgrifennodd Henry Rees, Lerpwl, at William Roberts, Amlwch, yn dilyn ymweliad â Llundain gan ddatgan fod 'pob peth yn heddychol yn Jewin Crescent yn bresennol; ond yr ydwyf yn meddwl fod effeithiau'r anghydfod a fu yn parhau eto mewn oerfelgarwch a diffyg cariad brawdol'.[11] Ond daeth y cadoediad i ben yn haf 1842 ac fel hyn mae Gomer Roberts yn adrodd yr hanes:

> Yr oedd i'r Eglwys ei helyntion yn y cyfnod yma, gan fod y pedwar blaenor olaf a godwyd yn dra selog dros ddisgyblaeth eglwysig ac yn orbarod i esgymuno'r troseddwyr. Ymddiswyddodd y pedwar nos Sul, 17 Gorffennaf 1842 … Y mae'n debyg eu bod am ysgymuno aelod am werthu llaeth ar y Sul. Chwythodd y storm ei phlwc, ond ni wyddys ar ba delerau yr heddychwyd. Adferwyd y brodyr i'w swyddi a pharhau i wasanaethu'r Eglwys.[12]

Gwrthwynebai aelodau'r capel y cynnig i ddiarddel gan roi neges glir i'r blaenoriaid brwdfrydig fod ffyddlondeb i gyd-aelodau yn bwysicach na dogma deddf Elias. Gallai'r Cardis fynd ymlaen mewn byd ac eglwys a byddai'n rhaid i'r blaenoriaid dderbyn barn y llawr a gweithredu'n bragmataidd o hyn ymlaen. Gwers bwysig i'r blaenoriaid newydd yn Jewin.

Cymerodd amser i bethau dawelu unwaith eto ac mae Griffith mewn llythyr ym mis Mehefin 1842 at Elis Phillips, gweinidog yn Wrecsam, yn rhoi'r newyddion diweddaraf ynghylch hwn a'r llall yn y capel â sôn bod 'great distrust among us though nothing of an unpleasant nature'.[13] Ymddengys fod Griffith dros amser yn datblygu'n arweinydd doeth i'w gapel ac enwad. Ceir enghraifft arall o hyn gan Gomer M. Roberts: ym mis Awst 1843, gyda'r gweinidog yn rhy wael i bregethu, mae Davies yn cynnig enw Robert Owen, ei gyfaill mynwesol, i ymgymryd â'r gwaith o bregethu iddynt yn achlysurol.[14] (Ordeiniwyd Robert Owen yn Sasiwn Treffynnon yn haf 1858.) Yn 1843 hefyd ysgrifennodd Griffith yn y Saesneg at weinidog yng Nghymru a sôn am gyflwr iechyd James Hughes y gweinidog a gwybodaeth am ei gyd-flaenoriaid, gan ddatgan mai ychydig oedd yn mynychu'r cyfarfod misol.[15] Bu farw James Hughes yn Nhachwedd 1844 a'i gladdu ym mynwent Bunhill. Cyfrannodd aelodau'r capel at godi cofeb iddo gan gyfeirio at eu cariad dwfn tuag ato am ei weinidogaeth, 'administered to them in holy things, with singular talent and efficiency for four and thirty years'.[16]

Roedd cyfnod yn dod i ben yn hanes yr enwad hefyd. Ordeiniwyd Roger Edwards yng nghymdeithasfa'r Bala flwyddyn ynghynt a byddai'r enwad o ganlyniad yn symud fwyfwy tuag at radicaliaeth ryddfrydol. Edrychai John Elias flynyddoedd cyn hynny ar y pregethwr ieuanc o'r Wyddgrug 'gydag amheuaeth os nad gwg' oherwydd ei fod 'yn pledio syniadau chwyldroadol a pheryglus'.[17] Roedd Elias yn cynrychioli diwedd un cyfnod ac Edwards yn cynrychioli cyfnod newydd. Tybed a oedd Griffith yn dechrau sylweddoli bod peryglon mewn peidio addasu i anghenion oes newydd? A oedd pragmatiaeth efengyl fwy cymdeithasol yn dechrau cael y llaw uchaf ar ddogma geidwadol?

Griffith Davies – y mab, a'r teulu yn Llundain

Erbyn diwedd mis Tachwedd 1841 cafwyd ychwanegiad i'r teulu gyda genedigaeth mab i Mary a Griffith, ac fe'i henwyd ar ôl ei dad. Dyma fyddai canolbwynt newydd bywyd y ddau am y blynyddoedd i ddod a mawr fu'r gofal ohono drwy'i blentyndod. Byddai'n cael yr addysg orau mewn ysgol, yn y cartref a byddai'r capel a'r ysgol Sul yn chwarae rhan amlwg yn ei fywyd. Roedd gweld datblygiad y genhedlaeth nesaf o'r teulu yn Llundain yn rhoi boddhad a hapusrwydd i Griffith a thrwy ei ymdrechion caled dros y blynyddoedd roedd mewn sefyllfa i gefnogi ei holl deulu.

Cymerodd Griffith Davies, y nai, fantais lawn o'r cyfleoedd a gafodd yn dilyn ei 'fabwysiadu' gan Griffith. Ar ôl cwblhau ei addysg yn Llundain cafodd ei benodi, drwy ddylanwad Jenkyn Jones, yn glerc adysgrifwr yn swyddfa Comisiwn Deddf y Tlodion, ac yna drwy ddylanwad Griffith yn glerc yn swyddfa yswiriant y Law Life yn 1842. Yn nes ymlaen daeth yn actiwari gyda'r cwmni a bu iddo hefyd weithredu fel actiwari ymgynghorol i'r Cwmni Yswiriant Taleithiol Cymreig. Unwaith eto, fel ag yr oedd i'w ewythr, capel Jewin Crescent oedd man cyfarfod ei ddarpar-wraig. Roedd Jane yn ferch i Edward Cleaton, Llanidloes a Llundain, pregethwr a blaenor yn Jewin Crescent. Erbyn dydd y briodas ym mis Ebrill 1846 roedd gan y capel hawl i weinyddu priodasau. Cyflwynwyd Beibl iddynt gan Griffith gydag englynion gan yr Eryron a dichon i'w hewythr roi rhodd ariannol i'r pâr priod hefyd. Bywyd tebyg i Griffith gafodd y nai. Dilynodd ei ewythr fel actiwari ac yn y man daeth yn flaenor gyda'r Hen Gorff yng nghapel newydd Wilton Square.

Bu Griffith yn gefnogol iawn hefyd i dri o feibion Mary o'i phriodas gyntaf. Aeth William y mab hynaf i letya gyda'i fodryb a'i ewythr, Ellen a Robert Owen, a daeth Evan i fyw i Palmer Terrace a chael bod yn gwmni i Griffith y nai yn ysgol Mr Baker yn lleol. Anfonwyd yr ieuengaf, Edward Glynne, i ysgol Mr West yn Amersham.[18] Ymhen blynyddoedd gyrfa yn y byd ariannol, fel Griffith y nai, oedd gyrfa Evan Glynne hefyd. Yn dilyn hyfforddiant gan Griffith fe gafodd waith yn swyddfa'r London, Edinburgh and Dublin Life ac yna ar ôl 18 mis daeth yn is-glerc yn swyddfa'r Legal and General.

Ar ôl y priodi a'r holl newidiadau eraill yn ei fywyd, penderfynodd symud o Palmer Terrace, ble bu'n byw am 20 mlynedd, i dŷ helaeth arall yn Islington. Tŷ pedwar llawr yw 25 Duncan Terrace, gyda phum ystafell wely ac wedi ei adeiladu yn yr 1830au ar dir oedd gynt yn erddi a chaeau agored.[19] Digon o le felly i'r teulu newydd a'r morynion o ardal Caernarfon mewn maestref newydd ar gyrion Llundain. Yr oedd yn gyfle i roi'r manteision gorau i Griffith y mab. Gwelwn o gyfrifiad 1851 fod masnachwyr o bob math, cyfanwerthwyr glo a pherchnogion llongau yn byw yn y stryd a nifer o'r rhain yn Eidalwyr, Almaenwyr ac Albanwyr. Stryd felly i bobl ddosbarth canol newydd oedd yn prysur ymelwa o dwf economaidd y metropolis ac yn gallu manteisio ar yr ardal wledig gyfagos.

Duncan Terrace heddiw

Cefnogi cyfeillion

Rhoddodd Griffith gefnogaeth sylweddol i'w deulu i ddod ymlaen mewn addysg gan sicrhau swyddi cyfrifol iddynt yn y ddinas. Oherwydd ei swydd, ei statws a'i enw da roedd ganddo gryn ddylanwad mewn nifer o gylchoedd ac ni fu'n brin ychwaith i roi cymorth i fathemategwyr ifainc oedd â'u bryd ar y proffesiwn actiwari.

Cafodd un o'i gyn-ddisgyblion galluog, David Jones, ei gefnogaeth i ddod yn glerc i gwmni'r Royal Exchange, yna'n actiwari yn swyddfa'r Universal Life, a thra yno cyhoeddodd waith sylweddol ar flwydd-dâl bywyd. Bu hefyd yn gefnogol i'w gyfaill a chyn-ddisgybl James John Downes a'i gynorthwyo i ddod yn actiwari gyda swyddfa'r Economic Life. Roedd rhai o staff y Guardian wedi cael ei gefnogaeth i weithio fel actiwarïaid i gwmnïau fel y Minerva, y Mutual, yr Hand in Hand, y Birmingham Assurance ac un cwmni sydd wedi goroesi i'n hoes ni – y Legal and General. Enghreifftiau yn unig yw'r rhain o'r gefnogaeth a roddai i lu o wŷr ifanc a fu wrth ei draed ac a gafodd ddatblygu, maes o law, yn arweinwyr cenhedlaeth newydd o fewn y proffesiwn. Byddai'n medi cynhaeaf y cymwynasau hyn yn nes ymlaen yn ei yrfa – er nad dyna oedd ei amcan.

Bu'n allweddol hefyd yn natblygiad unigolion mewn meysydd y tu allan i fyd proffesiynol yr actiwarïaid. Ym mis Awst 1834 daeth John William Thomas (Arfonwyson), gŵr ifanc o'r un cefndir â Griffith, i Lundain i wella ei amgylchiadau. Bu'n gweithio yn y chwarel yn Arfon, yn gwerthu llyfrau a thalu am ei addysg ei hun cyn agor ysgol ym Mangor; meddai ar allu mathemategol eithriadol. Golygodd a chyhoeddodd y rhifyn cyntaf o'i *Elfennau Rhifyddiaeth* cyn symud i Lundain fel ysgrifennydd preifat i'r newyddiadurwr a'r Aelod Seneddol William Cobbett, a chollodd ei waith pan fu'r gwleidydd farw. Daeth i adnabod Griffith drwy'r capel a gwelodd lythyr gan Arfonwyson yn trafod agweddau mathemategol Comed Halley. Ysgrifennodd Griffith ar ei ran at Edward Riddle, athro mathemateg yn ysgol y Royal Naval Hospital, Greenwich, oedd yn cydweithio gyda'r Seryddwr Brenhinol:

> Mr Downes informed me sometime back that Professor Airy wanted one or two young men expert in calculation to work hard for small remuneration to reduce some observations for him. The bearer, Mr J. W. Thomas is a person of very considerable talent and a fair hand at calculation, and as he cannot obtain a situation he would be very glad to be employed in any way that would bring him in the means of

subsistence. If you can put him in the way to get anything you will oblige.[20]

Cafodd George Biddell Airy, y Seryddwr Brenhinol, olwg ar y llythyr a chael tystiolaeth trosto'i hun o sgiliau mathemategol Arfonwyson.[21]

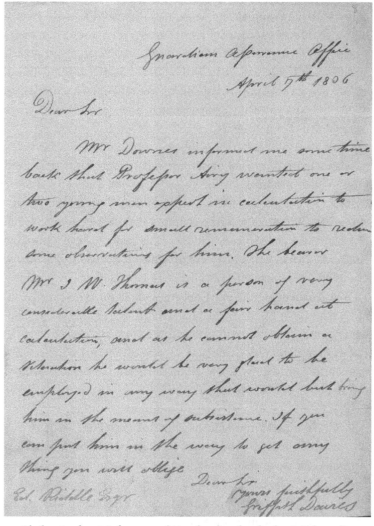

Llythyr i gefnogi Arfonwyson (*Atgynhyrchwyd gyda chaniatâd caredig Llyfrgell Prifysgol Caergrawnt*)

Yn dilyn y cyflwyniad penodwyd Arfonwyson yn gyfrifiannydd uwchrif (*supernumary computer*) yn yr Arsyllfa Frenhinol ond roedd yn waith caled.

> These computers were frequently young men of great mathematical ability employed by Airy out of a small personal grant made to him by the Admirality. Their employment being something of a scandal; they worked very long hours for pittance and were hired (and fired at the slightest sign of flagging) by Airy personally.[22]

Pa ryfedd mai byr fu ei amser yno. Yn 1840 bu farw o'r dicáu ac yntau ond yn 35 oed ac ni allwn ond dyfalu beth fyddai cyfraniad Arfonwyson wedi bod i fathemateg ac addysg petai wedi cael iechyd.[23]

Un arall a ddaeth i Lundain oedd Hugh Owen, y cyfeiriwyd ato yn gynharach, a oedd yn wreiddiol o'r Foel ym mhlwyf Llangeinwen ym Môn. Yr oedd yn gyn-ddisgybl arall o ysgol Evan Richardson yng Nghaernarfon a daeth i adnabod Griffith yn y capel. Cafodd waith clercio yn swyddfa'r bargyfreithiwr William Buckley Hughes, cymydog iddo o Blas Coch a oedd yn Aelod Seneddol dros fwrdeistrefi Arfon ac yn ddyn o gryn ddylanwad. Yn dilyn hyn, bu'n gweithio eto fel clerc i R. Vaughan Wynne Williams, cyfreithiwr arall, a bu yno am 10 mlynedd.[24] Yn 1830 sefydlwyd Comisiwn Deddf y Tlodion, yn annibynnol o'r Senedd, i roi cymorth i'r anghenus. Yn dilyn cyngor gan John Davies, Banc Lloegr, gwnaeth Hugh Owen gais am swydd gyda'r Comisiwn a chafodd eirda gan Griffith a hefyd gan William Buckley Hughes. Gwnaeth argraff ffafriol iawn ar Edwin Chadwick, ysgrifennydd y Comisiwn, mewn cyfweliad ac fe'i penodwyd yn glerc i Fwrdd Deddf y Tlodion oedd wedi ei sefydlu yn Somerset House. Ymhen amser daeth yn brif glerc i'r Bwrdd a bu yno hyd ei ymddeoliad yn 1872.[25] Roedd Griffith yn adnabod Edwin Chadwick ers dyddiau'r ymgyrch dros y tyddynwyr a byddai'n gwahodd Griffith i gyflwyno enwau ymgeiswyr ar gyfer swyddi yn rheolaidd. Yn wir mae Chadwick, un o ddynion 'mwyaf penderfynol a dylanwadol y ganrif', mewn erthygl helaeth yn trafod y sgiliau sydd eu hangen ar gyfer adrannau cyllidol y gwasanaeth sifil ac yn cyhoeddi ei fod yn mynd ar ofyn John Finlaison (actiwari Swyddfa'r Ddyled Genedlaethol) a Griffith Davies i gael ymgeiswyr addas.[26] Bu'r cyswllt yma yn fodd i gael nifer o Gymry o'i enwad i swyddi yn y comisiwn – Jenkyn Jones, Abel Simner a Joseph Hughes.

Noddi

Wrth i'w sefyllfa wella roedd ei haelioni'n ymestyn i fyd diwylliant a chrefydd. Cefnogodd gyhoeddi llyfr helaeth ar ran y Gwyneddigion yn dilyn Eisteddfod Biwmares yn 1832. Yr oedd hi'n 1839 erbyn i gyfansoddiadau a beirniadaethau'r ŵyl weld golau dydd ac mae'r gyfrol yn cynnwys casgliad o draethodau, awdlau mewn dwy iaith ac englynion i gyfarch y Dywysoges Victoria a oedd yn bresennol i gyflwyno medalau a gwobrau i'r beirdd a'r enillwyr eraill mewn seremoni yn Baron Hill, sef cartref y Buckleys ar gyrion y dref.[27]

Cyflwynodd roddion i'r Ysgol Elusennol Gymreig yn Llundain a gwasanaethodd fel llywodraethwr am gyfnod. Mewn cyfarfodydd roedd yn gyson yn rhoi cynigion ger eu bron. Yn ystod hydref 1844, er enghraifft, mae'n cynnig y dylid penodi caplan i'r ysgol i arolygu a chael pwyllgor o'r llywodraethwyr i'w gynorthwyo. Y Parchedig J. Williams oedd dewis Griffith i'r gwaith a bu'n hael ei ganmoliaeth i gymeriad y gweinidog. Mae'r *Monmouthshire Merlin* yn cyfeirio at 'glaring instances of mismanagement in the conduct of the school' a byddai'r caplan newydd yn rhoi trefn ar bethau.[28] Nid yw'r erthygl yn manylu ar natur y camreoli a byddai'n ddiddorol gwybod a oedd profiad y disgyblion wedi gwella.

Rhoddodd fenthyg swm anrhydeddus o £175 i gapel Jewin Crescent yn 1837 ar gyfer gwaith adnewyddu.[29] Roedd y benthyciad hwn yn fwy o lawer na'r £1 a gyflwynodd at ddyled Wilderness Row 15 mlynedd ynghynt. Dros y blynyddoedd, bu'n hael wrth Golegau Trefeca a'r Bala, a chefnogai addysg yn Llandwrog Uchaf.[30] Yn Llundain, rhoddai flwydd-dâl blynyddol i Iago Trichrug ei weinidog yn ogystal â chefnogi'r Beibl Gymdeithas Frytanaidd a Thramor.[31] Dichon drwy'r blynyddoedd y byddai ceisiadau o bob math yn cael eu cyflwyno iddo ond byddai'n amlwg yn rhoi blaenoriaeth i noddi addysg, crefydd a diwylliant.

Cefnogi addysg yng Nghymru

Addysg oedd un o brif themâu'r 1840au yng Nghymru ac yng nghapel Jewin y cyfarfu rhai o arweinwyr yr egin fudiad a fyddai'n gosod sylfaen i addysg yng Nghymru. Griffith oedd yr un a symbylodd y cylch cyfrin ac ymysg yr aelodau roedd Robert Owen, Hugh Owen, Henry Richard a'i frawd Dr Edward William Richard, yn ogystal ag Arfonwyson.[32] Nid oedd y llywodraeth yn ystyried bod ganddi unrhyw ddyletswydd i addysgu plant y werin bobl. Dwy gymdeithas wirfoddol oedd â chyfrifoldeb yng Nghymru a Lloegr: y Gymdeithas Genedlaethol ar yr un llaw, oedd yn elwa ar drefniadaeth esgobaethau a pharodrwydd tirfeddianwyr i hybu addysg Anglicanaidd. Ac ar y llaw arall, y Gymdeithas Frytanaidd a Thramor oedd yn hybu addysg anenwadol. Er 1833 roedd y llywodraeth wedi penderfynu rhoi cefnogaeth ariannol i sefydliadau addysg ond roedd gan y Gymdeithas Genedlaethol 150 o ysgolion yng Nghymru a dim ond 15 o ysgolion Brytanaidd (British schools).[33] Gyda Chymru'n dod yn fwyfwy Anghydffurfiol o ran ei hagwedd at grefydd, roedd angen unioni'r sefyllfa a byddai hynny'n dasg sylweddol. Dyma oedd yn cael sylw'r cylch dethol yn Jewin.

Yn ystod 1843 ysgrifennodd Hugh Owen ei lythyr 'At y Cymry' o'i gartref yn 8 Coles Terrace, Islington, Llundain.

> Annwyl Gydwladwyr,
>
> Yr ydych yn gweled angenrheidrwydd am addysg i'ch plant, ac yn caru rhyddid cydwybod: tuag at gael addysg iddynt, rhaid cael ysgolion; tuag at sicrhau rhyddid cydwybod, rhaid cael ysgolion heb fod yn dwyn cysylltiad neilltuol âg unrhyw blaid grefyddol.[34]

Mae'n galw am sefydlu ysgol Frytanaidd ym mhob ardal a ffurfio Cymdeithas Ysgolion Frytanaidd ym mhob sir er mwyn cynorthwyo gyda'r gwaith o'u hadeiladu a'u cynnal. Mae'n rhoi gwybodaeth am gynhorthwy'r llywodraeth i'r ysgolion hyn ac roedd yn barod i weithredu 'hyd eithaf fy ngallu yn rhad' ar ran unrhyw ardal a ddymunai sefydlu ysgol o'r fath gan fynd ati i gyflwyno eu hachos i'r llywodraeth. Mae hefyd yn gosod y ffordd ymlaen i ddarparu hyfforddiant addas i athrawon. Daw i'r casgliad 'fod y llwybr uchod mor esmwyth fel ag y gall pob ardal drwy Gymru ond ei ddilyn, gael ysgol effeithiol, seiliedig ar berffaith ryddid cydwybod'.

Ar ddiwedd llythyr Hugh Owen ceir atodiad cefnogol ar ffurf llythyr byr arall:

> Yr ydym ni yn hollol gymeradwyo y llythyr uchod o eiddo ein cyfaill, Mr Hugh Owen, ac yn teimlo yn ddiolchgar am y cynigiad gwladgarol sydd ynddo, ac hefyd yn taer ddymuno i ein cydwladwyr yn Nghymru wneuthur sylw dyladwy o honno yn ddioed.
> James Hughes, Jewin Crescent, Llundain,
> Griffith Davies, Guardian Assurance Office, Llundain,
> John Parry, Cyhoeddwr y Drysorfa, Caerlleon.

Roedd sêl bendith y tri hyn yn rhoi cefnogaeth gref yr Hen Gorff i weledigaeth ymarferol Hugh Owen. Yn hanesyddol, bu'r enwad yn wrthwynebus i unrhyw ymyrraeth gan y llywodraeth yn y gyfundrefn addysg. Roedd Mesur Addysg 1842 yn rhoi mantais aruthrol i Anglicaniaeth a rhaid oedd ymateb. Yn 1843 roedd 28 o ysgolion Brytanaidd yng Nghymru ac erbyn 1847 roedd 79 yn ychwanegol, bron y cyfan ohonynt yn y gorllewin a'r gogledd lle bu John Phillips yn drefnydd egnïol i'r Gymdeithas Frytanaidd.[35] Erbyn 1870, roedd ganddynt tua 300 o ysgolion tra bod gan y Gymdeithas Genedlaethol dros fil erbyn yr un flwyddyn. Serch hynny, mater o bryder i'r Anghydffurfwyr oedd dylanwad yr ysgolfeistri Anglicanaidd.[36] Roedd y tensiynau a'r chwerwedd enwadol rhwng eglwyswyr ac Anghydffurfwyr yn creu cystadleuaeth gan effeithio'n uniongyrchol ar addysg a chyfleoedd oedd ar gael i bobl gyffredin.

Roedd gan y llywodraeth yn Llundain ddiddordeb yn y datblygiadau addysgol gan eu bod yn cyllido cynifer o ysgolion ac yn naturiol felly, yn 1847, sefydlwyd comisiwn ganddynt i archwilio i gyflwr addysg yng Nghymru. Penodwyd tri dirprwy, R. R. W. Lingen, A. C. Symons a H. R. Vaughan Johnson, y tri yn Saeson ac yn fargyfreithwyr uchel eglwysig. Cafwyd cymorth gan 10 unigolyn o Gymru gyda saith ohonynt yn offeiriaid eglwysig ac un o'r unigolion arall oedd Mr S. Dew, Llangefni.[37] Mewn ychydig amser roedd Dew wedi ymddiswyddo. Tybed a wnaeth hynny wrth weld sut roedd y gwynt yn chwythu a'i fod yn y lleiafrif fel Anghydffurfiwr, mewn proses oedd yn debygol o gadarnhau grym a pharhad Anglicaniaeth ar addysg Cymru? A beth oedd dylanwad Griffith, os o gwbl, ar y penodiad a'r ymddiswyddiad?

Er i'r adolygiad roi gwybodaeth werthfawr am ddiffygion addysg ddyddiol, adeiladau anaddas, lefelau llythrennedd a chwricwlwm, dieithriaid oedd y dirprwyon yn ddibynnol ar gyfieithiadau rhagfarnllyd o atebion disgyblion. Yn eu hanwybodaeth derbynient yn anfeirniadol farn y gwarchodwyr eglwysig. Y canlyniad oedd iddynt, mewn rhan gymharol fychan o'u hadroddiad, bardduo poblogaeth y wlad gydag ambell un yn 'ensynio mae'r ymlyniad wrth y capeli oedd wrth wraidd anlladrwydd y Cymry'.[38] O ganlyniad, cyfeiriwyd at yr adroddiad fel 'Brad y Llyfrau Gleision' a chafwyd ymateb chwyrn i'r sarhad yn enwedig gan yr Anghydffurfwyr. Mewn un cyfarfod cyhoeddus ym mhentref Llanelli ar gyrion y Fenni roedd bywyd a gwaith Griffith ei hun yn rhan o'r amddiffyniad cenedlaethol. Roedd ei fywyd a'i waith yn gwrthbrofi'r 'ensyniad' mai pobl ddidalent oedd y Cymry. Onid oedd Griffith Davies yn cael ei gyflogi gan 'foreign states, to solve problems which baffle all other men'.[39] Ni wyddom beth oedd ymateb Griffith ei hun i Frad y Llyfrau Gleision.

Drwy'r degawdau roedd yr Hen Gorff wedi bod yn gefnogol iawn i'r sefydliad Prydeinig, yn enwedig pan oedd John Elias yn arwain ond roedd cenhedlaeth newydd o arweinwyr am ymateb yn wahanol.[40] Gwelai Griffith, unwaith eto, beryglon bod yn or-frwdfrydig a rhyfeddai fod ei enwad mor gyhoeddus wrthwynebus i gynlluniau'r llywodraeth ar gyfer addysg. Ni fyddent, meddai mewn llythyr at Sarah ei ferch, wedi gwrthwynebu pe byddai 'poor Mr Elias been living', gan ychwanegu, 'I fear that the Methodists are joining with a political clique who appear to me to be more desirous of pulling down the Established Church than in bringing sinners to the Saviour.'[41] Adlais o orffennol yr enwad oedd hyn ac mewn rhai materion roedd Griffith yn cael ei ddal mewn dau fyd.

Credai mwyafrif yr Anghydffurfwyr o hyn ymlaen fod angen addysg anenwadol a bod hefyd angen datgysylltu o'r Eglwys Wladol. Dyma fyddai brwydrau mawr y degawdau i ddod drwy'r Blaid Ryddfrydol. I gyflawni hyn byddai angen i'r Methodistiaid gyddynnu fwyfwy â'u cyd-Anghydffurfwyr.[42] Roedd Griffith, Hugh Owen ac eraill yn Llundain wedi dechrau'r broses o gydweithredu a pheidio rhoi cymaint o sylw i fân densiynau, rhain yn aml ar faterion diwinyddol neu'r gystadleuaeth oesol am aelodau newydd. Dangosodd llythyr Hugh Owen fod gan yr enwadau Anghydffurfiol dir cyffredin. Eto i gyd, er eu bod yn addoli a threfnu eu hunain yn y Gymraeg, prin yw'r cyfeiriad at gyfrwng yr addysg yn yr ysgolion. Y canlyniad oedd i'r cyfrwng ddod yn ystyriaeth eilradd ac i sylfaen cyfundrefn addysg Seisnig gael ei chreu gyda'r iaith Gymraeg yn ymylol. Byddai'n ddegawdau cyn i'r niwed difrifol hwn i blant Cymru, yn addysgol a chorfforol, gael ei liniaru.

Flwyddyn ar ôl llythyr Hugh Owen mae Cymry Llundain yn rhoi arweiniad unwaith eto. Cyhoeddwyd llythyr yn *Y Diwygiwr, Y Drysorfa Gynulleidfaol, Y Bedyddiwr* a'r *Drysorfa*:

At Eglwysi Cymru
Annwyl Gydwladwyr,

Yr ydym ni, y Cymry canlynol, yn preswylio yn Llundain a'i chymdogaeth, ac yn perthyn i'r gwahanol enwadau crefyddol, y Trefnyddion Calfinaidd, Y Wesleaid, y Bedyddwyr a'r Independiaid, yn cymmeryd yr hyfdra i'ch cyfarch gyda pharch a chariad diffuant, mewn perthynas i bwnc o'r pwys mwyaf, er llwyddiant a dedwyddwch ein gwlad enedigol.[43]

Prif fyrdwn y llythyr oedd galw am addysg helaethach na'r ysgolion Sul gan gydnabod, 'Y mae yn anrhydedd i ni fel cenedl, ein bod wedi darparu moddion efengyl i'n cyd-wladwyr, mwy helaeth a chyfiawn nag a geir yn un rhan o'r byd.' Ond roedd mwy o waith i'w wneud. Roeddynt am alw cynhadledd i gynrychiolwyr yr 'holl enwadau efengylaidd yn Neheudir Cymru, i'r diben o ymgynghori ar y dull goreu o ddarparu moddion addysg ar gyfer ein gwlad enedigol'. Arwyddwyd y llythyr gan Caleb Morris, Fetter Lane, Henry Richard Marlboro'- Chapel, Thos. W. Jenkyn, Coward College, Benjamin Davies, Stepney College ac wyth arall a oedd yn cynnwys tri o Jewin Crescent – William Williams, E. W. Richard a Griffith Davies.

O fewn blwyddyn cawn dystiolaeth fod Griffith yn aelod o bwyllgor y Gymdeithas Addysgiadol Gymreig (Cambrian Educational Society) yn Llundain a ffurfiwyd gyda'r bwriad o sefydlu a chynorthwyo ysgolion dyddiol yng Nghymru, gan ddefnyddio egwyddorion rhyddfrydig ac ysgrythurol a chydweithredu i gefnogi'r Gymdeithas Ysgolion Brytanaidd a Thramor.[44] Nid yw'n glir pam fod angen cymdeithas arall yn Llundain i hyrwyddo hyn yng Nghymru. Roedd eu maniffesto yn debyg iawn i gynnwys llythyr Hugh Owen ac yn gwahodd cyfraniadau o Gymru. Efallai mai ychwanegu gwerth oedd eu bwriad neu roi pwyslais mwy Cymreig ar waith y Gymdeithas Frytanaidd a Thramor.

Gwaith ymgynghorol

Yng nghanol y prysurdeb addysgol roedd cyfrifoldebau Griffith gyda'r Guardian yn parhau a hefyd ei waith ymgynghorol. Fel un o brif actiwarïaid Llundain deuai gwahoddiadau iddo ymgymryd â gwaith ymgynghorol yn ychwanegol i'w ddyletswyddau pob dydd. Roedd ei gyflogwr yn derbyn y sefyllfa am fod hyn yn dod â manteision pellach iddynt – enw da'r prif actiwari a'r potensial o fusnes newydd. Roedd mantais gyllidol sylweddol i Griffith wrth gwrs. Yn aml iawn cyfarwyddwyr cwmni'r Guardian fyddai'n ei annog i wneud y gwaith ychwanegol gan fod nifer ohonynt yn aelodau o lys cyfarwyddwyr Cwmni Dwyrain yr India, sef y fenter enfawr a oedd yn gyfrifol am fasnachu mewn cotwm, te, indigo, solpitar, opiwm a chaethwasiaeth. Erbyn y bedwaredd ganrif ar bymtheg roedd gan y cwmni ymerodraethol adain filwrol rymus gyda degau o filoedd o filwyr mewn tair byddin: Bengal, Madras a Bombay. A'r rhain gyda'u milwyr traed, marchfilwyr a magnelau – a llynges.[45]

Sefydlodd y cwmni grymus hwn gynlluniau pensiwn amrywiol ar gyfer eu milwyr, meddygon, staff eraill a'u gwragedd a phlant. Yn ystod ei yrfa ac mewn cyfnod o ddau ddegawd cynhyrchodd Griffith dros ugain o adroddiadau i gronfeydd megis y Madras Medical Fund, Madras Civil Fund, Madras Military Fund, Bengal Medical Retiring Fund, Bombay Military Fund, Bengal Military Fund, Bengal Civil Fund a'r Bengal Military Orphan Society.[46] Adroddiadau preifat oedd y rhain i gyd, rhai mewn llawysgrif gain ac eraill wedi eu hargraffu, ar gyfer ymddiriedolwyr neu gyfarwyddwyr y cronfeydd. Golygent waith sylweddol i Griffith, gyda rhai o'r adroddiadau yn agos at 150 tudalen o hyd gyda thablau manwl a niferus. Heddiw mae rhai o'r adroddiadau hyn yn Archifdy Staple Inn ac eraill yn y casgliad anferth o ddogfennau Cwmni Dwyrain yr India yn y Llyfrgell Brydeinig.

Ceir amrywiaeth ym maint a chyflwr rhai o'r cronfeydd hyn y bu Griffith yn adrodd arnynt. Er enghraifft cronfa fechan oedd y Madras Medical Fund gyda 72 o lawfeddygon a 152 o feddygon cynorthwyol yn aelodau. Pwrpas y gronfa oedd sicrhau blwydd-dâl i weddwon a phlant amddifad i unrhyw danysgrifwyr oedd wedi marw yn ogystal â sicrhau pensiwn i danysgrifwyr wedi iddynt ymddeol. Roedd ei adroddiad yn 1840 yn cynnwys dros 80 o dablau manwl a daeth i'r casgliad fod lefelau marwolaethau yn amrywio'n ddirfawr ac yn ddibynnol ar hinsawdd, lefelau afiechydon, safle yn y fyddin a dosbarth cymdeithasol pobl o fewn y wlad.[47]

Ym mis Ebrill 1843 cafodd wahoddiad i wneud asesiad o sefyllfa y Bengal Military Fund a sefydlwyd i roi cynhaliaeth pensiwn i weddwon a phlant swyddogion oedd yn gwasanaethu yn y gangen hon o fyddin India. Y swyddogion hyn oedd yn cyfrannu i'r cynllun pensiwn gyda chyfraniadau pellach gan Gwmni Dwyrain India. Daeth yr Uwchgapten H. B. Henderson o Fyddin Bengal i weld Griffith Davies a chyflwyno dogfennau o bob math iddo ddechrau ar y gwaith ond roedd gwendidau a diffygion yn y data a gyflwynwyd. Rhaid oedd sefydlu nifer helaeth o dablau newydd ar sail y wybodaeth a dderbyniwyd gan ddod i gasgliadau a'u cynghori ar y ffordd ymlaen.

Yn ei hanfod mae pob adroddiad yn dilyn patrwm cydnabyddedig actiwari wrth asesu sefyllfa. Dechreuir drwy grynhoi'r wybodaeth sydd wedi cael ei chyflwyno; gan bwy a pha bryd, ac yna y bylchau mewn data neu wybodaeth anghyflawn. Ceir wedyn asesiad o weithredoedd y gronfa (*trust deeds*), sef y rheolau gweithredu, y cyllid sydd wedi ei gronni, yr ymrwymiadau a'r rhagolygon. Gwneir rhagdybiaethau a defnydd helaeth o dablau marwolaethau a thablau blwydd-daliadau. Byddai lefel marwolaethau'r aelodau yn wahanol iawn i Brydeinwyr gartref oherwydd afiechydon a risgiau milwrol. Roedd argymhellion Griffith yn glir bob amser. Os oedd cronfa wedi ei gweinyddu'n anhrefnus ac yn anghyfrifol byddai hynny'n cael ei gofnodi ac weithiau byddai'n gosod allan y penderfyniadau anodd oedd angen eu gwneud i adfer y sefyllfa.

Ceir enghraifft o'r argymhellion anodd yn ei adroddiad i'r Bengal Military Fund yn Chwefror 1844:

I am reluctantly obliged to recommend, that the pensions of the existing, and future widows of the present fund, be immediately reduced to three-fourths of the amount payable, or held out to them. I am not insensitive to the hardship of reducing the pensions of the existing widows, but however hard it may be considered, it cannot be unjust towards them, to reduce their future pension to what the contributions of their husbands had provided for them.[48]

Mae'n mynd ymlaen i faintioli effeithiau'r gordaliadau hanesyddol, yr angen i gynyddu cyfraniadau'r aelodau ac yn rhoi rhesymau pam y dylai Cwmni Dwyrain India roi swm o arian i liniaru'r ddyled. Byddai parhad y gronfa yn dibynnu ar yr ymateb i'r argymhellion.

Bu hefyd yn weithgar yn cynghori a chyfarwyddo cyrff o bob math. Ceir un adroddiad ganddo i lywodraeth Nizam yn India yn rhoi ystyriaeth i sefydlu cynllun pensiwn newydd ar gyfer swyddogion milwrol.[49] Cynhyrchodd adroddiad i Fanc Lloegr ar y defnydd o flwydd-daliadau[50] ac i nifer o gwmnïau yswiriant a chymdeithasau blwydd-dâl yn Lloegr, yr Alban, Iwerddon, yr Unol Daleithiau ac ar y cyfandir. Gwaith ymgynghorol oedd hyn i gyd yn ychwanegol at ei gyflog blynyddol gan y Guardian oedd bellach dros £1,000 y flwyddyn. Deuai galwadau cyson gan gymdeithasau cyfeillgar drwy'r wlad i gael ei farn am addasrwydd y tablau ar gyfer cyfraniadau aelodau, neu berthnasedd eu rheolau.[51] Yn eu hadroddiadau blynyddol byddai cadeiryddion cwmnïau a chymdeithasau yn cyfeirio at ei waith archwilio ac yn defnyddio ei argymhellion i'r cyfranddalwyr neu aelodau ar fater cynhennus fel rhannu'r elw am y flwyddyn.[52] Byddent hefyd yn rhoi canmoliaeth uchel iawn i Griffith am ei enw da fel 'one of the most eminent, secure and cautious of all the London actuaries ... a name to be a guarantee of soundness wherever figures are concerned'.[53]

Roedd hefyd yn brysur yn rhoi tystiolaeth i bwyllgorau dethol yn y senedd mewn perthynas â datblygiad cwmnïau masnachol ac mae tystiolaeth Griffith a thri actiwari arall (Charles Ansell, George Kirkpatrick ac Arthur Morgan) yn rhoi blas i ni o weithrediad yswiriant bywyd a barn prif actiwarïaid yn y cyfnod.[54] Dyma gychwyn cyfnod aur y cwmnïau rheilffyrdd a nifer yn mentro i fuddsoddi ond, yn ôl Griffith, roedd cyfranddaliadau mewn cwmnïau rheilffyrdd yn 'decidedly undesirable and incompatible with the high character of an insurance company'.[55] Safbwynt cyllidol gofalus yn wir.

Colledion a thor-iechyd

Nodwyd eisoes fod yr 1840au wedi cychwyn yn dda i Griffith a'r teulu gyda phriodas Sarah ei ferch â Samuel Dew a chartrefu yn Llangefni. Yna daeth ei briodas yntau gyda Mary Glynne a genedigaeth eu mab Griffith Davies. Byddai ei ddatblygiad yn y blynyddoedd cynnar yn dod â hapusrwydd a boddhad. Roedd Griffith Davies (ei nai mabwysiedig) wedi priodi hefyd a rhwydwaith y capel yn bwysig iddynt hwythau fel teulu ifanc. Bu symud tŷ i Duncan Terrace yn llwyddiant ac roedd Mary ac yntau gyda digon o ofod ac yn byw mewn ardal braf a hwylus. Fel arfer, roedd Griffith yntau yn brysur yn ei waith gyda'r Guardian, y dyletswyddau ymgynghorol amrywiol a'i brysurdeb o fewn y proffesiwn heb sôn am y cymdeithasau niferus, a'r pwysicaf ohonynt fyddai'r capel a'i gyfrifoldebau yno. Ond daeth tro ar fyd.

Bu Evan Glynne, ail fab Mary o'i phriodas gyntaf, yn clercio i gwmni'r Legal and General ac yn teithio'n ddyddiol i'r ddinas i'w waith. Roedd Griffith yn gweld addewid ynddo i ddod yn actiwari ond nid felly bu. Torrodd iechyd Evan Glynne ac yn ei ugeiniau cynnar bu farw yng ngwanwyn 1846 er mawr loes i'w fam a Griffith. Eu hymateb i'r brofedigaeth yma oedd cilio o'r byd am ychydig ac am dri mis aethant i aros mewn bwthyn ar gyrion deheuol Llundain – Park Hill yn Sydenham. Ac roedd rheswm arall am yr encilio gan i iechyd Mary a Griffith hefyd ddirywio'n raddol. Erbyn dechrau haf 1848 mae Griffith yn ysgrifennu llythyr i Sarah yn disgrifio sefyllfa iechyd Mary gan ddweud: 'On comparing her state from week to week, we have every reason to fear that she is gradually approaching the termination of her journey.'[56] Wrth sylwi ar y dirywiad mae hefyd yn gofyn i Sarah ddod draw i Lundain i'w gweld. Yna, ar ôl saith mlynedd o fywyd priodasol, bu farw Mary ei ail wraig yn 1848 o'r ddarfodedigaeth a gadael Grffith a'u mab saith mlwydd oed. 'Your little brother was fetched home from school last night and he is well in health and child-like but little aware of the loss he has sustained', meddai mewn llythyr arall at Sarah.[57] Daeth partneriaeth allweddol arall yn ei fywyd i ben ac roedd ei gyfrifoldebau teuluol yn cynyddu a'i iechyd yn dirywio.

10

YR HYBARCH

Rydym yn ei ystyried fel tad yr hil bresennol o actiwarïaid.
Peter Hardy, ysgrifennydd Athrofa'r Actiwarïaid
wrth gyfarch Griffith Davies[1]

Sefydlu athrofa i'r proffesiwn
Yn gyffredinol, casgliad o unigolion o amrywiol gefndiroedd a phrofiad, wedi eu cyfyngu i flaenoriaethau cystadleuaeth fasnachol eu cyflogwyr, oedd actiwarïaid yr 1840au. Bu ymdrechion i ddod â hwy at ei gilydd drwy ddulliau anffurfiol ac ni ellir honni fod gwaith y pwyllgor o 17 actiwari i sefydlu tablau graddfeydd marwolaethau defnyddiol drwy rannu data wedi bod yn llwyddiant ysgubol. Roedd gwaith actiwari mewn rhai cwmnïau yn cael ei wneud gan fathemategwyr amrywiol eu gallu, boed yn athrawon, cyfrifwyr, arwerthwyr neu gyfreithwyr. Y canlyniad oedd amrywiaeth sylweddol mewn safonau gyda chwmnïau'n methu a/neu'n cael eu cymryd trosodd. Ceid consýrn cyffredinol am ansawdd y diwydiant yswiriant.

Cafwyd un achos cyhoeddus o dwyll difrifol gan gwmni o'r enw Independent West Middlesex Assurance Company. Roeddynt yn gostwng prisiau, yn hysbysebu'n ddyfal gan ddenu busnes, y swigen yn byrstio a nifer yn gwneud colledion, ond nid y cyfarwyddwyr.[2]

Testun dychan a gwawd oedd y diwydiant yswiriant gan awduron Seisnig mewn nofelau ac ar lwyfan; 'Diddlesex' oedd enw'r dydd ar brosiectau dichellgar. Mae Charles Dickens yn ei lyfr *Martin Chuzzlewit* yn cynnwys cymeriad twyllodrus, Tigg Montague, a sefydlodd yr Anglo-Bangalee Disinterested Loan and Life Assurance Company a oedd yn talu allan ar bolisïau bywyd gyda'r incwm o bremiwm y polisïau newydd.

Wrth fynd i gyfarfodydd y Gymdeithas Frenhinol byddai Griffith Davies, Benjamin Gompertz ac Arthur Morgan yn sylwi'n llawn edmygedd ar gymrodyr eraill a oedd yn rhan o gyrff proffesiynol amrywiol a newydd ac yn rhoi trefn a chyfeiriad mewn nifer o feysydd. Roedd y cymrodyr actiwaraidd hefyd yn awyddus i roi safon a hygrededd i'w gwyddor a'u proffesiwn hwythau. Heb fudiad o'r fath a diffyg ymdeimlad o undod, ni chafodd y gymuned o actiwarïaid fod mewn sefyllfa i ddylanwadu ar lywodraeth, na chyd-drafod gyda chyrff eraill neu osod trefn gytunedig ar eu dulliau amrywiol o weithredu a chant a mil o faterion eraill. Roedd y proffesiwn yn datblygu ond nid oedd corff proffesiynol wedi ei sefydlu i'w oruchwylio ac i ddangos cyfeiriad a gwella'r ddelwedd. Ond sut oedd dod ag unigolion galluog, anystywallt a chul eu gwelediad at ei gilydd i ffurfio corff o'r fath, a sut fyddai modd sicrhau annibyniaeth mewn byd mor ffyrnig o fasnachol? Neu a oedden nhw i fod yn is-grŵp o fewn cymdeithas fathemategol neu ystadegaeth?

Parhaodd Griffith i gynnal y cyfarfodydd Sadyrnol gyda'i gyfeillion agosaf a pharhau i gyfarfod wnaeth pwyllgor yr 17 swyddfa hefyd. Yng Nghaeredin roedd Cymdeithas Rheolwyr Swyddfeydd Bywyd yr Alban (Association of Managers of Scottish Offices) wedi ei sefydlu er 1834 gyda'r berthynas aeddfed a nodweddai'r aelodaeth wedi arwain at elfen o hunanreoleiddio.[3] Dymunai Griffith weld y fath fentergarwch cydweithredol yn digwydd yn Llundain, ond roedd gormod o densiynau'n parlysu unrhyw ddatblygiad o'r fath.[4] Roedd eiddigedd, elitaeth, plwyfoldeb ac amheuon angen eu trechu cyn y gellid creu cydweithrediad tebyg yn Llundain. Gwelediaeth Griffith a'i gyd-gymrodorion yn y Gymdeithas Frenhinol oedd cael cydweithrediad pawb. Ond a fyddai hynny'n bosib gyda'r cystadlu dilyffethair? Delio gyda chymhlethdod y tensiynau hyn a gosod datrysiad yw un o gymwynasau mwyaf Griffith i'w broffesiwn.

Cynhaliwyd cyfarfod yn swyddfa'r Standard Life yn Llundain ar 15 Ebrill 1848 gyda holl gwmnïau yswiriant Lloegr yn derbyn gwahoddiad a Griffith Davies yn cadeirio. Cafwyd gwybodaeth am fanteision y cydweithio a chrynodeb o'r trafodaethau a fu'n digwydd ers 15 mlynedd yng Nghaeredin. Roedd awydd a diddordeb gan y cyfarfod i ystyried patrwm cyffelyb yn Llundain a ffurfiwyd pwyllgor o ddeg aelod i ystyried y ffordd ymlaen gyda Griffith unwaith eto'n arwain. Ymddengys i'r trafodaethau pwyllgor yn ystafell Bwrdd y Guardian arwain at ddau ddewis – un ai ffurfio cymdeithas debyg i'r Albanwyr neu sefydlu 'Coleg Actiwari'. Roedd mwyafrif o'r pwyllgor o blaid y syniad cyntaf er y byddai Griffith wedi ffafrio corff mwy pwerus, boed hynny'n goleg neu'n athrofa. Cyflwynwyd adroddiad ysgrifenedig y pwyllgor wedi ei arwyddo gan Griffith i gyfarfod nesaf y cwmnïau yswiriant ar 10 Mehefin 1848 gyda thros drigain o'r proffesiwn yn bresennol. Gyda gwahaniaeth barn a safbwyntiau masnachol cul yn eu hamlygu eu hunain, mawr oedd yr angen am arweiniad Solomon – ond nid oedd Griffith Davies yn bresennol ac fe ddarllenwyd llythyr ganddo yn y cyfarfod i esbonio ei resymau. Mae Higham yn sôn ei fod wedi gadael Llundain ddiwrnod ynghynt 'for his usual tour' (ymweliad â'r teulu yng Nghymru, mae'n debyg) ac roedd ei gynorthwyydd o'r Guardian, J. J. Cleghorn, yno i'w gynrychioli.[5] Cyfarfod hirfaith a di-drefn a gafwyd dan gadeiryddiaeth Thomas Galloway o'r Amicable, a chanlyniad hynny oedd ethol pwyllgor arall i roi mwy o fanylion ar ffurf a gwaith y gymdeithas newydd ar gyfer actiwarïaid, ysgrifenyddion a rheolwyr cymdeithasau yswiriant bywyd Prydain Fawr. Unwaith eto roedd Griffith wedi ei ethol yn un o'r 15 aelod i yrru'r drafodaeth ymlaen.

Yn dilyn y cyfarfod ysgrifennodd Cleghorn at Griffith i roi gwybodaeth am y penderfyniadau ac i ddweud wrtho ei fod yn cael ei ystyried yn ddarpar-lywydd i'r corff newydd. Ymatebodd y darpar-lywydd yn frwdfrydig ond wedi dychwelyd i Lundain deallodd nad oedd ei gyfeillion agosaf yn gefnogol o'r cyfeiriad newydd. Ceisiodd ddarbwyllo ei gyfeillion, ond yn ofer. Teimlai felly fod rhaid iddo ymwrthod â'r cynnig. A oedd Griffith felly wedi ei gamarwain gan naïfrwydd ei ddirprwy Cleghorn neu hyd yn oed wedi cael ei dwyllo'n fwriadol? Nid oes argoel o negyddiaeth yn ysgrif Barlow ac mae'n nodi fod Griffith yn ystod gaeaf 1847 wedi dioddef o ffliw difrifol a gafodd effaith andwyol ar ei ysgyfaint gan adael llid parhaus ar y frest a oedd yn fwrn arno am weddill ei oes.[6] Mae Barlow hefyd wedi nodi fod llawer o'i gyfoedion yn y proffesiwn yn rhoi pwysau arno i dderbyn y llywyddiaeth ond oherwydd ei iechyd ni allai dderbyn unrhyw gyfrifoldeb. Yn ei absenoldeb aeth yr ail bwyllgor ymlaen yn frwdfrydig gan gyfarfod yn aml yn ystod Mehefin. Canlyniad y pwyllgora oedd adroddiad yn argymell sefydlu Athrofa'r Actiwari (The Institute of Actuaries of Great Britain and Ireland). Derbyniwyd yr argymhelliad mewn cyfarfod ar 8 Gorffennaf 1848 gyda dros hanner cant yn bresennol. Anfonodd Griffith lythyr o ymddiheuriad am ei absenoldeb unwaith eto i'r cyfarfod ond roedd tri mis o waith wedi dwyn ffrwyth a Griffith oedd yn bennaf gyfrifol amdano.

Anrhydeddu

Byddai'r athrofa newydd yn gyfrifol am undod y proffesiwn drwy'r wladwriaeth, yn sefydlu arholiadau i gael mynediad, yn creu llyfrgell, ystafelloedd cyfarfod, datblygu'r wyddor actiwari, rhoi trefn ar aelodaeth a nifer o faterion eraill. Byddai hyn yn gwella ansawdd ac enw da'r proffesiwn. Y gred ymhlith nifer yn y proffesiwn oedd mai Griffith fyddai llywydd cyntaf yr athrofa, a cheir cyfeiriad ato yn y *Post Magazine*: 'With regard to the President, it cannot be doubted for a moment that Mr Griffith Davies will be unanimously voted to the office.'[7] Ond nid felly y bu. Yn y cyfarfod cyffredinol cyntaf ar 14 Hydref 1848 cododd henadur y proffesiwn, Griffith, ar ei draed a chynigiodd John Finlaison yn llywydd. Derbyniwyd y cynnig a dyma fel mae'r *Morning Post* yn adrodd yr hanes:

Griffith Davies (*Hawlfraint Archifdy Gwynedd*)

Mr Griffith Davies, the oldest actuary present, proposed that
Mr Finlaison, The Government Actuary, should be elected
President, being assured that no gentleman would better
fill the office. He (Mr Davies) took a warm interest in the
affairs of the Institution; but, in consequence of ill health, he
regretted that he would be debarred from taking an active
part in the management.[8]

Gyda'i wreiddiau yn Thurso ym mhen uchaf yr Alban, actiwari yn y Trysorlys oedd Finlaison (1783–1860).[9] Roedd yn fathemategydd disglair ac eisoes wedi cyhoeddi gwaith ar y cyd gyda Griffith, sef canllawiau i gymdeithasau cyfeillgar. Yn ystod y cyfarfod hefyd cafwyd cydnabyddiaeth gan Peter Hardy o'r Mutual o wasanaeth gwerthfawr Griffith i sefydlu'r athrofa. Byddai'r proffesiwn yn teimlo'r golled:

> being deprived of Mr Davies' more active service in the prominent, very prominent, position which would have been unanimously awarded to him, in the government of the Institute, had Mr Davies' state of health and numerous other avocations admitted his acceptance of it.[10]

Mae'n ymhelaethu ac yn diolch i Griffith am ei gefnogaeth a'r amser yn sefydlu'r athrofa a'r gweithdrefnau newydd ar gyfer aelodaeth ac arholiadau. Griffith oedd y cyntaf i ddod yn gymrawd mewn cyfarfod o'r cyngor ar 30 Tachwedd 1848.

Eiliwyd geiriau Hardy gan Jenkyn Jones:

> that every effort had been made to induce Mr Davies to accept office and that it was only from the conviction that Mr Davies' state of health would preclude him from giving due attention to the duties, that the Committee was induced not to persevere in its efforts to secure his active co-operation.

Byddai Griffith wedi gwerthfawrogi'n fawr iawn y datganiadau cyhoeddus hyn ac wrth edrych o gwmpas yr ystafell byddai'n adnabod pawb yno, nifer helaeth ohonynt yn gyn-fyfyrwyr iddo yn yr ysgol yn Cannon Street. Roedd y fraint a'r cyfle o fod yn llywydd cyntaf yr athrofa wedi mynd heibio er gwaethaf yr ymdrechion i'w berswadio'n wahanol.

Teimlai llawer yn y corff newydd fod y diolchgarwch a fynegwyd i Griffith yng nghyfarfod yr hydref yn annigonol. Roeddynt am gael rhywbeth mwy parhaol ac felly cyflwynwyd tystlythyr iddo, ar femrwn felwm wedi ei fframio, yng nghyfarfod arbennig yr athrofa newydd ar 24 Ionawr 1849 – cyfarfod hanesyddol gyda chynulleidfa niferus a'r holl weithgareddau'n cael sylw yn y *Post Magazine*.[11] Dyma gyfle cyntaf y llywydd John Finlaison i annerch yr Athrofa; rhoddodd ganmoliaeth i ddisgleirdeb gwaith ('brilliant works') mathemategol Griffith ac ar ddiwedd ei neges cymerodd y cyfle i amlinellu'r gwerthoedd a'r dulliau gweithredu fyddai eu hangen i sicrhau llwyddiant ac enw da i'r athrofa newydd. Meddai: 'The prosperity of the Institute will be planted and will flourish on the integrity, the industry and the science displayed.' Byddai Griffith wedi amenio gydag arddeliad. Y flaenoriaeth oedd creu undod meddwl ac ymdeimlad o gymuned o fewn y proffesiwn, gyda'r nod o dawelu'r cecru, y mân ddadlau a'r arferion amhroffesiynol.

Yna cododd Peter Hardy, ysgrifennydd yr Athrofa, ar ei draed i gyfarch Griffith mewn araith gofiadwy. Mae'n gosod cyfraniad Griffith o fewn llinach o fathemategwyr a gyfrannodd at ddatblygiad yr wyddor actiwari – Graunt, de Moivre, Dodson, Simpson, Price, Maseres, Morgan, Barrett, Baily, Milne a Gompertz – a'r un sy'n sefyll allan yn eu cyfnod hwy. Meddai:

> I say, I might indeed hesitate to select from amongst you any one name for our especial notice – did we not consent with one voice to hail him as pre-eminent amongst us – Mr Griffith Davies ... We regard him as the father of the present race of Actuaries. Nothing that I can say can add to the esteem with which we all personally regard him – nothing that I can add to the respect which we all entertain for his great abilities.

Canmolwyd Griffith am ei sêl a'i ffyddlondeb wrth ffurfio'r athrofa newydd yn ogystal â'i gefnogaeth ddiflino i aelodau ifanc y proffesiwn, a fyddai wedi bod yn ddyledus iawn iddo am ei anogaeth a'i gymorth ar ddechrau eu gyrfaoedd. Gallai ymfalchïo ei fod wedi datblygu sgiliau a galluoedd to newydd er lles y proffesiwn:

> whose abilities it was your good fortune to discover, whose minds it was your happiness to expand, and who, in great

measure, owe their present eminence to the assistance and encouragement you extended to them in early life.

Rhaid oedd cael gwrthrych i'w gyflwyno iddo fel y byddai, 'with pride and satisfaction, hand down to his children's children a monument of his worth, and an incentive for them to follow in his footsteps'. Dyma eiriad y dysteb:

To Griffith Davies, Esquire, F.R.S.,
Actuary of the Guardian Life Assurace Society

Sir, – In pursuance of a resolution passed at a general meeting of the members of the Institute of Actuaries of Great Britain and Ireland, held on the 14th of October last, we, the President and Council, on behalf of ourselves and of that body, do hereby render to the profession of actuaries, in giving the advantage of your name and active co-operation towards carrying out the design of the Institute, from the first period to its formation down to its successful embodiment on that day.

We look with pride to the list of our annual subscribers, in which your name stands the first enrolled; nor can we withhold the tribute of our admiration for the disinterested zeal which you have exhibited in the promotion of a cause calculated to advance the general interests of the body of which you are, with the exception of our President, the senior member, and in connection with which you have, by your writings and professional skill, achieved a pre-eminent position.

We trust that you may long be permitted to enjoy the esteem and reputation which you have so worthily earned; and beg to subscribe ourselves your faithful friends and servants,

(Signed by John Finlaison, President, and sixteen Members of the Council)

Derbyniodd Griffith y dysteb yn ddiolchgar ac un frawddeg sy'n disgrifio hyn yn y *Post Magazine*: 'Mr Davies, in accepting the handsome tribute of respect, was evidently labouring under strong emotion.' Roedd arweinwyr yr athrofa newydd wedi datgan eu dyled a'u hedmygedd i actiwari mwyaf blaenllaw'r cyfnod ac i gymrawd cyntaf yr athrofa newydd, Fellow of the Institute of Actuaries (FIA). Rhoddwyd sylw i'r anrhydedd a gweithgareddau'r athrofa newydd yn y papurau newydd Llundeinig ac ymhen ychydig fisoedd croniclwyd yr holl hanes hefyd yn y papurau newydd a oedd yn gwasanaethu Arfon.[12]

Yr addysgwr

Un o dasgau cyntaf yr athrofa newydd oedd cytuno ar gwricwlwm i hyfforddi actiwarïaid newydd a chymhwyso'r rhai oedd eisoes yn gwneud y gwaith cyn gosod fframwaith asesu ac arholi. Roedd rhan o'r gwaith yma wedi ei wneud dros ugain mlynedd yn ôl gan Griffith yn ei ysgol yn Cannon Street a gofynnwyd iddo weithredu fel arholwr gyda thri arall (James Joseph Sylvester, Peter Hardy a Charles Liveing) ar ôl i'r maes llafur a luniwyd ganddo gael ei gytuno gan Gyngor yr Athrofa. Paratôdd bapur ddiwedd Ionawr 1849 'On the construction of logarithms' i Lywydd a Chyngor yr Athrofa newydd am na welodd mewn unrhyw lyfr 'clear and concise explanation' ar gyfer y maes.[13] Pe byddai mewn iechyd, Griffith yn sicr fyddai wedi ysgrifennu'r gwerslyfr cyntaf ar gyfer y proffesiwn. Roedd pwysau arno hefyd i gwblhau'r llyfr y bu'n gweithio arno ers blynyddoedd. Byddai'r gyfrol ynghyd â chyfraniadau gan unigolion eraill yn llyfrau gosod i ddarpar actiwarïaid eu hastudio.[14] Heddiw, mae hyfforddi ac arholi yn un o weithgareddau pwysicaf yr Athrofa gydag ymgeiswyr o bob rhan o'r byd. Ond dwy ganrif yn ôl, nid proffesiwn unedig mohono. Yr oedd yn fregus ei seiliau a doedd pawb ddim yn fodlon. Ymhen ychydig flynyddoedd penderfynodd yr Albanwyr ail-greu eu cyfundrefn eu hunain yn sgil eu hanfodlonrwydd gyda'r datblygiadau Llundain-ganolog.[15] Dim ond yn 2010 yr unodd y ddau gorff, gan sefydlu'r Institute and Faculty of Actuaries gyda'i bencadlys ger Staple Inn yn Llundain a bellach gyda 35,000 o aelodau ar draws y byd.

Roedd sefydlu'r corff proffesiynol yn 1848 o dan arweiniad Griffith yn gam anferth ymlaen. Heb yr Athrofa ni fyddai strwythurau i rannu data wedi cael eu datblygu i roi cymorth ymarferol i'r proffesiwn, megis y CMI (Continuous Mortality Investigation). Yr Athrofa hefyd oedd yn gyfrwng i sefydlu egwyddorion a safonau cytunedig, gan ddylanwadu'n gadarn ar y ddeddfwriaeth berthnasol. Maes o law, bu'n gyfrwng i roi gwedd ryngwladol i'r wyddor a chyfnewid gwybodaeth gyda chyrff tebyg drwy'r byd.

I Griffith, pwrpas sefydlu'r Athrofa oedd i foderneiddio gyda'r nod o osod safonau wrth ddod i mewn i'r proffesiwn, hyrwyddo addysg, rhannu data a gwybodaeth o fewn y maes a gwneud hyn oll er gwell i gymdeithas. Roedd am wireddu potensial y proffesiwn ar gyfer y gymdeithas ehangach a bu'n gwbl ymroddgar i'r amcanion hyn drwy'i yrfa. Gweithredu mewn dull colegol drwy'r Athrofa oedd y nod er mwyn rhoi statws i'r proffesiwn ac roedd cyfraniad Griffith ac eraill wedi sicrhau fod gwreiddiau'r proffesiwn yn ddwfn ym myd mathemateg drwy ei gysylltiadau â'r Gymdeithas Frenhinol.[16] Roedd yn gwbl allweddol fod y cyswllt hwn yn parhau. Byddai'r Athrofa newydd angen bod hyd braich oddi wrth rymoedd y farchnad ac unrhyw ymyrraeth wleidyddol. Rhaid hefyd fyddai ffrwyno rhai greddfau cystadleuol ymysg yr aelodaeth. Ond bellach mater i eraill oedd y brwydrau hyn.

11

CEFNOGI A CHREFYDDA

Yn dilyn darganfod y ddeddf yma (marwoldeb) ffurfiwyd tablau, oedd yn gosod lefel y risg ac rwy'n falch i ddatgan fod y rhain wedi eu llunio'n gyntaf gan Gymro, eu cywiro gan un arall ac yn olaf eu perffeithio gan drydydd, y diweddar Mr Griffith Davies.

Y Parch. Owen Thomas, darlith ar fanteision yswiriant bywyd i gyfarfod blynyddol y Cwmni Yswiriant Taleithiol Cymreig, Llundain, Gorffennaf 1855[1]

Ar yr union adeg pan allai gyrfa Griffith fod wedi mynd ymhellach yn y byd actiwari drwy dderbyn llywyddiaeth yr Athrofa newydd, roedd amgylchiadau unwaith eto yn milwrio yn ei erbyn; ei iechyd yn dirywio, y gwaith gyda'r Guardian a'r cronfeydd preifat yn drwm er yn talu'n dda, a'i waith fel blaenor yn y capel a chyda gweinyddiaeth yr enwad yn cymryd adnoddau ac ynni emosiynol. Erbyn dechrau'r 1850au roedd Griffith, yn dilyn marwolaeth Mary, yn ŵr gweddw am yr eildro ac erbyn hyn yn gweithredu fel cyfundrefn nawdd cymdeithasol i'w deulu. Roedd â chyfrifoldeb dros ei unig fab, rhai o blant ei ail wraig o'i phriodas gyntaf hi, heb sôn am y teulu yn Rhosnenan. Bu'n talu rhent Beudy Isaf dros ei rieni am dros ddeng mlynedd ar hugain ac roedd wedi prynu fferm Tyddyn Mawr ym mhlwyf Llandwrog i'w dad gweddw gael byw yno gyda Jane ei chwaer a'r teulu. Cefnogodd ei fam-yng-nghyfraith o'i briodas gyntaf a hefyd gweddw a phlant ei ddiweddar frawd-yng-nghyfraith, Jonas Holbut. Rhwng pawb roedd ganddo gyfrifoldebau sylweddol ac o ganlyniad roedd yn ymbellhau o gyfarfodydd fel rhai'r Gymdeithas Frenhinol. Ei waith gyda'r Guardian a'i gyfrifoldebau teuluol a chrefyddol oedd prif ganolbwynt ei fywyd. Roedd fel pe bai ei uchelgais a'i nod broffesiynol wedi llithro a cholli pwrpas.

Roedd ei nai Griffith Davies wedi gadael Duncan Terrace ar ôl priodi ac yn 1846 daeth nai arall, Thomas Barlow, sef mab Margaret ei chwaer, i fyw ato i Lundain. Treuliodd Thomas gyfnod ar y môr gyda'i dad a oedd yn gapten llong, ond roedd yn waith caled a bu'n wael am gyfnod. Bu'r cysylltiad â'r môr yn werthfawr i'r teulu nid yn unig yn eu mynych deithiau o Gaernarfon i Lundain ond hefyd wrth fuddsoddi a dod yn gydberchnogion llongau. Fel yn achos y nai arall bu Griffith yn barod iawn i estyn croeso i Thomas i'w gartref a gwerthfawrogai ei gwmni. Roedd yn trin ei ddau nai yn Llundain fel meibion ac roeddynt yn ffyddlon iawn iddo ac yn dilyn ei gyfarwyddiadau.

Cyfeirir at Barlow fel person o 'high moral rectitude of character, native refinement of feeling and companionable habits'.[2] Ar ôl iddo setlo yn Llundain llwyddodd Hugh Owen i gael gwaith iddo fel swyddog ychwanegol (*supernumary*) a bu'n rhoi cymorth i Griffith weithio allan prisiau refersiynol i gymdeithas y Reversionary Interest a chael taliad o £25 am ei lafur. Yna ym mis Ionawr 1850 cafodd waith fel clerc gyda chymdeithas y Metropolitan Life Assurance. Erbyn canol yr 1850au roedd Thomas Barlow wedi dyweddïo gyda Harriet Roselli, merch ifanc o dras Eidalaidd a oedd yn byw gyda'i theulu yn 31 Duncan Terrace ac fe'u priodwyd ar 14 Awst 1855.[3] Thomas Barlow fu'n gyfrifol am gofiant i'w ewythr a fu'n gymaint o gymwynas i gadw'r cof amdano'n fyw.

Daeth diwedd yr 1840au â dwy golled i Griffith. Bu farw ei frawd William yn 1847 – chwarelwr, tyddynwr a blaenor gyda'r Methodistiaid yng Ngharmel. Hwn oedd y brawd a oedd wedi ei gefnogi yn y chwarel ac anfon arian a chynhaliaeth iddo yn ystod ei ddyddiau cynnar anodd yn Llundain a dod i'w gefnogi yno pan oedd Mary yn dechrau gwaelu.[4] Ac ymhen blwyddyn daeth profedigaeth arall gyda marwolaeth ei frawd John ym mis Awst 1849, gan adael ei weddw Elizabeth a thri o fechgyn. Cyhoeddwyd marwolaeth John mewn cylchgrawn yn yr Amerig fel a ganlyn: '31ain o'r mis. Yn 44 oed yn No 1 York Place, Barnsbury o'r typhus fever, Mr John Davies, Ariandy Lloegr a brawd i Mr Griffith Davies o'r Guardian Assurance Office'.[5] Cyflwynodd John ei holl ystâd a'i eiddo i Griffith a Griffith Davies y nai, gyda chyfarwyddiadau iddynt fuddsoddi'r arian mewn gwarantau'r llywodraeth gan roi'r elw i Elizabeth. Ar ôl i'r bechgyn gyrraedd 21 oed y dymuniad oedd i'r ystâd gael ei rhannu rhyngddynt a'u mam. Gallwn ragdybio paham fod cyfarwyddiadau o'r fath yn ewyllys John. Ai Griffith oedd perchennog eu tŷ yn York Place? A oedd yn pryderu y byddai Elizabeth yn ailbriodi a'r bechgyn yn colli allan neu ai mater i ddynion oedd bod yn ysgutorion ewyllys? Beth bynnag y rheswm, roedd hyn unwaith eto yn ychwanegu at y baich a'r cyfrifoldeb teuluol.

Y teulu ym Môn ac Arfon

Mewn llythyr at Sarah ym mis Ebrill 1844 ceir cyfeiriad fod Griffith wedi anfon chwe phwys o flawd saethwraidd (*arrowroot*) a phwysau tebyg o dapioca i Langefni drwy law Capten Hughes ac anfonwyd dillad hefyd.[6] Rhoddion i blant Sarah a Samuel oedd y rhain. Yn drist iawn bu farw Margaret Ann Dew yn 13 wythnos oed a Samuel Davies Dew yn chwe wythnos oed, ond llwyddodd dau arall o'r plant, Mary Elizabeth Dew a Griffith Davies Dew, i oroesi plentyndod.[7] Unwaith eto roedd y profiadau hyn i'r teulu yn dangos breuder bywyd gyda marwolaethau plant yn gyffredin yn y cyfnod.

Cyfreithiwr yn Llangefni oedd Samuel Dew ac roedd hefyd yn weithgar yn y capel. Cafodd ei godi'n flaenor gan yr Hen Gorff yn 1850 a datblygodd yn 'ŵr o farn a dylanwad yn y dref a'r cyfarfod misol' gan ddod 'yn un o brif henaduriaid Methodistiaeth yr Ynys'.[8] Trigai'r teulu yn y Fron ar gyrion y dref – tŷ a fu'n gartref i John Elias.

Erbyn diwedd yr 1840au roedd modd teithio'n fwy hwylus i Fôn ac Arfon, gyda threnau yn gadael gorsaf Euston yn Llundain a chyrraedd pen y daith yng Nghaergybi mewn mater o oriau yn hytrach na dyddiau. Serch hynny, nid oedd y datblygiadau mewn trafnidiaeth yn newid dim ar batrwm teithio blynyddol Griffith. Er ei bod yn cymryd o leiaf wythnos ac ar brydiau yn stormus, onid oedd gwynt y môr yn llesol ac yn rhoi amser iddo i feddwl a myfyrio? Ymddengys nad oedd stormydd neu fastiau'n torri yn ystod mordaith a gorfod galw yn Portsmouth i gael un newydd yn amharu dim ar ei fwynhad nac yn ei annog i ail-asesu'r dull o deithio i Fôn ac Arfon. Ac onid oedd yn adnabod y capteiniaid ers blynyddoedd mawr? O'r holl fordeithiau o'r Tafwys i'r Seiont, dim ond un llong sy'n cael ei henwi ganddo, sef yr Ann a Catherine (Ann a Chattrin i'r Cymry) a hynny yn haf 1851. Ymhen blwyddyn, adroddir i'r sgwner 98 tunnell o Borthmadog gael ei chwythu i'r lan yng Nghaernarfon a chael ei hail-nofio ar 12 Ionawr 1852.[9] Fel roedd iechyd Griffith yn dirywio cafodd ei orfodi i gyfaddawdu o ran teithio gan ddefnyddio'r trên o Lundain i Lerpwl a thorri ei siwrnai wrth aros gyda'i gyfaill ac un o hoelion wyth yr enwad, sef y Parchedig Henry Rees, cyn parhau ar fordaith bleserus o'r Merswy i'r Fenai.

Yn ystod yr haf byddai Griffith yn mwynhau dod gyda'i fab Griffith i aros am bythefnos at y teulu yn Llangefni. Yna wythnos yn Nhyddyn Mawr, Rhosnenan yng nghwmni ei dad. Ar un achlysur yn 1852 cafwyd uniad o bedair cenhedlaeth yn y Fron, Llangefni. Yno roedd Griffith a'i dad Owen Dafydd, ei ferch Sarah a'i fab Griffith a Mary Elizabeth Dew ei wyres a Griffith Davies Dew ei ŵyr. Ymhen dwy flynedd bu farw Owen Dafydd yn 93 oed. Ni fu'n bosib i Griffith fynd i'r angladd ac ysgrifennodd at Sarah: 'I have reason to be thankful to our heavenly father that He has supplied me with the means to support him during the last thirty years without either care to himself or a burden to others.'[10] Roedd Owen Dafydd wedi dysgu darllen yn yr ysgol Sul ym Mrynrodyn pan oedd yn oedolyn a bellach, ers marwolaeth Mary ei wraig, yr oedd yn selog iawn mewn moddion gras.

Griffith y mab

Roedd yr ymweliadau â Chymru yn cryfhau perthynas Griffith y mab gyda Sarah ei chwaer a'r teulu estynedig, ac arhosodd bob blwyddyn yn y Fron am yr haf ar ôl i'w dad ddychwelyd i Lundain. Byddai'n rhaid iddo gyfathrebu yn y Gymraeg gyda'r teulu a'r cymdogion oherwydd prin iawn, os o gwbl, oedd Saesneg rhai ohonynt. Byddai'n gwmni i'w dad wrth ymweld, gyda'r ferlen a'r trap, â rhai o'r cyfeillion Calfinaidd ar yr ynys – y Parchedig John Prytherch, Dyffryn Gwyn, Llanffinan a Mr a Mrs Williams yn fferm y Fron Goch ym Mhentraeth.[11]

Yn ychwanegol i'r capel yn Llundain byddai Griffith y mab yn cael hyfforddiant gan ei dad i ddarllen erthygl yn y Saesneg gan roi crynodeb i'w dad yn y Gymraeg. Mynychai ysgol Mr Joseph Patrickson yn Barnsbury Park yn ymyl y cartref a byddai'n aml yn mynd â negeseuon i'w dad, fel clerc mewn banc, i wahanol swyddfeydd. Datblygodd y mab ddiddordeb mewn peirianneg a chafodd gymorth yn Llundain i adeiladu peiriant ager. Tra oedd ym Môn cafodd gymorth pellach gan Richard Davies, cyfaill i'r teulu ac ymwelydd cyson â Duncan Terrace, i gwblhau addasiadau i'r peiriant. I wneud hynny byddai angen i Griffith, a oedd yn 12 oed, deithio o Langefni i Borthaethwy a chafwyd cyfarwyddiadau manwl mewn llythyr gan ei dad o Lundain dyddiedig 13 Gorffennaf 1854.[12]

My dear Griffith to go to the Bridge on the pony by himself and to allow him to remain there a day or two provided Mr Richard Davies invited him to do so in the distinct understanding with Griffith himself that he will not go on the water unless it were with either Mr Davies himself or some adult seafaring person authorized by Mr Davies to go on the water with him. I do not think that my dear Griffith would so far forget himself as to act contrary either to his promise or expressed wish of his father.

Gallai grwydro'n rhwydd ar negeseuon ei dad yn Llundain ond mater arall oedd y Gymru wledig. Cwblhawyd y trwsio a'r addasu gan beiriannydd Richard Davies ac roedd yr ymweliad yn gysylltiad pwysig iawn i'r mab. Rhedai Richard Davies fusnes iard goed lewyrchus ym Mhorthaethwy gan ymestyn ei ddiddordebau masnachol i berchnogaeth llongau. Maes o law daeth yn Aelod Seneddol Rhyddfrydol dros Fôn a hael fu ei gefnogaeth i achosion da, ac yn enwedig y Methodistiaid Calfinaidd.[13]

Os mai gwyro at beirianneg oedd diddordeb Griffith y mab roedd gan y tad syniadau gwahanol. Fel gyda gweddill y teulu a ddaeth i Lundain gwelai Griffith fanteision mawr i yrfa yn y byd yswiriant ac roedd am baratoi'r mab ar gyfer hynny; hefyd, ceir un cyfeiriad at y posibilrwydd o anfon Griffith y mab i'r Ysgol Brydeinig yn Llangefni – 'Perhaps they will make a minister of him'.[14] Roedd nifer o yrfaoedd felly yn bosib i'r mab ac ym marn ei dad meddai ar 'rare mental qualities ... and a generous and affectionate disposition'.

Byddai'r teulu o Gymru hefyd yn ymweld â Llundain yn rheolaidd a rhaid oedd dethol yr amser yn ofalus. Yn 1848, cafwyd 14,000 o farwolaethau yn y ddinas yn sgil y geri marwol a'r cyngor oedd i'r teulu gadw draw.[15] Fe gynyddodd poblogaeth Llundain, er nad oedd trefn lywodraethu ddinesig mewn bodolaeth, o 1 miliwn ar ddechrau'r bedwaredd ganrif ar bymtheg i 2 filiwn erbyn ei chanol. Ffos o garthion oedd Afon Tafwys a chanlyniadau hynny'n enbyd o wael ar iechyd cyhoeddus. Byddai'r aflendid a'r budreddi yn destun braw a phryder i'r ymwelwyr Cymreig gwledig.

Er hynny, roedd digwyddiadau arbennig i'w gweld yn y ddinas. Yn 1851 cafwyd yr Arddangosfa Ryngwladol yn y Crystal Palace. Gyda'r trenau newydd yn gwneud teithio i Lundain yn fwy hwylus, fe ddaeth Sarah, Samuel a'r teulu o Fôn i weld y rhyfeddodau. Roeddynt ymysg 6 miliwn o ymwelwyr i'r tŷ gwydr anferth mewn cyfnod o chwe mis, a gwelwyd peiriannau o bob math, gwaith celf a chynnyrch diwydiant o'r pedair gwlad ac o bob rhan o'r ymerodraeth. Cyfle i edmygu a rhyfeddu.[16] Ymhen blwyddyn cafwyd digwyddiad mawreddog arall yn Llundain – angladd y Dug Wellington. Cafodd Griffith a'r mab leoliad manteisiol yn ffenest un o'r cwmnïau yswiriant i dystio i'r ymdaith angladdol a oedd ar ei ffordd i Gadeirlan Sant Paul. Roedd dros 1.5 miliwn o bobl yno i weld yr hers enfawr yn cael ei thynnu gan ddwsin o geffylau. Llundain oedd y lleoliad i weld pob golygfa o'r ddrama imperialaidd.

Anghydfod

Drama arall, fodd bynnag, a ddaeth i ran Griffith. Ar 14 Mehefin 1849 roedd Griffith Davies i ymddangos mewn achos yn Llys y Queen's Bench, Westminster – Richard yn erbyn Davies.[17] Nid rhyw anghytundeb gyda'i waith oedd hyn ond yn hytrach achos enllib yn erbyn Griffith fel pen blaenor yng nghapel Jewin, a hynny o ganlyniad i'r ymdrech i ddiarddel cyd-flaenor, y Dr Edward William Richard o Dregaron yn wreiddiol a brawd i Henry Richard, sef Aelod Seneddol Merthyr yn ddiweddarach.[18] Ond nid apostol heddwch mo'r brawd o feddyg. Roedd y cweryl diweddaraf yn y capel wedi cychwyn ym mis Chwefror 1848 gyda'r diarddeliad i gael ei weithredu oherwydd twyll honedig gan Edward William Richard. Cyflwynodd Griffith yr achos ger bron yr eglwys ond methwyd â chael mwyafrif yr aelodau i gytuno ar ei ddiarddel.

Roedd yr ystrywgar Richard wedi creu dilynwyr ymysg yr aelodau. Yn ystod yr un adeg, fe ysgrifennodd Griffith at Sarah ei ferch i fynegi ei boen:

> I am much troubled in my mind on that subject and really at a loss what it is my duty to do. I have neither spirit and inclination to contend with such a character as Mr R but I do not see how I can under present circumstances continue in church fellowship at Jewin St without compromising my character as a man, much more as a Christian and to think of leaving grieves me to the heart and adds to the depression.[19]

Roedd Griffith felly wedi ei ddal mewn sefyllfa ddyrys a bu'n rhaid iddo ystyried opsiynau anodd, megis y posibilrwydd poenus o ymadael â Jewin yn gyfan gwbl.

Yn y cyfamser roedd Edward William Richard a'i gefnogwyr yn teimlo'n hyderus a threfnwyd cyfarfod yn Llundain i gyflwyno tysteb gyhoeddus iddo gan ei gyfeillion a'i gyd-wladwyr.[20] Canmolwyd ei waith elusennol, ei gefnogaeth i gyfeillion a mudiadau Cristionogol. Yn ôl yr adroddiad yn y wasg roedd cannoedd yn y cyfarfod ond doedd neb o flaenoriaid Jewin yn eu mysg. Teg casglu bod nifer wedi gweld trwy'r propaganda a'r ymgyrch i wyngalchu'r meddyg.

Aros yn aelod yn Jewin a wnaeth Griffith a chyflwyno'r mater i strwythurau gweinyddol a biwrocrataidd yr enwad, gyda chynigion niferus yn cael eu cyflwyno gan Sasiwn Machynlleth i Gymdeithasfa'r De ac yn ôl i Sasiwn Caernarfon ym mis Medi 1848. Canlyniad hyn oll oedd anfon dirprwyaeth o'r enwad i Lundain i ymchwilio'r mater. Er yn araf deg, roedd arweinwyr yr enwad yn mynd i'r cyfeiriad cywir ac roedd Edward William Richard yn gweld y rhod yn troi. Roedd y ddirprwyaeth wedi dod i'r casgliad y dylid ei ddiarddel, ond cyn hynny fe ymddiswyddodd Richard mewn llythyr coeglyd a sur. Cyflwynodd writ yn erbyn Griffith fel penblaenor y capel a'r un a oedd â chyfrifoldeb i weinyddu'r ddisgyblaeth, gan ei gyhuddo o athrod 'am eiriau a ddywedasai, neu yn hytrach a ddarllenasai' ynglŷn ag achos o ddisgyblaeth.[21] Roedd delio gydag achos Richard, a hynny yn ddyletswydd ar ran y Trefnyddion Methodistaidd, yn boen meddwl i'r penblaenor. Byw mewn cytgord a heddwch â'i gyd-ddyn oedd un o nodweddion Griffith, a byddai'n anodd ei bechu am iddo dueddu i weld yr ochr orau i farn a gweithredoedd pawb.

Ddechrau mis Tachwedd 1848 ysgrifennodd Griffith at Sarah gan adrodd yr hyn a ddigwyddodd yn y capel:

> I then asked if I might be permitted to say a few words, and was allowed to do so. I then stated that Mr Richard had in his defence endeavoured to show that I was the cause of all the trouble to the Church … I therefore stated it to be my wish to give up my Office as an Elder for the following reasons, 1st That my health would not permit me to attend the evening Meetings for a great proportion of the year, and secondly that I had a Motherless Boy of 7 years old … I further stated that inasmuch as I had taken a share in the late contention, it might perhaps allay the feelings of those who had taken the contrary side, if I were to give up my Office; that I did not make such Offer with bad feelings … This proposal was formally put up to the Church and not a single hand was raised in favour of accepting my resignation

of Offices ... the act of the Church tends more than ever to engender in my breast a kind feeling towards themselves.[22]

Er bod y rhod wedi troi, rhaid oedd i Griffith Davies felly ei amddiffyn ei hun yn erbyn yr enllib ac roedd hyn yn gostus wrth ddefnyddio bargyfreithwyr galluocaf y deyrnas – Fred Thesiger, J. A. Mynard a Morgan Lloyd – i baratoi'r amddiffynfa.[23] Bu raid i hoelion wyth yr enwad roi tystiolaeth, fel ei gyfaill y Parchedig Henry Rees, Lerpwl a'r Parchedig Roger Edwards, Yr Wyddgrug, gan dystio mai gweithredu yn unol â chyfansoddiad yr enwad a wnâi Griffith. Ceisiodd y ddau weinidog hefyd 'dawelu y teimladau anfrawdol oedd wedi hir barhau' ymysg aelodau Jewin.[24] Ym mis Ebrill 1848 mae'n rhoi gwybod i Roger Edwards am amserlen yr achos ac yn nodi:

> I have heard nothing new about Richard's proceedings, but my own Solicitor can hardly believe as yet that he will venture to Court for he thinks that his object in entering the Action was nothing more than revenge and a desperate attempt to exort money from me rather than I should meet him in Court. I believe that I can truly say that I have never been a quarrelsome or litigious person, and that I have not deserved this treatment at Richard's hands. I do however endeavor to confide myself and all my circumstances to the care and guidance & protection of him who ruleth over all.[25]

Dial am beth felly oedd Richard? A oedd anghydfod arall o'r gorffennol yn ei gorddi? Tybed a oedd yn gobeithio y byddai Griffith yn setlo i osgoi cyhoeddusrwydd? Ni ellir ond dyfalu.

Bu'r holl helynt yn boen meddwl i Griffith Davies a hefyd yn gost sylweddol. Nid oes unrhyw sicrwydd fod yr arian a wariodd i baratoi at yr achos wedi ei ad-dalu iddo am gyflawni ei waith fel blaenor. Ceir cyfeiriad fod cyfarfod misol ym Metws-y-Coed ym mis Awst 1849 wedi trefnu casgliad at yr achos cyfreithiol a bod £15 wedi ei gasglu o un rhan o sir Feirionnydd.[26] Mae Gwynedd Davies yn nodi:

Am y gwasanaeth poenus hwn cynigiodd y Corff
Methodistaidd ddiolchgarwch gwresog i Griffith Davies wedi
ei arwyddo gan William Morris, St Davids a Henry Rees,
Liverpool. Bu symudiad cyffredinol hefyd yn yr enwad i
ddwyn traul y gyfraith.[27]

Ond nid oes prawf fod casgliadau'r henaduriaethau wedi llwyr
ddigolledu Griffith.

A beth oedd canlyniad yr achos llys? Ni fu achos gan iddo gael
ei dynnu yn ôl ar y funud olaf. Ar y diwrnod blaenorol, fe ddygwyd
Edward William Richard ger bron yr Henadur Carden yn y Guildhall,
Westminster wedi ei gyhuddo 'with uttering two forged receipts for
rent'.[28] Roedd Richard wedi bod yn derbyn £5 y mis gan Edward
Edwards, un o flaenoriaid Jewin, i'w gyflwyno fel rhent i ŵr o'r enw
Mr Lilly, a oedd yn berchennog adeilad capel Denmark Street –
cangen o Jewin. Roedd Jewin yn cael derbynneb gan Richard ond ni
dderbyniodd Mr Lilly yr arian. Yn dilyn ymchwiliad gwelwyd mai
ffug oedd y derbynebau. Codwyd gwarant a chymerwyd Richard i'r
ddalfa. Yn dilyn y gwrandawiad cafwyd ef yn euog gan yr Henadur
Carden a chan fod y drosedd yn rhy ddifrifol iddo gael ei ryddhau ar
fechnïaeth, fe'i dedfrydwyd i gyfnod yn y carchar.

Er na chafwyd cyfeiriad at yr achos llys yng nghofiant Barlow,
mae Gomer M. Roberts yn croniclo'r helynt yn helaeth yn ei gyfrol
ar hanes Eglwys Jewin Llundain.[29] Ar ôl i'w gyfrol gael ei chysodi
mae'n ychwanegu atodiadau helaeth sy'n cynnwys dyfyniadau
o lythyrau perthnasol o Archifdy Prifysgol Bangor, yn ogystal â
gwybodaeth a gyflwynwyd iddo gan Llewelyn Gwyn Chambers. Yn
gynharach, mae Gwenallt, cofiannydd Roger Edwards, yn crynhoi
fel hyn: 'Modd bynnag, barnodd yr erlynydd mai gwell oedd peidio
mynd ymlaen gyda'r cyngaws, ac felly rhyddhawyd y tystion.'[30] Ni
cheir unrhyw gyfeiriad at y drwgweithredu gan H. R. Evans yn ei
erthygl helaeth am fywyd a gwaith y Dr Edward Richard.[31] Ai diffyg
gwybodaeth a ffeithiau am yr hyn a ddigwyddodd a geir yma ynteu
achos anghofrwydd hwylus Anghydffurfiol?

Cefnogi gweinidogion a'i enwad

Drwy gydol yr achos blin gyda Richard cafodd Griffith gefnogaeth dawel gan weinidogion yr enwad. Gwyddent fod Griffith yn edmygu eu gwaith a chyda'r parch mwyaf i'w galwedigaeth. Roedd nifer o'r rhain yn unigolion disglair wedi cysegru eu gyrfaoedd i bregethu'r efengyl. Bu'n hael ei gefnogaeth i James Hughes ac yn groesawus gyda gweinidogion yr enwad wrth iddynt ymweld â Llundain. Treuliodd Henry Rees gyfnod yno a Griffith yn mynnu fod ei wraig a'i blant yn 'gwneud eu cartref yn ei dŷ nes y byddai tymor ei wasanaeth yn Llundain ar ben'.[32] Teimlai Griffith yn gryf fod angen i weinidogion gael cydnabyddiaeth deilwng gan eglwys ac enwad. I ymateb i'r annhegwch ysgrifennodd i'r *Drysorfa* yn 1833 i ddatgan y dylid 'sefydlu Trysorfa ymhlith y Trefnyddion Calfinaidd er cynorthwyo pregethwyr tlodion a'u gweddwon', gyda'r angen i gronfa o'r fath gael ei 'sefydlu ar seiliau safadwy dan ardwyaeth dynion cymmhwys i arolygu drosti'.[33]

Roedd am iddi weithredu fel cymdeithas fâd (*benefit society*) gyda chyfraniadau gan yr aelodau (gweinidogion) ac am

> warchod rhag creu ymysg pregethwyr ysbryd o ymddibyniad
> ar eraill, yn lle eu llafur eu hun … ac am eu llafur yn pregethu
> yr efengyl dylent gael llawn gymaint o dâl ag a allent ei ennill
> gyda eu galwedigaethau cyffredin.

Fe âi rhagddo i egluro fel y gellid gwneud cyfraniad misol a chynlluniodd dabl a oedd yn gosod allan y berthynas rhwng y cyfraniad penodol, yr oed ymaelodi a'r arian a fyddai'n cael ei dalu i deuluoedd ar farwolaeth yr aelod dan sylw. Mae'n ychwanegu'n bragmataidd o'i brofiad helaeth fel actiwari wrth gloi'r llythyr na fyddai am i'r 'Gymdeithas ganiatáu i un pregethwr dalu mwy na £100 ar ei farwolaeth nag chwaith dderbyn neb fel aelod heb fod yn iach'.

Araf oedd ymateb yr Hen Gorff ac mae Griffith Davies yn sgwennu i'r *Drysorfa* eto yn 1846 i ddatgan ei fod 'yn falch o glywed fod y Trefnyddion Calfinaidd o'r diwedd yn gwneud gwell darpariaeth i gynnal eu gweinidogion', ac mae am 'weled y cyfryw amcan yn cael ei ddwyn ymlaen gyda brys fel na byddom yn ymddwyn tuag at ein gweinidogion yn groes i gyfiawnder, i reswm ac ysgrythur.[34] Ymhelaethodd ar fanteision y gronfa, gan nodi, 'Yn Scotland mae pob gweinidog, ac ysgolfeistr plwyfol, o dan orfodaeth i gyfrannu tuag at gymdeithas ddarbodawl.' Y cymdogion gogleddol ar y blaen eto. Gwneir apêl i'w gydwladwyr roi cefnogaeth hael i'r gronfa ac i bob aelod gyfrannu ceiniog y mis. I'w gydwladwyr na allai fforddio hynny, mae'n 'addaw chwarter cant o bunnau tuag at ei chychwyniad'. Yr hyn sydd ddim yn cael ei ddatgelu yn ei lythyr yw ei fod wedi rhoi cymorth i'r Albanwyr i sefydlu'r gronfa yn ogystal â chynorthwyo enwadau eraill.[35] Yn 1839 adolygodd reolau a rheoliadau'r corff ble roedd gweinidogion yr Annibynwyr yn amlwg ynddo – The Protestant Union for the Benefit of Ministers of all Denominations. Cyfeirir at ei haelioni i gronfa'r Hen Gorff mewn cylchgrawn Wesleaidd a rhoi her i'r aelodau: 'Pwy ym mhlith y Wesleaid Cymreig a wnaeth hynny?'[36]

Yn ystod yr 1840au roedd y trefnyddion Calfinaidd wedi sefydlu athrofa yn y Bala i hyfforddi gweinidogion ac yn gwahodd unigolion i gyflwyno llyfrau yn rhoddion i ddatblygu'r llyfrgell. Byddai'r *Drysorfa*'n cyhoeddi'n fisol y rhoddion a dderbyniwyd a'r hyn oedd ei angen. Crëwyd rhwydwaith o fannau casglu yng Nghymru a Lloegr, gan gynnwys pwynt cyswllt yn Llundain, sef Griffith Davies, Ysw., 11, Lombard Street.[37] Bu hefyd yn gwasanaethu ar Bwyllgor Trefeca[38] ac ar bwyllgor gan yr enwad oedd yn derbyn adroddiadau gan y Parchedig John Mills am ei waith yn cenhadu ymhlith Iddewon Llundain.[39] Nid yw'n glir o'r adroddiadau a oedd yr ymdrechion cenhadol hyn yn cyrraedd unrhyw nod ac a oeddynt yn rhan o ymgyrchoedd cydweithredol gydag enwadau efengylaidd eraill.

Owen Thomas

Daeth cyfnod i ben yng nghapel Jewin ar ddechrau gaeaf 1844 yn dilyn marwolaeth James Hughes, y gweinidog a phrif esboniwr y Beibl yn y cyfnod hwn. Byddai dewis ei olynydd yn rhan o gyfrifoldeb y blaenoriaid ac fel sy'n nodweddu'r rhai sydd â chyfrifoldeb o'r fath cytunwyd y byddai creu rhestr fer o hoelion wyth yr enwad yn fan cychwyn. Roedd Griffith yn adnabod rhai o'r rhain yn dda iawn. Byddai'n lletya gyda Henry Rees yn Lerpwl ac yn ymweld â John Jones Talysarn, i lawr y llethrau o'r Cilgwyn, yn ystod ei ymweliadau â'i deulu. Un tro, ceisiodd berswadio John Jones i ddod i Lundain i gymanfa'r Pasg ac aros am y tymor arferol i weinidogaethu. Gwrthododd gan ddatgan fod 'fy nheulu yn fawr ac yn fân, ac nis gallaf eu gadael cyhŷd o amser'.[40] Ar ymweliadau eraill byddai Griffith am geisio perswadio Rees a Jones i dderbyn yr alwad i Lundain.

Yn dilyn y broses o ddewis a dethol, yr un a dderbyniodd alwad Jewin oedd y Parchedig Owen Thomas, 'areithydd perffeithiaf o holl bregethwyr Cymru', oedd ar y pryd yn gweinidogaethu yn y Drenewydd.[41] Roedd yn gyfarwydd â Llundain gan ei fod wedi bod yno am gyfnodau i bregethu ac wedi creu argraff. Yr oedd yn meddu ar gof eithriadol a gallai adrodd y Testament Newydd ynghyd â saith neu wyth o lyfrau'r Hen Destament. Llwyddiant mawr Griffith a'r blaenoriaid eraill oedd dwyn perswâd ar un o sêr yr enwad i ddod i Jewin ar ddiwedd 1851. Cafodd groeso a gwnaeth ei gartref yn ystod y misoedd cyntaf gyda Griffith yn 25 Duncan Terrace, Islington. Roedd y ddau yn adnabod ei gilydd ers blynyddoedd ac Owen Thomas wedi bod yn mynychu capel Brynrodyn wrth gael ei brentisio fel saer maen, gan dreulio amser gyda'i dad yn gweithio yn ystâd Glynllifon. Yn nhŷ'r penblaenor cafodd y gweinidog newydd ystafell ychwanegol helaeth i gadw ei lyfrau niferus. Roedd un o'r morynion, geneth Saesneg, wedi cymryd mai llyfrwerthwr oedd y lletywr newydd ac yn pryderu amdano gan nad oedd neb i'w weld yn dod yno i brynu.[42] Ond roedd llyfrwerthwyr niferus Llundain wedi cael cwsmer ffyddlon a Griffith yn gydymaith gwerthfawr.

Fel gweinidog, daeth Owen Thomas â chyfeiriad newydd i'r achos yn Jewin. Bu'n ddoeth iawn i osgoi tensiynau yn ymwneud â'r diwydiant llaeth ac, yn hytrach, aeth ati i gyflwyno heriau newydd i'r aelodau. Roedd tyrfaoedd yn heidio i'w glywed yn pregethu ac er bod cynifer â 60,000 o Gymry'n byw yn y ddinas, doedd ond lle i 5,000 o bobl yn holl gapeli Llundain.[43] Ceir ffigwr llai ar gyfer y rheiny a anwyd yng Nghymru yng nghyfrifiad 1851 fel y trafodir yng nghyfrol Emrys Jones.[44] Beth bynnag yr union nifer, roedd y Cymry wedi'u gwasgaru ar draws y ddinas yn hytrach na'u crynhoi mewn ardaloedd penodol fel y cymundedau Iddewig a'r Gwyddelod. Roeddynt hefyd yn colli cysylltiad â chrefydd yn y metropolis, a hyn yn fater o bryder i'r Anghydffurfwyr. Adeiladodd y Methodistiaid Calfinaidd 800 o gapeli yng Nghymru ar gyfer 300,000 o aelodau yn hanner cyntaf y ganrif. Er hynny, wrth i'r boblogaeth symud i ddinasoedd fel Llundain, roedd gan yr Hen Gorff her newydd a sylweddol ar ei dwylo.

Nid fod Llundain yn brin o wasanaeth gweinidogion, wrth gwrs. Yn ôl *Y Traethodydd*:

> Roedd pump o weinidogion sefydlog (mewn pymtheg o ystafelloedd lle y cynhelir moddion crefyddol yn ein hiaith) ac oddeutu deg o weinidogion cynnorthwyol un o ba rai sydd yn arfer treulio cyfran o'u hamser i ymweld â'r Morwyr Cymreig yn y gwahanol borthladdoedd ar lanau yr afon Tafwys, dau genhadwr cangen Gymreig o Genhadaeth Ddinasyddol Llundain (London City Mission) ac yn gwasanaethu'r Cymry mewn Tlytoi, ysbytai a charcharorion.[45]

Ceir blas ar fywyd y Cymry yn Llundain yn y dyfyniad a'r awydd i gyrraedd pawb, ond anodd fyddai gwneud y gwaith heb adeiladau addas. Ffurfiwyd cronfa i godi capeli ac ysgoldai newydd gyda Griffith yn drysorydd. Canlyniad hynny oedd agor capel newydd yn Grafton Street (1851), Wilton Square (1853), Nassau Street (1856), ac yn nes ymlaen yn ardal Poplar (1857) a Paddington (1859). Achub eneidiau ac adeiladu'r Eglwys oedd unig amcan Owen Thomas.[46] Gwnaeth hyn gydag arddeliad ond roedd Llundain yn sialens enfawr iddo; mewn erthygl yn *Y Drysorfa* ar ôl ychydig flynyddoedd, mynegodd fod y ddinas yn 'le mawr, gwyllt ac anuwiol'.[47] Yn ddiweddarach symudodd i Lerpwl lle bu'n gweinidogaethu yng nghapel Princes Road, sef eglwys gadeiriol Cymry Lerpwl a'r 'capel godidocaf a godwyd gan Gymry erioed'.[48]

12

PEN Y DAITH AC EPILOG

Fel unigolyn gwelir dyn nawr fel enigma, ond yn dorfol mae'n broblem fathemategol.

Robert Chambers[1]

Dirywiad iechyd

Yn dilyn priodasau a phrofedigaethau'r degawd diwethaf roedd 25 Duncan Terrace wedi tawelu ac roedd yn falch o gwmni Owen Thomas, ei weinidog. Yng nghyfrifiad 1851 preswylwyr y tŷ oedd Griffith, ei fab 9 mlwydd oed Griffith Davies, ei nai Thomas Barlow yn 26 a dwy forwyn o Gymru, Eleanor Evans ac Ann Davies. Roedd iechyd Griffith yn fater o bryder i'r teulu ac yn y cyfnod hwn ceir tystiolaeth fod Thomas Barlow wedi dechrau ar y gwaith o baratoi'r cofiant iddo gydag arweiniad uniongyrchol ei ewythr.[2] Roedd wedi dod allan o gongl ddigon tywyll o ran iechyd cyn hyn. Cael a chael oedd iddo gael adferiad o'r teiffws pan oedd yn blentyn ac roedd ei iechyd yn fregus drwy gydol ei fywyd. Dyma un o'r prif resymau iddo ymwrthod â llywyddiaeth Athrofa'r Actiwarïaid, corff yr oedd wedi gwneud cymaint i'w sefydlu. Roedd George Darling, meddyg y Guardian, wedi ei gynghori fod gwynt y môr yn dda i'w iechyd ac ar Sadyrnau byddai'n aml yn mynd ar y stemar i aber Afon Tafwys ac yn ôl.

Ddegawdau ynghynt cafodd gyngor fod smocio pibell yn cael gwared â pheswch ac roedd yn grediniol fod ysmygu yn ei wella. Byddai'n encilio'n ddyddiol ganol dydd o'i swyddfa i ystafell arbennig yn y ddinas i gael smôc. Tybed a oedd y mygdarthu gwirfoddol yn y cyfnod hwn wedi ei arbed rhag afiechydon yr oes? Oedd, fyddai ateb Griffith, ond fel roedd yr hen fegin yn dirywio byddai'n dod i gasgliad gwahanol ac edifeiriol. Mae Barlow hefyd yn cyfeirio at ei ddiléit ar ôl cael ei bryd bwyd nosweithiol i lenwi ei bibell a dechrau gweithio. Ond ymhen dim amser byddai wedi ymgolli yn y fathemateg a'r bibell wedi'i hen ddiffodd.

Nid hawdd oedd cynnal sgwrs gyda'r henadur pan fyddai wedi ymgolli'n llwyr yn ei dasgau mathemategol. Wrth gyflwyno cwestiwn iddo mewn sgwrs byddai'n meddwl fel pe byddai'n mynd drwy broses feddyliol resymegol cyn ateb ac yn aml byddai'r sgwrs wedi symud ymlaen i faterion eraill. Ond ar un achlysur atebodd Griffith heb oedi. Gweithiai un noson gyda Thomas Barlow yn y tŷ pan ddaeth meddyg o gyfaill i'w weld gan ddatgan:

'How fortunate you are in having fixed principles to go by! There is so much speculation and guesswork in my profession.'
'Doctor you are quite mistaken. I always check my calculations by common sense.'[3]

O ganlyniad i hyn daeth ar draws camgymeriadau neu ganfod fod yr egwyddorion yn anghymwys. Camp Griffith wrth gwrs oedd nid y gwirio yn unig ond hefyd ei allu i ddehongli beth yn union oedd synnwyr cyffredin mathemategol.

Dechreuodd ei iechyd ddirywio yn ystod gaeaf 1845–6. Dioddefodd gyda chornwyd gwyllt ac yna ffliw difrifol. Ymhen blwyddyn datblygodd llid parhaol ar y frest a fu'n boen iddo am weddill ei ddyddiau; roedd yr anawsterau yma yn cyfyngu llawer ar ei ddiddordebau y tu allan i'w waith gyda'r Guardian. Yna ym mis Chwefror 1853, cafodd drawiad arall o'r llid ar y frest a bu'n gaeth i'w ystafell am wythnosau. Ei bryder mawr oedd dyfodol ei fab a thrafododd hyn gyda Sarah a Samuel a'i ddymuniad iddynt ofalu amdano petai ei iechyd yn dirywio ymhellach. Roedd yn awyddus i'w fab 'should at all times strictly adhere to truth by being frank and without deceit or guile'.[4] A cheir cyngor arall yn yr un ffynhonnell i'r mab, y tro hwn ym mhresenoldeb Sarah a Samuel:

> my dear boy – remember the counsel of your poor father gives you on his death bed. You are young now, but I do hope that you will beware of these two things, the love of drink and loose women. They are the ruin of thousands of young men.

Onid yw'r cyngor yn debyg i'r siarsio a gafodd yn ei ieuenctid ym Meudy Isaf hanner canrif yn ôl gan ei dad cyn i William ei frawd ac yntau fynd i Gaernarfon am swae?

Ewyllys

Sylweddolwyd yn fuan y byddai'n fuddiol i'r 'poor father' roi trefn ar ei bethau a gosod allan ei ddymuniadau'n ffurfiol mewn ewyllys. Dyna a wnaed.[5] Roedd ei ystâd i gael ei rannu rhwng Sarah ei ferch a Griffith ei fab, ac mae'n mynd i gryn fanylder wrth ddelio gyda nifer o bosibiliadau dros dreigl amser. Y mab ifanc fyddai'n etifeddu ei lyfrau, ei offer gwyddonol (oedd yn cynnwys microsgop, dau glôb, sgerbwd a chyfarpar niwmateg), y ddesg a chadwyn aur ei oriawr yn ogystal â'i fedal Cymdeithas y Celfyddydau a enillodd yn 1819. Y mab hefyd fyddai'n etifeddu llun o Griffith gyda'i ferch Sarah a'r tystlythyr ar femrwn felwm a gyflwynwyd iddo gan Athrofa'r Actiwarïaid yn 1849, ynghyd â dwy fferm yng Nghymru – Cefn Roger ym mhlwyf Coedana ar gyrion Llannerch-y-medd ym Môn a Thyddyn Mawr ym mhlwyf Llandwrog. Cyfrifoldeb yr ysgutorion oedd gwarchod a gweinyddu'r eiddo a'r asedau yma nes i'r mab gyrraedd oedran o 23.

Roedd Sarah Holbut Dew i etifeddu holl ddodrefn a llestri'r tŷ yn Llundain ynghyd â swm o £5,000, ond roedd amodau. Rhaid oedd i Sarah a Samuel Dew gadw tŷ yn Llundain er mwyn i'w fab Griffith gael byw ynddo hyd nes y byddai'n 23 oed. Roedd oblygiadau i Sarah

a Samuel gan eu bod yn byw dros ddau gan filltir i ffwrdd yn y Fron,
Llangefni, ac ar waith Samuel fel cyfreithiwr ym Môn. Dichon fod yr
amodau hyn wedi eu trafod gyda Griffith cyn iddo arwyddo'r ewyllys.
A fyddai bywyd wedi bod yn haws pe byddai Griffith Davies y mab
wedi symud i fyw i Fôn? Ond efallai fod yr amod yn gyfle i Samuel
Dew ymestyn ei fusnes i'r brifddinas?

Bu Griffith yn hael hefyd gyda'i deulu. Roedd ei dad Owen
Davies i gael blwydd-dâl blynyddol o £15 y flwyddyn, ond fel y
nodwyd bu farw yn ystod mis Mawrth 1854 yn 93 oed, gwth o
oedran i'r cyfnod. Rhoddwyd £75 i'w chwaer Margaret a hefyd siâr
yn y sgwner *Mersey*, a £100 yr un i Dafydd ei frawd a Jane ei chwaer.
Cafodd ei chwaer Catherine £50, gyda'r datganiad fod yr arian 'for
her sole and separate use independent of her husband'. Nid priodas
ddedwydd gafodd Catherine ac am gyfnodau ymadawodd ei gŵr i'r
Unol Daleithiau.[6] Mae hefyd yn cofio am dri mab ei ddiweddar frawd
John gyda Griffith, John a William Davies, ei neiaint, yn derbyn £100
rhyngddynt unwaith y byddant yn 21 oed – nid 23 sylwer! Yr unig
gyrff a dderbyniodd gefnogaeth ganddo oedd y capeli, gyda 19 gini
yn cael eu clustnodi i gapel Brynrodyn, i gapel Jewin ac i ysgol Sul yr
achos yn Llundain.

Roedd ei ewyllys yn ymddangos yn deg a thrylwyr gyda'i fab a'i
ferch yn cael eu trin yn weddol gyfartal o ystyried eu hamgylchiadau.
Ei frodyr a'i chwiorydd yn cael yr un tegwch, â'r ddau gapel a fu
mor bwysig iddo yn ei fywyd yn cael cyfraniadau anrhydeddus.
Arwyddodd ei ewyllys ym mis Chwefror 1854 ym mhresenoldeb
ei weinidog Owen Thomas a John Williams y cyfeirwyd ato fel
'cenhadwr'. Yr ysgutorion oedd Samuel Dew, ei fab-yng-nghyfraith
a'i neiaint Griffith Davies a Thomas Barlow, y tri rhyngddynt gyda
sgiliau yn y gyfraith, byd yr actiwari a gweinyddiaeth. Cawsant
flwydd-dâl blynyddol o £100 am eu gwaith. Roedd yr ewyllys
hefyd yn rhoi canllawiau iddynt ynghylch buddsoddi arian gyda
chwmnïau rheilffyrdd, Cwmni Dur Llynfi a chwmni yswiriant
bywyd Minerva yn cael eu nodi. Yr ysgutorion oedd i fod yn gyfrifol
am gasglu rhent a threfnu costau cynnal a chadw'r ffermydd hyd
nes i'r mab, Griffith Davies, cyrraedd 23 oed.

Gwelwn o gyfrifiad 1851 mai tenantiaid Tyddyn Mawr oedd Jane a William Roberts, ei chwaer a'i frawd-yng-nghyfraith, gyda'u merched Mary a Catherine. Roedd un arall yn byw yn y fferm, sef gŵr gweddw a chwarelwr 89 oed o'r enw Owen Davies, tad Griffith. Roedd rhesymau teuluol amlwg felly pam fod Griffith yn berchennog ar y fferm. Nid yw'r cysylltiad gyda Chefn Roger ym Môn yn amlwg. O'r un cyfrifiad, Owen Owens (41 oed) oedd yn ffermio yno gyda'i chwaer Marged.

Ymddiswyddo

Erbyn dechrau gaeaf 1854 roedd iechyd Griffith yn dirywio ymhellach a bu mewn trafodaethau helaeth gyda'r Guardian ynghylch trefniadau ar gyfer ymddeoliad. Nid oedd yn amser cyfleus gan ei fod ar ganol gwerthusiad seithmlwyddol a'r gwaith trwm a manwl angen ei gwblhau, ond roedd bellach yng nghanol ei chwedegau ac wedi gwneud diwrnod da o waith iddynt ers ei benodiad yn 1823. Profodd y cwmni yn llwyddiant eithriadol a rhaid oedd iddynt hwythau, erbyn hyn, edrych i'r dyfodol heb arweiniad yr actiwari a osododd sylfaen gadarn i'r holl fusnes. Cafodd gymorth dyn o'r enw Braddock a fyddai'n treulio amser gyda Griffith yn Duncan Terrace i gwblhau'r gwerthusiad. Gofynnwyd hefyd am ei farn ynghylch canfod olynydd ac nid proses ffwrdd â hi oedd hynny iddo. Ymgynghorodd yn helaeth gydag actiwarïaid y prif gwmnïau cyn argymell Samuel Brown. Bu'n ddewis doeth i'r cwmni ac ymhen amser cafodd ei anrhydeddu yn drydydd llywydd Athrofa'r Actiwarïaid.[7] Fel hyn y mae un o bapurau'r cyfnod yn cofnodi'r newid:

We understand that the venerable and talented Actuary, Mr Griffith Davies has found it necessary, in consequence of long-continued bad health, to resign his appointment as Actuary of the Guardian Office, and that Mr Samuel Brown, of the Mutual, has been appointed his successor: that Mr Charles Ingall succeeds to the Mutual; and that Mr Ryley has been appointed Actuary to the Reversionary Interest Society.[8]

Roedd y newidiadau yn arwydd o safle y prif gwmnïau yswiriant erbyn y cyfnod hwn.

Yn ystod mis Rhagfyr 1854 gwaelodd ymhellach yn dilyn dau drawiad a'i parlysodd ac achosi iddo golli ei olwg. Anfonwyd telegram i Sarah i ddod i Lundain ac yno y bu am wythnosau. Trefnwyd i Miss Williamson, a fu'n brif nyrs yn Ysbyty Saint Siôr yn y ddinas, ddod i fyw i'r tŷ i ofalu amdano – lle i'r tlodion oedd ysbytai. Bu hi yno am ychydig wythnosau a chyflwr Griffith yn sefydlog cyn iddi adael am y Crimea i gefnogi'r nafis oedd yn adeiladu rheilffordd yn y Crimea o dan arweiniad Syr Samuel Morton Peto. Nid oedd Griffith i'w weld yn gwella. Ddydd Mercher, 21 Mawrth 1855, tra bod gwladwriaeth Prydain yn ymprydio a gweddïo am fuddugoliaeth yn rhyfel y Crimea, bu farw Griffith Davies.

Yr angladd

Gwarchodfa natur yw Abney Park heddiw, sy'n hafan i adar, pryfetach a chasgliad helaeth o goed a phlanhigion eraill. Llecyn tawel llonydd dim ond tafliad carreg o fwrlwm Stryd Fawr Stoke Newington, un o faestrefi Llundain. Natur sy'n cael ei sylw bellach ond am gyfnod o dros ganrif dyma oedd mynwent Anghydffurfwyr y ddinas ac ymhlith y 200,000 o eneidiau mae nifer o Gymry adnabyddus, gan gynnwys Syr Hugh Owen, Henry Richard, Betsi Cadwaladr – a Griffith Davies.

Erbyn 1855 roedd mynwent Bunhill Fields yn llawn ac felly ni chladdwyd Griffith gyda'i ddwy wraig a'i dair merch. I fynwent Abney Park, ryw dair milltir hediad brân o'i gartref yn Duncan Terrace, y daeth mintai fechan o ddynion mewn galar ar 27 Mawrth: Griffith y mab 13 oed, Samuel Dew y mab-yng-nghyfraith a'i fab 4 mlwydd oed (Griffith Davies Dew), y ddau nai Griffith Davies a Thomas Barlow, dau o'i gyfeillion, Charles Parry a James John Downes, a hefyd ei feddyg Mr Phillips. Nid oedd y fynwent yn ddieithr i'r teulu. Yno y claddwyd ei frawd John a'i ail fab Thomas, a Griffith Edward Davies, mab hynaf ei nai Griffith Davies.

Bedd Griffith Davies ym mynwent Abney Park (bedd 13184)

Ar y Sul yn dilyn yr angladd, traddododd y Parchedig Owen Thomas, ei weinidog, y bregeth angladdol yn Jewin Crescent gan godi ei destun o'r wythfed bennod o lyfr Job a'r seithfed adnod, 'Er bod dy ddechreuad yn fychan, eto dy ddiwedd a gynydda yn ddirfawr'. Byddai'r capel wedi bod yn llawn i glywed un o brif bregethwyr yr enwad yn talu teyrnged i aelod a blaenor ffyddlon a fu'n driw i'w ffydd a'i enwad ar hyd ei oes. Roedd wedi mynychu'r achos am dros gyfnod o 45 mlynedd ac wedi cyfrannu mewn nifer o ffyrdd i dwf a datblygiad yr enwad yn Llundain a Chymru.

Teyrngedau

Yn dilyn marwolaeth Griffith Davies cyhoeddwyd y brif deyrnged iddo yn y Gymraeg gan Owen Thomas ac yn y Saesneg gan ei nai Thomas Barlow. Mae tir cyffredin yn y ddwy deyrnged ond maent wedi eu paratoi ar gyfer dwy gynulleidfa wahanol gyda'r pwyslais a'r cynnwys yn amrywio cryn dipyn. Owen Thomas oedd cyd-olygydd *Y Traethodydd* a chafodd y deyrnged le amlwg yn y cylchrawn gan ddechrau drwy gyfeirio at 'uniondeb, diwydrwydd ac ymroddiad' Griffith. Âi ymlaen i nodi:

> fod yn bosib i'r bachgenyn tlawd heb gael bron ddim mantais ysgol, ond iddo ofalu am gadw cydwybod dda a chymeryd ei lywodraethu gan y gwirionedd, ac nid gan chwantau, ddefnyddio y galluoedd a roddes y Creawdwr iddo, yn y fath fodd ag i ymddyrchafu mewn cymdeithas, dyfod yn adnabyddus ac anrhydeddus ym mhrif ddinas y byd, cael rhestru ei enw ymhlith gwyddonwyr yr oesoedd.[9]

Ymholodd wedyn ynghylch ei lwyddiannau cyn cyfeirio at y *post mortem* a wnaed ar ei gorff a barn y meddygon am ymennydd yr ymadawedig: 'nid oedd yn fawr; ond mewn cydsafiad, cyflyniad a chymhlethiad, yn rhagori ar ddim a welsant'. Mae Barlow hefyd yn mynd i dir ffrenoleg gan ddweud am yr ymennydd, 'though not very large, was one of the most compact and healthy that they had ever witnessed'.[10] Meidrolyn oedd Griffith wedi'r cyfan. Ceir dadansoddiad treiddgar o nodweddion ei lwyddiant gan Owen Thomas:

> Un ohonynt yn ddiddadl ydoedd unoliaeth ei amcan. Ni cheisiodd at lawer o bethau ... Cyfyngodd ei hunan gydag amcan i ragori yn hollol i un peth. Yr oedd wedi darllen ar lawer o bethau – ychydig ar bob peth braidd ond barddoniaeth ... a llawer iawn ar rai pethau, yn enwedig *Moral Philosophy* ... nid oedd mewn un modd yn frysiog, ond yn araf, a gofalus a manwl. Yr oedd yn cymryd pwyll fel y gallai fyned yn fuan ... Ni bu erioed feddwl mwy ymroddedig i'r amcan mewn golwg ganddo ... yr oedd y diffyg anadl ... a'r peswch blin oedd yn ei ddilyn ... yn ymadael ag ef mor llwyr am oriau cyfain, fel mai prin y gallesid credu nad oedd wedi hollol wellhad ... Roedd yr arafwch ... yn ei gadw bron bob amser rhag methu yn ei gasgliadau, hyd yn oed pan y byddent yn fwyaf dyrys ... ond pan ddigwyddai weithiau i ryw beth beri iddo roddi golygiad yn rhu brysur, fel ag i fod yn anghywir, o leiaf yn ddiffygiol, yr oedd fel pe buasai o'i fewn ryw is-ymwybodolrwydd o'r camgymeriad yn ei gadw yn anesmwyth nes gwneud ymchwiliad, a chywiro yr amryfusedd.

Mae'n amlwg fod Owen Thomas wedi sylwi'n fanwl ar ddulliau Griffith o weithredu fel mathemategydd yn ystod y cyfnod y bu'n lletya yn Duncan Terrace. Ymhelaethodd wedyn ar ei bersonoliaeth a'i Gymreictod:

> Yr oedd, ymhob ystyr yn un o'r rhai mwyaf dirodres a welwyd erioed. Yr un isel, gwylaidd, anymhongar, dirwysg a dirodres ag ydoedd pan y daeth i Lundain yn fachgen tlawd, y parhaodd hyd y diwedd. Yr oedd yn teimlo'n gynhes iawn tuag at wlad ei enedigaeth, ac yn dra eiddigus dros ei hanrhydedd hi ... Nid oedd dim ... yn rhoddi iddo fwy o foddhâd, na gweled rhai ohonynt [ei gyd-Gymry] yn cyrhaedd i swyddi o anrhydedd ac ymddiried, ac yn ymddwyn yn deilwng ynddynt. Gwnaeth

lawer ei hunain ymhlaid y cyfryw rai, am mae amryw o'i gydgenedl yn y brifddinas nas gallant yn fuan anghofio ei garedigrwydd.

Roedd ei weinidog hefyd yn ymwybodol o holl agweddau o waith a chyfraniad Griffith ac yn ei gydnabod fel aelod eglwysig a blaenor, gan nodi ei werthfawrogiad o 'gymdeithas y saint'. Campwaith yn ieithwedd y cyfnod yw teyrnged Owen Thomas.

Ddiwedd Mawrth roedd erthygl ar dudalen flaen y *Post Magazine and Insurance Monitor*, sef cylchgrawn proffesiynol i'r rhai oedd yn ymwneud ag yswiriant bywyd, yn cyhoeddi marwolaeth Griffith.[11] Ar ddiwedd yr erthygl ceir cyhoeddiad bod gwybodaeth bellach wedi dod i law ar ôl mynd i'r argraffdy ac ymhen ychydig wythnosau gwelir erthygl Thomas Barlow yn cael ei chyhoeddi yn yr *Assurance Magazine* a'r *Journal of the Institute of Actuaries*.[12] Mae'r erthyglau hyn, ac yn wir fersiwn llawnach o deyrnged Thomas Barlow, yn hynod werthfawr i roi gwybodaeth am waith a bywyd Griffith i ddarllenwyr y byd actiwari ac yswiriant. Ceir copi llawn o deyrnged Thomas Barlow, sy'n cynnwys cywydd anerchiadol Einion Môn, yn Archifdy'r Actiwarïaid yn Staple Inn, a cheir cyfeiriadau at y gwaith drwy'r gyfrol hon.[13]

Yn y wasg Gymreig cafodd ei farwolaeth sylw yn y *Cambrian Journal* gyda ffeithiau am ei fywyd, ac yn yr un mis gwelwyd erthygl yn *Yr Oenig*, sef cylchgrawn misol i blant yn ymdrin â chrefydd a oedd yn annog eu darllenwyr i 'hwylio ymlaen yn ymroddgar a phenderfynol ar hyd llwybrau dysg a gwybodaeth'.[14] Ynddi darluniwyd Griffith fel 'esiampl nodedig ... yn dangos y ffordd i enwogrwydd a bri yn y byd hwn, ac i ddedwyddwch tragwyddol yn y byd a ddaw'.[15] Y cyfuniad perffaith i Anghydffurfwyr yr oes. Yr un themâu a welir mewn erthygl hirfaith arall yn *Y Traethodydd* ac fe'i clodforir ymhlith llu o Gymry eraill ar draws yr oesoedd.[16]

Erbyn diwedd y flwyddyn cyhoeddwyd galargan er coffadwriaeth am Griffith yn *Y Drysorfa*.[17] Y Parchedig Robert Hughes, Uwchlaw'r Ffynnon, Llanaelhaearn oedd yr awdur, y porthmon tlodaidd y bu i Griffith roi cymorth iddo yn Llundain ddegawdau ynghynt. Erbyn hyn roedd Hughes yn bregethwr poblogaidd, ffermwr a bardd. Gwnaeth yr alargan werinol hon gyfraniad pwysig i gadw'r cof am Griffith yn fyw mewn cylchoedd yng Nghymru. Ceir ffraethineb gwreiddiol ac ychydig o or-ddweud ond gwybodaeth drylwyr o fywyd a gwaith Griffith. Dyma'r penillion cyntaf ac olaf o'r 18:

> Un o'th anwyl feibion eto,
> Aeth i huno, Gymru dlawd!
> Er bod mewn sefyllfa uchel,
> Fe arddelai Gymro'n frawd:
> Dy iaith siaradai yn ddilediaith
> Yn mhrifddinas fawr y Sais;
> Dy lênyddiaeth hefyd noddai,
> A'th grefydd oedd ei uchel gais.
>
> Y problem penaf o'i rifyddiaeth,
> Oedd dysgu cyfri'i ddyddiau hun,
> A dwyn ei galon i ddoethineb,
> Cyn cyfarfod Mab y dyn;
> Daeth trwy lawer cwestiwn caled,
> Dd'rysai bawb trwy wlad a thref;
> Erbyn hyn ca'dd yntau ddigon
> Yn nghyfrifon nef a nef!

Roedd Griffith bellach yn esiampl odidog gan y Cymry o rywun a gafodd ei dderbyn a dod ymlaen ym 'mhrif ddinas y byd'. Ei werthoedd a'i ddaliadau crefyddol oedd yn cael sylw yn y cylchgronau Cymreig yn hytrach na'i gyfraniad i fathemateg.[18] Ac roedd ei allu yn cael ei gyfeirio ato mewn pulpudau o bryd i'w gilydd. Mae Gwynedd Davies yn sgwennu am

> hen bregethwr o Sir Gaernarfon – yr hen Forris Jones. Roedd yr hen frawd wedi pregethu am gyfoeth yr Iawn a dyfnderoedd Gras, ac yn gwybod am Griffith Davies, Llundain, fel un heb ei fath am wybodaeth o Fathematics, ac ebai – 'mi ddeffeiai

Gruffydd Dafydd Llundain i wybod hyn. Does neb all ddod o hyd i waelod hwn – Cariad Crist yr hwn sydd uwchlaw gwybodaeth.'[19]

Roedd ei fywyd hefyd yn esiampl o hunan addysgu mewn nifer o erthyglau[20] ac yn enghraifft o ddyn oedd wedi ennill enwogrwydd er gwaethaf anfanteision mewn traethodau a gyhoeddwyd yn Eisteddfod Genedlaethol Caernarfon 1862.[21] Yn y ganrif ddiwethaf bu'r Eisteddfod Genedlaethol yn gyfrifol am gofáu gyrfa Griffith mewn o leiaf ddwy ffordd yn ystod ei hymweliadau â Chaernarfon. Yn 1935, cafwyd cystadleuaeth i ysgrifennu traethawd – 'Bywyd a Gwaith Griffith Davies y cyfrifydd' – gyda gwobr o £10 10s. 0d a beirniadaeth gan 'yr Athro E. A. Owen M.A., D.Sc., Bangor'.[22] Gwynedd Davies, Bryn Golau, Pwllheli oedd yn fuddugol ac mae traethawd dau o'r cystadleuwyr eraill, sef William Roberts, Bod Gwilym, Caernarfon a 'Brevier' wedi eu harchifo'n ddiogel.[23] Roedd Davies a Roberts yn ddisgynyddion o deulu Bodgarad Rhostryfan ac

Y gofeb lechen ger Beudy Isaf, Y Groeslon

felly gyda gwybodaeth deuluol am Griffith. (Ceir gohebiaeth hefyd rhwng William Roberts a'r Parchedig William Williams Glyndyfrdwy yn 1898 yn sôn am ystyried sefydlu ysgoloriaeth i gofio am Griffith Davies ond nid oes tystiolaeth i hyn gael ei wireddu.[24]) Yna yn 1959 cafwyd pasiant 'Hanes Canrifoedd Gwynedd' gan blant Caernarfon a Gwyrfai gyda chymeriadau lleol o wahanol gyfnodau – Syr John Glyn, John Elias, Dic Aberdaron, Lloyd George, ac yn eu plith Griffith Davies.

Y cyhoeddiadau Seisnig

Yn ôl yn 1855, cafodd ei farwolaeth sylw amlwg yn y wasg Saesneg gyda chyhoeddiad a chrynodebau o'i yrfa yn y *Morning Post*, *The Times*, *The Critic* a'r *Illustrated London News*, a thros drigain o bapurau newydd ym mhob cwr o Brydain ac Iwerddon, yn ogystal â'r *Bombay Gazette*, a gyhoeddodd y pennawd 'Self made man'.[25] A gafodd Cymro Cymraeg o dras gyffredin gynifer o deyrngedau â hyn o'r blaen? Ymhen amser roedd ei farwolaeth yn cael ei gofnodi mewn amrywiol lyfrau ac yn cael ei gofio a'i gynnwys yng nghyfrolau'r *Dictionary of National Biography*.[26] 'One of the most brilliant men ever engaged in the insurance business' oedd barn prif gylchgrawn y byd yswiriant.[27]

Un o ddyletswyddau ysgutorion ewyllys Griffith oedd cyhoeddi'r *magnus opus* hir-ddisgwyliedig, a dyna a wnaed.[28] Mae'n llyfr 400 tudalen trwchus a thechnegol sy'n delio gyda blwydd-daliadau, tablau marwolaethau ac agweddau o gyllid, gan gynnwys llu o dablau manwl a fyddai'n waith hir iawn i'w cwblhau. Er bod rhannau o'r llyfr eisioes wedi'i gyhoeddi ac wedi cael cylchrediad ymysg ei gyd-actiwarïaid, gresyn na fyddai'r gwaith wedi ei gyhoeddi ynghynt ac ni cheir unrhyw reswm am yr oedi yn y rhagymadrodd. Ceir eglurhad o'r cynllun colofnog a gwaith Griffith yn estyn syniadaeth Barrett. Wrth egluro'r datblygiadau mathemategol roedd yn fantais fawr fod un o'r ysgutorion, sef Griffith Davies y nai, yn actiwari gyda chymdeithas yswiriant y Law Life. Eglurwyd felly beth oedd yn orffenedig gan Griffith, yn addasiadau gan yr ysgutorion o waith anghyflawn a gwaith oedd wedi ei hepgor o'r gyfrol. Roeddynt hefyd yn egluro pa rannau o'r llyfr oedd wedi dyddio. Beth bynnag am y trafferthion yn cyhoeddi ar ran yr ymadawedig, cafodd y cyhoeddiad dderbyniad hael a chefnogol, ac mae nifer o'r adolygiadau yn pwysleisio gwerth y gwaith i fyfyrwyr yr wyddor actiwari.[29] Byddai Griffith yr addysgwr wedi ei blesio.

Ar achlysur dathlu canrif ers sefydlu'r Institute of Actuaries cynhaliwyd arddangosfa helaeth yn Llundain yn 1948. Yno gwelid gwaith, offer a chreiriau rhai o'r prif fathemategwyr ac actiwarïaid gan nodi eu cyfraniad i ddatblygiad y proffesiwn.[30] Roedd lle amlwg i Newton, Halley, de Moivre, Price, De Morgan, Gompertz, Finlaison, de Morgan a Griffith Davies, gyda chasgliad o'i lyfrau ac enghreifftiau o'r tablau gwreiddiol a ddatblygodd yn ystod ei yrfa. Yna, yn 1973, i ddathlu canrif a chwarter ers ei sefydlu, trefnwyd arddangosfa debyg i ddangos gwaith yr arloeswyr yn y maes.[31]

Portreadau

Ychydig o luniau o Griffith sydd wedi goroesi. Ceir portread olew ar gynfas yn rhan o gasgliad Amgueddfa Cymru, sy'n arddangos Griffith yn ei bedwardegau ac yn glerigol-ddifrifol ei wedd, gyda llyfr a glôb o'i gwmpas yn arwydd o ddysg, ysgolheictod a statws.[32] Dyma ei gyfnod yng Nghymreigyddion Caerludd a thybed ai Hugh Hughes yw'r arlunydd anhysbys? Yr oedd wedi portreadu nifer o aelodau eraill y cyfnod a'r ddau yn adnabod ei gilydd yn dda iawn ac wedi cydweithio a chyd-ymgyrchu. Un esboniad gan Peter Lord, yr hanesydd celf, yw bod y portread o Griffith wedi ei ddarlunio cyn 1829 pan ddaeth y ddau i gysylltiad agos ac felly doedd dim angen un arall.[33] Ceir llun hefyd o Griffith yn y Llyfrgell Genedlaethol (Llun 1) gan yr arlunydd Sydney Prior Hall yn 1869.[34] Y tebygrwydd yw bod Sarah wedi comisiynu Hall i lunio'r portread o ffotograff (*daguerreotype*) o'r 1840au[35] ac yn ei dyddiadur ym mis Mehefin 1875 mae'n nodi iddi fynd i'r Academi Frenhinol yn Llundain, yn ystod un o'i hymweliadau, i weld arddangosfa Hall.[36] Mae'r trydydd portread gan gyfansoddwr yr alargan, sef Robert Hughes, Uwchlaw'r

Portread o Griffith Davies gan Robert Hughes
(*Trwy ganiatâd caredig y perchennog*)

Ffynnon. Dechreuodd beintio yn ei bumdegau a gallai ddarlunio gyda chof ffotograffig ac arddull unigryw.[37] Gallwn fod yn sicr mai yn Llanaelhaearn y gwnaed y gwaith.

Crynhoi

Ei deulu, felly – ei ferch Sarah, y neiaint Thomas Barlow, Griffith
Davies a Robert Hughes, ac ymhen canrif ei or-wyresau Catherine
Dew Roberts, Mona Dew Roberts ac Evangeline Humphrey Evans
– sydd, mewn amrywiol ffyrdd wedi diogelu agweddau allweddol o'i
fywyd a'i waith. Heddiw, gyda'r dystiolaeth amrywiol a darniog, un o
dasgau cofiannydd yw ystyried a dehongli ei waith a'i werthoedd ar ôl
mwy na dwy ganrif. Sut yr ymatebodd i heriau a threialon ei gyfnod
a beth yw perthnasedd y rhain i ni heddiw? Beth yw ei waddol a'i
gyfraniad at wella bywydau ei gyd-ddyn?

Yn fathemategol, mae Griffith yn enghraifft ddisglair o allu
naturiol eithriadol a oedd yn cael ei feithrin drwy hunan-addysgu
oherwydd absenoldeb unrhyw gyfundrefn addysg. Y gallu hwnnw
wedyn yn cael ei ddatblygu drwy ffrwd addysg breifat yn Llundain,
adnoddau cymdeithas fathemategol ac anogaeth, a'r cyfleoedd a
ddaeth i'w ran. Nid pwnc damcaniaethol oedd mathemateg i Griffith
ond cyfrwng i wella bywydau a chreu cymdeithas decach, boed
hynny wrth ddelio gyda thaliad am fargen yn y chwarel, ymdrin â
chwsmeriaid yng nghwmni yswiriant y Guardian neu osod canllawiau
i gymdeithasau cyfeillgar. Cymhwysodd fathemateg i wella deial
haul, deall seryddiaeth a threiddio i ddirgelion cromlin gadwynog
pont grog. Ysgrifennodd lyfrau am bynciau fel trigonometreg a'r
astudiaeth o ystadegaeth, a oedd yn gwella dealltwriaeth o yswiriant
bywyd ac yn gosod cyfeiriad newydd i wyddoniaeth actiwari. Profodd
fod mathemateg yn ymdreiddio, fel heddiw, i bob rhan o'n bywydau.

Yn gefnlen hefyd i'w fywyd yr oedd ei gred angerddol dros addysg
fel ffordd o wella'r unigolyn yn ei gymdeithas. Yn Llundain bu'n athro
mewn nifer o ysgolion cyn sefydlu ei athrofa ei hun. Roedd ganddo'r
hyder a'r gallu i symleiddio agweddau o fathemateg ar gyfer ei
ddisgyblion. Daeth ei ysgol ymhen ychydig flynyddoedd yn feithrinfa
i genhedlaeth newydd a gwerthfawrogol o actiwarïaid. Sefydlodd
gwricwlwm cyflawn ac arholiadau i'r proffesiwn. Anghenion addysgol
oedd un o'r prif resymau y bu'n ymdrechu mor galed am flynyddoedd
i sefydlu athrofa i'r proffesiwn. Credai'n gryf mewn cydweithio o fewn
ei faes a chyda mathemategwyr a gwyddonwyr y tu allan i'r wyddor

actiwari. Rhaid oedd i'r proffesiwn newydd gael cyfle i drafod a dadlau a gwyntyllu safbwyntiau yn ogystal â chydweithio gyda chyrff eraill. Nid rhywbeth i'w gaethiwo oedd gwybodaeth ond rhywbeth i'w rannu. Dyma un o gonglfeini gwyddoniaeth ac addysg drwy'r oesau, ac roedd ganddo'r crebwyll a'r sgiliau i arwain cyfarwyddwyr y Guardian i weld manteision masnachol mewn rhannu a chydweithio. Cefnogodd amrywiol gymdeithasau dysg yn Llundain, ysgolion i'r Cymry, colegau i'w enwad ac ymgyrch Hugh Owen i sefydlu ysgolion anenwadol. Gwnaeth yn sicr fod ei deulu'n manteisio'n llawn ar ddarpariaeth addysg yn Llundain. Roedd am sicrhau fod y Gymraeg yn rhan ganolog o'r byd newydd ac nid anghofiodd mai yn yr ysgol Sul ym Mrynrodyn y dysgodd ddarllen ar gychwyn ei daith.

Bu crefydd yn ganolog i'w fywyd drwy gydol ei oes. Credai ei fod yn gyfrwng i wella ei amgylchiadau a rhoi rhwydwaith werthfawr o gysylltiadau iddo, ond credai hefyd mai eilradd fyddai'r manteision hyn mewn gwirionedd. Neges efengylaidd y Methodistiaid Calfinaidd oedd yn ei gyffroi a'i ysbrydoli a dyna fu'n gynhaliaeth iddo yn ei fywyd a'r profedigaethau lu a ddaeth i'w ran. Bu'n driw i'w enwad drwy gydol ei oes gan wasanaethu a chyfrannu'n gadarnhaol mewn amrywiol ffyrdd. Serch hynny, roedd wedi ei ddal o fewn cyfundrefn grefyddol geidwadol a oedd yn barod i dderbyn trefn annemocrataidd ac yn dueddol o ymwrthod ag unrhyw ymdrechion i'w newid. Ond, ar brydiau, pan oedd angen cyfiawnder i'r tyddynwyr, roedd yn torri allan o hualau ei enwad. Ymhen blynyddoedd, y Methodistiaid rhyddfrydol eu barn oedd ei gyfeillion a byddai wedi bod yn gefnogol iawn i'r ymgyrchoedd dros wella'r gyfundrefn addysg, ymestyn y bleidlais, rhoi hawliau i denantiaid ar y tir a hyd yn oed ddatgysylltu'r Eglwys. Roedd y pendil yn symud a Griffith fel pe bai wedi ei ddal rhwng dau fyd, yn radicalaidd mewn rhai materion ond ei geidwadaeth reddfol yn dod i'r amlwg hefyd.

Treuliodd y rhan fwyaf o'i fywyd yn Llundain. Yno cafodd gyfle i ddatblygu ac ymestyn ei orwelion a chyfarfod pobl o wahanol ddosbarthiadau a chefndiroedd cymdeithasol. Sylwodd ar flaengaredd yr Albanwyr a'r Iddewon wrth iddynt lenwi swyddi amrywiol ac o safon yn Llundain. Atgyfnerthodd hyn ei werthfawrogiad o'i gefndir ei hun, ei grefydd a'i iaith a'r angen i'w gyd-Gymry fod yn fwy uchelgeisiol. Roedd crynhoad o'i gyd-wladwyr galluog yn y metropolis ar y pryd yn gweld yr angen i ddylanwadu ar fywyd Cymru mewn sawl ffordd, ac yn sgil hynny yn ddylanwad pellgyrhaeddol i'r broses o greu sefydliadau cenedlaethol Gymreig ac annog yr ymwybyddiaeth o Gymru fel cenedl fodern. Llundain oedd 'prif ddinas y byd' ond roedd hefyd yn brif ddinas y Cymry ddegawdau cyn i Gymru weld sefydliadau cenedlaethol seciwlar o unrhyw fath. Y cymdeithasau Cymreig Llundeinig oedd yn ymgyrchu a holi pam fod Cymru heb brifysgol, llyfrgell genedlaethol, amgueddfa – a senedd ddemocrataidd? Doedd dim gwrthdaro mewn barn, fel eraill yn ei gyfnod, rhwng y cysyniad o Gymreictod cenedlatholgar a Phrydeindod imperialaidd a oedd yn deyrngar i'r frenhiniaeth. Yn Llundain, roedd màs critigol o unigolion oedd am wella pethau, rhoi dyfodol gwell i'w cydwladwyr ac yn y broses, adeiladu seiliau'r Gymru fodern.

Sylfaen ei fywyd oedd y gwerthoedd a dderbyniodd fel plentyn yn Nhŷ Croes, Beudy Isaf a Brynrodyn. Ar yr aelwyd ac yn y capel y cafodd ei drwytho am bwysigrwydd gwerthoedd fel diwydrwydd, darbodaeth, cymwynasgarwch, gonestrwydd, didwylledd a chyfiawnder. Dyma'r safon y ceisiai ymgyrraedd ati drwy gydol ei oes a'r safon ddisgwyliedig gan ei gyd-ddyn. Roedd hefyd yn gymeriad ffyddlon a charedig a hynny i nifer helaeth o bobl – yn deulu, ei gysylltiadau Cymreig a hefyd mathemategwyr ac arweinwyr y byd cyllid yn Llundain. Yn ddi-os, yr oedd ei galon ymhell o fwrlwm y ddinas ac wrth gloi'r hanes am fywyd rhyfeddol Griffith Davies rhaid dychwelyd yn ôl at hen 'lethrau'r Cilgwyn', drwy roi y geiriau olaf i ddau berthynas iddo, disgynyddion teulu Bodgarad, Rhostryfan.[38] Meddai Gwynedd Davies:

> Ychydig sy'n berchen athrylith, ac yn aml disgleiria hi i un cyfeiriad nes gorbwyso ac enhuddo cyneddfau ymarferol ei pherchen. Ond nid y math yma oedd eiddo ein gwrthrych. Cyfunai ef yn ei bersonoliaeth ddoniau amrywiol ac ymarferol. Yr oedd megis dwy haen yn amlwg yn ei natur.

Gwelid yn yr haen uchaf y Cymro i'r carn yn gyfyngedig i'w
bobl, ei iaith a'i grefydd – yma roedd ei galon. Ond codai
o'i athrylith drachefn rhyw haen o allu a thalent a ddaeth yn
alwedigaeth iddo gan ledu ei orwelion ac ehangu ei derfynau
i fyd gwyddoniaeth nes dod a'r nefoedd uwchben a rhawd
dynoliaeth i'w *brogram*. Daeth ei ymwneud a phroblemau
bywyd ar raddfa eang ag ef i afael a chymdeithas y dysgedig
a'r annysgedig hefyd, urddasolion a thrueiniaid. Yr oedd yn
gallu cyfarfod y cyfan.[39]

Ac mae Gilbert Williams wrth grynhoi ei allu, ei safle a'i werthoedd
yn datgan

nad oedd dealltwriaeth yn hawlfraint un dosbarth, na
dyfeisgarwch, na gwelliannau yn gyfyngedig i wŷr o waed ac
achau ... Aeth [Griffith Davies] i Lundain ac yn rhin ei alluoedd
ei hun bu'n abl i ddringo i safle uchel mewn galwedigaeth a
fu'n hir yn gyfyngedig i blant bonheddig a meibion o dras.
Yno nid anghofiodd y graig y naddwyd ef ohoni, a chyn hir
dangosodd fod ei galon yn curo'n gynnes tuag at y bobl y
cododd o'u plith ... Enillodd barch cyffredinol ar gyfrif ei
uniondeb, ei onestrwydd, ei dduwioldeb a'i haelioni ... Mae
hanes ei fywyd yn rhamant ac ysbrydiaeth i waed ifanc ym
mhob oes.[40]

NODIADAU

Rhagair

1   John Gwilym Jones, 'Capel ac Ysgol', Darlith Flynyddol Llyfrgell Penygroes
     1970–1, (Llyfrgell Sir Gaernarfon, 1970), t. 8.

2   Gareth Ffowc Roberts, *Cyfri'n Cewri: Hanes Mawrion ein Mathemateg*
     (Caerdydd: Gwasg Prifysgol Cymru, 2020), tt. 43–52.

3   Thomas Barlow, 'Memoir of the late Griffith Davies, Esq., F.R.S.', *Post
     Magazine and Insurance Monitor*, XVI/ 28 (1855), 14.

4   Thomas Barlow, 'Memoir of the late Griffith Davies, Esq., F.R.S.', Library of
     the Institute and Faculty of Actuaries (1855), RKN:4110; Archifdy Prifysgol
     Bangor, MS 46; Archifdy Prifysgol Bangor, MS 3213; Llyfrgell Genedlaethol
     Cymru, 12748.

5   Archifdy Prifysgol Bangor, MS 5881–9.

6   Ll.G. Chambers, 'Griffith Davies (1788–1855) FRS Actuary', *Trafodion
     Anrhydeddus Gymdeithas y Cymmrodorion* (1988), 59–77.

7   John Davies, *Hanes Cymru* (Llundain: Allen Lanes, Penguin Press, 1990),
     tt. 307–83.

1 Bore Oes

1   Owen Edwards, *Yn y Wlad: troeon crwydr yma ac acw yng Nghymru*
     (Wrecsam: Hughes a'i Fab, 1927), t. 93.

2   Thomas Barlow, *Post Magazine and Insurance Monitor*, XVI/28 (1855), 14.

3   Teulu Bodgarad, Rhostryfan, Archifdy Gwynedd, XD4/6. Ceir cyfeiriad at
     linach teulu Bodgarad yn llyfr Geraint Jones, *Gŵr Hynod Uwchlaw'rffynnon*
     (Llanrwst: Gwasg Carreg Gwalch, 2009), gan fynd yn ôl chwe chenhedlaeth
     o deulu Ellen Brereton i James Starkey (1505–57), Oulton, Sir Gaer ac
     Elisabeth Brereton, Malpas, Sir Gaer. Ceir nodyn gan Gwynedd Davies
     (gweler n. 26 isod) 'mai chwaer i daid Mary Williams (mam Griffith
     Davies) oedd Ellen Brereton, ac nid nain fel y dywaid rhai bywgraffwyr'.
     Mae Gilbert Williams yn cadarnhau hyn (Archifdy Prifysgol Bangor, 9747).

4   William Methusalem Jones, Bryn Golau, Y Groeslon, 'Ei deulu, Ei
     Enedigaeth a Bore ei Oes'. Ysgrif ym meddiant y teulu o'r 1920au.

5   Ganed mab o'r enw Dafydd ar 9 Rhagfyr 1791 ond bu farw ymhen pum
    wythnos ar 10 Ionawr 1792. (Cofnod Bedydd a Chladdedigaethau Plwyf
    Llandwrog, *ancestry.co.uk*, cyrchwyd 29 Ionawr 2021.) Enwyd y mab nesaf
    i'w eni felly yn Dafydd.
6   Llyfrgell Genedlaethol Cymru, 12750 B.
7   Archifdy Gwynedd, Caernarfon, XM9941. Dogfennau achau Griffith
    Davies a theulu'r Gilwern, Y Groeslon.
8   Llyfrgell Genedlaethol Cymru, 12749E.
9   Archifdy Prifysgol Bangor, 5892.
10 Archifdy Prifysgol Bangor, 5890.
11 Barlow, *Post Magazine and Insurance Monitor*; Llyfrgell Genedlaethol
    Cymru,12750 B.
12 Archifdy Prifysgol Bangor, 5887.
13 W. Gilbert Williams, *Moel Tryfan i'r Traeth: Erthyglau ar hanes plwyfi
    Llanwnda a Llandwrog* (Penygroes: Cyhoeddiadau Mei, 1983); Dewi
    Tomos, *Tyddynnod y Chwarelwyr*, Llyfrau Llafar Gwlad 59 (Llanrwst:
    Gwasg Carreg Gwalch, 2004).
14 Geraint H. Jenkins, *The Foundations of Modern Wales 1642–1780*
    (Rhydychen: Oxford University Press, 1987), tt. 258–61.
15 Jenkins, *The Foundations of Modern Wales 1642–1780*, t. 257.
16 Wenna Williams, Ceinwen Griffith, Elwyn Jones Griffith, Mary Hughes,
    Bleddyn Jones a Mari Vaughan Jones, *Hanes y Groeslon* (Penygroes: Gwasg
    Dwyfor, 2000).
17 Williams, *Moel Tryfan i'r Traeth*, t. 74.
18 Archifdy Gwynedd, Caernarfon, XM9941.
19 Williams, *Moel Tryfan i'r Traeth*, t. 60.
20 Jenkins, *The Foundations of Modern Wales 1642–1780*, t. 328.
21 Jones, 'Ei deulu, Ei Enedigaeth a Bore ei Oes'.
22 Rowland Williams (Hwfa Môn), 'Ymhob Gwlad megir Glew', *Cymru*, LVII
    (1919), 39.
23 Llyfrgell Genedlaethol Cymru, 12750 B.
24 W. Gilbert Williams, Ysgolion Plwyf Llandwrog, Herald, 17 a 24
    Gorffennaf 1939, Archifdy Gwynedd, Caernarfon, XD4/11/6.
25 Williams, *Moel Tryfan i'r Traeth*, t. 106.
26 Gwynedd Davies, 'Bywyd a Gwaith Griffith Davies y cyfrifydd', traethawd
    buddugol yn Eisteddfod Frenhinol Genedlaethol Caernarfon 1935,
    Archifdy Prifysgol Bangor, 15699.
27 Jones, 'Ei deulu, Ei Enedigaeth a Bore ei Oes'.
28 Jones, 'Ei deulu, Ei Enedigaeth a Bore ei Oes'.
29 Dafydd Glyn Jones, *Dragwniaid yn y Dre: digwyddiad o 1801* (Bangor:
    Dalen Newydd, 2018), t. 74.
30 W. Gilbert Williams, 'Hen ysgolion Bro Arfon', Herald, 29 Mai 1939,
    Archifdy Gwynedd Caernarfon, XD4/11/6.

31 Mary Clement, *Jones, Griffith (1683–1761)*, *http://bywgraffiadur./cymru/c-JONE-GRI-1683*, cyrchwyd 3 Medi 2020.

32 R. A. Pritchard, *Thomas Charles 1755–1814* (Caerdydd: Gwasg Prifysgol Cymru, 1955).

33 W. Hobley, *Hanes Methodistiaeth Arfon, Dosbarth Clynnog* (Cyhoeddwyd gan Gyfarfod Misol Arfon, 1910), t. 20 a t. 112.

34 Adeiladwyd capel newydd ym Mrynrodyn yn 1830 a'r trydydd capel yn 1867. Daeth yr achos ar y safle i ben ddiwedd haf 2018.

35 Archifdy Gwynedd, Caernarfon, XM9941.

36 Hobley, *Hanes Methodistiaeth Arfon*, t. 154.

37 Williams et al., *Hanes y Groeslon*, t. 49.

38 Owen John Hughes, Grafog, Hanes yr achos ym Mrynrodyn o'i ddechreuad hyd yn Awr (1768–1867), Archifdy Gwynedd Caernarfon, XM 12309/2/3/5.

39 Richard Thomas, *Parry, John (1775–1846)*, *http://bywgraffiadur.cymru/article/c-PARR-JOH-1775*, cyrchwyd 19 Mawrth 2021.

40 Davies, Archifdy Prifysgol Bangor, 15699.

41 Edward Thomas, *Y Parchedig John Elias o Fôn* (Wrecsam: Hughes a'i Fab, 1905), t. 18.

2 Y Chwarelwr

1 Thomas Parry, *Amryw Bethau* (Dinbych: Gwasg Gee, 1996), t. 16.

2 Robert Hughes, 'Galargan er coffadwriaeth am y diweddar Griffith Davies, Yswain, F.R.S., o Lundain', *Y Drysorfa*, CVIII (1855), 413–14.

3 John Griffiths, 'Chwarelau Dyffryn Nantlle a Chymdogaeth Moeltryfan', traethawd buddugol yng Nghylchwyl Lenyddol Rhostryfan a Rhosgadfan, 1889, Llyfrgell Genedlaethol Cymru, MS 22838B.

4 Dewi Tomos, *Chwareli Dyffryn Nantlle* (Llanrwst: Llyfrau Llafar Gwlad, 2007), t. 17.

5 Alun John Richards, *Gazetteer of Slate Quarrying in Wales* (Llanrwst: Gwasg Carreg Gwalch, 2007), tt. 48–9.

6 John Williams, *Hynt Gwerinwr* (Lerpwl: Gwasg y Brython, 1943), tt. 48–9.

7 Gwynedd Davies, 'Bywyd a Gwaith Griffith Davies y cyfrifydd', traethawd buddugol yn Eisteddfod Frenhinol Genedlaethol, Caernarfon, 1935, Archifdy Prifysgol Bangor, 15699.

8 William Methusalem Jones, Bryn Golau, Y Groeslon, 'Ei deulu, Ei Enedigaeth a Bore ei Oes'. Ysgrif ym meddiant y teulu o'r 1920au.

9 Byddai 4 c. (grôt) yn cyfateb i ychydig dros 1.5 c. yn ein harian heddiw a gyda chwyddiant rhwng 1802 a 2017 byddai'r swm o gwmpas £1.50 y pen; Griffiths, 'Chwarelau Dyffryn Nantlle a Chymdogaeth Moeltryfan'.

10 Idwal Hughes, *Chwareli Dyffryn Nantlle* (Penygroes: Cyhoeddiadau Mei, 1980), t. 36.

11 W. Gilbert Williams, *Moel Tryfan i'r Traeth – Erthyglau ar Hanes plwyf Llanwnda a Llandwrog* (Penygroes: Cyhoeddiadau Mei, 1983), t. 65.

12 Williams, *Moel Tryfan i'r Traeth*, tt. 98–103.

13 David Gwyn, *Llechi Cymru Archeoleg a Hanes* (Aberystwyth: Comisiwn Brenhinol Henebion Cymru, 2015), tt. 16–27.

14 Tomos, *Chwareli Dyffryn Nantlle*, t. 17.

15 Gwynfor Pierce Jones, 'Chwarelyddiaeth Dyffryn Nantlle', Darlith Flynyddol Llyfrgell Penygroes, 2008, Gwasanaeth Llyfrgell a Gwybodaeth Gwynedd, 5.

16 Dewi Tomos, *Llechi Lleu* (Penygroes: Cyhoeddiadau Mei, 1980), tt. 33–45.

17 Archifdy Prifysgol Bangor, 5890.

18 Robert Thomas Jenkins, 'Evan Richardson (1759–1824), gweinidog gyda'r Methodistiaid Calfinaidd ac ysgol-feistr', *Bywgraffiadur Cymreig*, bywgraffiadur.cymru/article/c-RICH-EVA-1759, cyrchwyd 26 Mai 2022.

19 Richard Thomas, 'Evan Richardson', *Y Traethodydd*, XC/IV (1935), 233–9.

20 Thomas Barlow, 'Memoir of the late Griffith Davies, Esq., F.R.S.' (1855), Library of the Institute and Faculty of Actuaries, RKN:41110; Jones, 'Ei deulu, Ei Enedigaeth a Bore ei Oes'.

21 Archifdy Prifysgol Bangor, 5890.

22 Hughes, 'Galargan er coffadwriaeth am y diweddar Griffith Davies, Yswain, F.R.S., o Lundain'.

23 William John Hughes (Deiniolfryn), 'Griffith Davies y chwarelwr a'r rhifyddwr enwog', *Y Genhinen*, XV/4 (1897), 275–8.

24 Barlow, 'Memoir of the late Griffith Davies, Esq., F.R.S.'.

25 W. Gilbert Williams, 'Cymdeithas Hanes Rhostryfan', *Yr Herald*, Mehefin 1938, Archifdy Gwynedd, Caernarfon, XD4/11/6.

26 Owen John Hughes, Y Grafog, 'Hanes yr Achos ym Mrynrodyn o'i ddechreuad hyd yn awr (1768–1867)', Archifdy Gwynedd, Caernarfon, XM 12309/2/3/5.

27 Jones, 'Ei deulu, Ei Enedigaeth a Bore ei Oes'.

28 Griffiths, 'Chwarelau Dyffryn Nantlle a Chymdogaeth Moeltryfan'.

29 Jones, 'Ei deulu, Ei Enedigaeth a Bore ei Oes'.

30 Barlow, 'Memoir of the late Griffith Davies, Esq., F.R.S.'.

31 Jones, 'Ei deulu, Ei Enedigaeth a Bore ei Oes'.

32 Glyn Penrhyn Jones, *Newyn a Haint yng Nghymru a phynciau meddygol eraill* (Caernarfon: Llyfrau'r Methodistiaid Calfinaidd, 1962), tt. 80–9.

33 W. Gilbert Williams, 'Hen Olion', *Cymru*, 38 (1910), 223–8.

34 Barlow, 'Memoir of the late Griffith Davies, Esq., F.R.S.'.

35 Archifdy Prifysgol Bangor, 5882.

36 David Reynolds, *Island Stories: Britain and its History in the Age of Brexit* (Llundain: William Collins, 2019), t. 71.

37 Bryn Owen, *The History of the Welsh Militia and Volunteer Corps, 1 Anglesey and Caernarfonshire* (Caernarfon: Palace Book, 1989), t. 51.

38 *Survey and Inventory of the Ancient Monuments of Caernarvonshire. VII Central: The Cantref of Arfon and the Commote of Eifionydd* (Llundain: RCAHMW, 1960), Caer Williamsburg, *coflein.gov.uk/en/site/26460* a Caer Belan, *coflein.gov.uk/en/site/26459*, cyrchwyd 26 Mawrth 2021.

39 Jones, 'Ei deulu, Ei Enedigaeth a Bore ei Oes'.

40 Harold Carter, Caernarvon, *Yumpu.com/en/document/read/5115031/caernarvon-the-british-historic- town-atlas*, 8, cyrchwyd 1 Rhagfyr 2022.

41 Alun John Richards, *The Rails and Sails of Welsh Slate* (Llanrwst: Gwasg Carreg Gwalch, 2011), t. 48.

42 Reg Chambers Jones, *Sailing in the Strait, Aspects of Port Dinorwic and the Menai Straits* (Wrecsam: Bridge Books, 2004), t. 204.

43 David Thomas, 'Llechi a Llongau', *Trafodion Cymdeithas Hanes Sir Gaernarfon*, 1 (1939), 68–84.

3 I Lundain a Dysgu

1   Griffith Parry, *Cofiant a chasgliad o weithiau barddonol y Parch. Robert Owen (Eryron Gwyllt Walia) Llundain* (Salford: J. Roberts, argraffydd, Chapel Street, 1880), t. 353.

2   David Thomas, *Hen Longau Sir Gaernarfon* (Caernarfon: Cymdeithas Hanes Sir Gaernarfon, 1952), t. 84.

3   Thomas, *Hen Longau Sir Gaernarfon*, t. 131.

4   Thomas, *Hen Longau Sir Gaernarfon*, t. 139.

5   Archifdy Prifysgol Bangor, 5890.

6   Thomas, *Hen Longau Sir Gaernarfon*, t. 116.

7   'History of the Port of London pre 1908', *pla.co.uk/Port-Trade/History-of-the-Port-of-London-pre-1908*, cyrchwyd 29 Mai 2021.

8   Thomas, *Hen Longau Sir Gaernarfon*, t. 137.

9   Thomas, *Hen Longau Sir Gaernarfon*, t. 135.

10 Thomas Barlow, 'Memoir of the late Griffith Davies, Esq., F.R.S.' (1855), Library of the Institute and Faculty of Actuaries, RKN:41110.

11 Llyfrgell Genedlaethol Cymru, 2747B.

12 Nid oes tafarn ar y safle heddiw ac mae'r wefan yn rhoi gwybodaeth am yr union leoliad: *www.pubology.co.uk/indexes/se1.html*, cyrchwyd 26 Mai 2022. Yn Tooley Street hefyd roedd gan y gwasanaeth post 'swyddfa' i dderbyn llythyrau a'u danfon wedyn i'r prif swyddfa bost yn Llundain i'w dosbarthu gyda'r goets fawr i swyddfa bost Caernarfon yn yr achos yma. Mae'n debyg mai'r dafarn oedd y 'swyddfa'. Cymerai ddau neu dri diwrnod i'r llythyr gyrraedd Caernarfon.

13 Llyfrgell Genedlaethol Cymru, 12749E.

14 Barlow, 'Memoir of the late Griffith Davies, Esq., F.R.S.'.

15 Llyfrgell Genedlaethol Cymru, 2747B.

16 J. W. S. Cassels, 'The Spitalfields Mathematical Society', *Bulletin of the*

London Mathematical Society, 11/3 (1979), 241–58.

17 The Spitalfields Mathematical Society, *https://mathshistory.st-andrews.ac.uk/ Societies/Spitalfields*, cyrchwyd 25 Chwefror 2021.

18 Trevor Sibbett, 'Griffith Davies F.I.A., F.R.S. a Bicentenary Tribute', *Fiasco*, 107 (1988), 6–9.

19 Cassels, 'The Spitalfields Mathematical Society'.

20 Barlow, 'Memoir of the late Griffith Davies, Esq., F.R.S.'

21 Ieuan Gwynedd Jones, 'The Tregaron of Henry Richard', *Cylchgrawn Cymdeithas Hynafiaethwyr Ceredigion*, X1/2 (1990), 147–64.

22 T. H. Lewis, 'Addysg Grefyddol yng Nghymru yn ôl y Llyfrau Gleision i'r Ysgolion Dyddiol (Rhanbarth J.C. Symons)', *Y Cofiadur* (Cylchgrawn Hanes Annibynwyr Cymru), 24 (1954), 40.

23 D. Densil Morgan, *Lewis Edwards* (Caerdydd: Gwasg Prifysgol Cymru, 2009), tt. 8–9.

24 Barlow, 'Memoir of the late Griffith Davies, Esq., F.R.S.'

25 Archifdy Prifysgol Bangor, 5890.

26 Gomer M. Roberts, *Y Ddinas Gadarn* (Llundain: Pwyllgor Dathlu Canmlwyddiant Eglwys Jewin, Gwasg Gee, Dinbych, 1974), t. 22.

27 Archifdy Prifysgol Bangor, 5890.

28 Cyhoeddodd Williams Davis lyfrau yn egluro'r tasgau i dri o lyfrau Bonnycastle – Algebra (1803), Mensuration (1804) ac Arithmetic (1806). Bu farw Davis yn 1807 cyn cwblhau'r gyfres.

29 T. T. Wilkinson, 'An account of the early mathematical and philosophical writings of the late John Dalton', *Memoirs of the Literary and Philosophical Society of Manchester*, 2/12 (1855), 1–30.

30 Barlow, 'Memoir of the late Griffith Davies, Esq., F.R.S.'

31 Alun Eirug Davies, 'Paper-mills and Paper-Makers in Wales 1700–1900', *National Library of Wales Journal*, XV (1967), 1–30.

32 Mae rhai o'r noddwyr hyn yn cynnwys perchennog y felin bapur ym Modraul – John Haslam, Capt and Adjucant of the Caernarvonshire L.M., W. Davies, Hafod Boeth, T. Griffith, athro mathemateg ym Mhenrallt, Caernarfon a John Pritchard, Attorney, Dyffryn Ardudwy. Dylid nodi fod ei frawd-yng-nghyfraith hefyd yn noddi – J. Holbut, 16 King Street, Clerkenwell.

33 Griffith Davies, *A Key to Bonnycastle Trigonometry, Plane and Spherical; containing solutions to all the Problems with Reference as they stand in the Second Edition of that work* (Llundain: Printed for the author by B. R. Goakman, Church Street, Spitalfields, 1814).

34 Llyfrgell Genedlaethol Cymru, ffeil 230, *woodcuts*, 1814.

35 Davies, *A Key to Bonnycastle Trigonometry, Plane and Spherical*.

36 *The Monthly Magazine*, 38/2 (1814), 443; *The Gentleman's Mathematical Companion for the Year 1815*; *The Edinburgh Review or Critical Journal*, XXIII (1814), 505; a'r *Edinburgh Annual Register for 1815*, 8, New Publications – mathematics, xxi, James Ballantyre and Co.

37 *The Antijacobin Review; and The True Churchman's Magazine* (Ebrill 1815), 387.

38 Craig Turnbull, *A History of British Actuarial Thought* (Llundain: Palgrave Macmillan, 2017), tt. 5–16.

39 Turnbull, *A History of British Actuarial Thought*, tt. 57–64.

40 Richard Price, *Observations on Reversionary Payments on Schemes for Providing Annuities for Widows, and Persons in Old Age; To Which Are Added Four Essays* (Llundain: T. Cadell, 1772).

41 Turnbull, *A History of British Actuarial Thought*, t. 63.

42 Turnbull, *A History of British Actuarial Thought*, t. 64.

43 John Davies, *Hanes Cymru* (Llundain: Allen Lane, Penguin Press, 1990), t. 324.

44 Barlow, 'Memoir of the late Griffith Davies, Esq., F.R.S.'

45 Fergus Fleming, *Barrow's Boys* (Llundain: Granta Books, 1998), tt. 372–9.

46 Michael Palin, *Erebus: The Story of a Ship* (Llundain: Hutchinson, 2018).

47 Llyfrgell Genedlaethol Cymru, 12747B.

4 Yr Actiwari

1 Angharad Tomos, 'Un o Fil' (2017), ymgom heb ei chyhoeddi yn delio gyda bywyd Griffith Davies.

2 Thomas Barlow, 'Memoir of the late Griffith Davies, Esq., F.R.S.' (1855), Library of the Institute and Faculty of Actuaries, RKN:41110.

3 Gwynedd Davies, 'Bywyd a Gwaith Griffith Davies y cyfrifydd', traethawd buddugol yn Eisteddfod Frenhinol Genedlaethol Caernarfon 1935, Archifdy Prifysgol Bangor, 15699.

4 Ian Ridpath, 'Alexander Jamieson, celestial map maker', *Astronomy and Geophysical*, 54/1 (Chwefror 2013), 1.22–3.

5 Ceir lluniau manwl o gerfiadau o orbitau'r planedau a'r lleuad ar lechi o amgylch lle tân, o waith Arfonwyson, yn llyfr David Gwyn, *Llechi Cymru, Archeoleg a Hanes* (Llundain: Comisiwn Brenhinol Henebion Cymru, 2015), t. 43.

6 Griffith Davies, *Transactions of the Society for the Encouragement of Arts, Manufactures and Commerce*, 38 (1820), 147–60.

7 Sue Manston, 'An interesting Slate Sundial by Griffith Davies FRS', *British Sundial Society Bulletin*, 29/iii (2017), 28–32.

8 Llyfrgell Genedlaethol Cymru, 264.

9 Samuel Ware, *Tracts on Vaults and Bridges Containing observations on the various forms of vaults; illustrated by extensive tables of bridges* (Llundain: T. and W. Boone, 1822).

10 Archifdy Prifysgol Bangor, 5890.

11 Gareth Ffowc Roberts, *Cyfri'n Cewri* (Caerdydd: Gwasg Prifysgol Cymru, 2020), tt. 50–2.

12 Einion Môn, *Y Gwyliedydd*, IX/115 (1832), 345.

13 Robert Hughes, 'Galargan er coffadwriaeth am y diweddar Griffith Davies,

Yswain, FRS o Lundain', *Y Drysorfa*, CVIII (1855), 413–14.

14 Archifdy Prifysgol Bangor, 5881.

15 Maurice Edward Ogborn, *Equitable Assurances, The Story of Life Assurance in the Experience of the Equitable Life 1762–1962* (Llundain: George Allen and Unwin Ltd, 1962).

16 Maurice Edward Ogborn, 'The Professional name of actuary', *Journal of the Institute of Actuaries*, 82 (1956), 233–46.

17 Laurie Dennett, *Mind over Data: An Actuarial History* (Llundain: Granta Editions, 2004), t. 1.

18 Timothy Alborn, *Regulated Lives: Life Insurance and British Society 1800–1914* (Toronto: University of Toronto Press, 2009), t. 4.

19 Nicola Bruton Bennetts, *William Morgan: Eighteenth-century Actuary, Mathematician and Radical* (Caerdydd: University of Wales Press, 2020), t. 42.

20 Barlow, 'Memoir of the late Griffith Davies, Esq., F.R.S.'.

21 Bennetts, *William Morgan*, t. 177.

22 Joe Albree and Scott H. Brown, 'A valuable monument of mathematical genius: *The Ladies' Diary* (1704–1840)', *Historica Mathematica*, 36 (2009), 10–47.

23 Davies, 'Bywyd a Gwaith Griffith Davies y cyfrifydd'; W. Rubinstein, Michael A. Jolles a Hilary L. Rubinstein, *Palgrave Dictionary of Anglo Jewish History* (Llundain: Palgrave Macmillan, 2011), t. 618.

24 Griffith Davies, 'Darlith ar Naws a Dibenion Cymdeithas', Llyfrgell Genedlaethol Cymru, XHS 1820 C9, t. 18.

25 Barlow, 'Memoir of the late Griffith Davies, Esq., F.R.S.'.

26 Guildhall MS 19636/4 Minute book of Court of Directors of London Association, 20 Mehefin 1821.

27 Archifdy Prifysgol Bangor, 5890; Archifdy Prifysgol Bangor, 5883.

28 A. W. Tarn a C. E. Byles, *A record of the Guardian Assurance Company Limited 1821–1921*, Printed for Private Circulation 1921 (argraffwyd gan Blades, East and Blades Ltd, Abchurch Lane, EC4), t. 66.

29 Archifdy Prifysgol Bangor, 37815.

30 Archif Metropolitanaidd Llundain, MS 14,281/1 Guardian Assurance Copy Minute Book.

31 Yn 1902 newidwyd enw y Guardian Fire and Life Assurance i Guardian Assurance Company, ac yna yn 1968 unwyd gyda chwmni y Royal Exchange Assurance i ffurfio'r Guardian Royal Exchange. Yn 1999 daeth y cwmni yn rhan o AXA cyn i'r busnes bywyd a phensiynau gael eu gwerthu i AEGON NV ac wedyn i Cinven yn 2011, *Wikipedia.org/wiki/Guardian_Assurance_Company*, cyrchwyd 4 Ebrill 2021.

32 Dennett, *Mind over Data*, t. 3.

33 Archif Metropolitanaidd Llundain, MS 25,064/1 Reversionary Interest Society Rough Minute Book.

34 Alborn, *Regulated Lives*, t. 79.

35 Griffith Davies, *An investigation into the bases for calculation of life contingencies of the profits on life assurance and of an equitable method of apportioning those profits by way of bonuses among the assurers* (Llundain: Library of the Institute and Faculty of Actuaries, 1831), RKN:4923.

36 Trevor Sibbett, 'Griffith Davies F.I.A., F.R.S. – a Bicentenary Tribute', *Fiasco*, 107 (1988), 6–9.

37 Archif Metropolitanaidd Llundain, MS 14,281/1.

38 Archifdy Prifysgol Bangor, 5883.

39 Archifdy Prifysgol Bangor, 5891.

40 Owen Thomas, *Y Traethodydd*, xi (1855), 129–31.

41 Tarn a Byles, *A record of the Guardian Assurance Company Limited 1821–1921*, t. 47.

42 Tarn a Byles, *A record of the Guardian Assurance Company Limited 1821–1921*, t. 50.

43 Barry Supple, *The Royal Exchange Assurance: A History of British Insurance 1770–1970* (Cambridge: Cambridge University Press, 1970), t. 113.

44 Supple, *The Royal Exchange Assurance*, t. 131.

45 Tarn a Byles, *A record of the Guardian Assurance Company Limited 1821–1921*, t. 85.

46 Yn nes ymlaen datblygodd Gompertz fodel mathemategol sy'n rhagdybio fod gwrthsafiad i farwolaeth yn lleihau fel mae'r blynyddoedd yn cynyddu.

47 William S. Conder, *The Story of the London Life Association Limited* (Llundain: cyhoeddwyd yn breifat, 1979), t. 52.

48 Marcus N. Adler, 'Memoir of the late Benjamin Gompertz, FRS, FRAS', *Journal of the Institute of Actuaries*, 13/1 (1866), 1–20.

49 Alborn, *Regulated Lives*, t. 104.

50 Alborn, *Regulated Lives*, t. 301.

51 Barlow, 'Memoir of the late Griffith Davies, Esq., F.R.S.'.

52 Griffith Davies, *Tables of life contingencies; containing the rate of mortality among the members of the Equitable Society, the values of life annuities, reversions &c. computed therefrom* (Llundain: Library of the Institute and Faculty of Actuaries, 1825), RKN:4687.

53 Peter Gray, *Tables and Formulae for the Computation of Life Contingencies; with copious examples of annuity, assurance and friendly society calculations* (Llundain: Longman, Brown, Green and Longmans, 1849), tt. 138–9.

54 Francis Baily, *The Doctrine of Life-annuities and Assurances analytically investigated and explained* (Llundain: gwerthwyd gan John Richardson, Royal-Exchange, 1810).

55 Alborn, *Regulated Lives*, t. 126; Steven Haberman a Trevor A. Sibbett, *History of Actuarial Science* (Llundain: William Pickering, 1995), IV, Life Insurance Mathematica, rhan 2, t. 60.

56 Haberman a Sibbett, *History of Actuarial Science*, I, Life Tables and Survival models, t. xxxvii.

57 Charles Babbage, *A Comparative view of the various institutions for the Assurance of Lives* (Llundain: Manerman, Ludgate Street, 1826).

58 Bennetts, *William Morgan*, tt. 187–93.

59 Barlow, 'Memoir of the late Griffith Davies, Esq., F.R.S.'.

60 Archifdy Prifysgol Bangor, 5891.

61 Augustus De Morgan, 'On the calculation of single life contingencies', *The Companion to the Almanac or Year-Book of General Information for 1840* (Llundain: Charles Knight and Co., 22 Ludgate Street), tt. 5–24.

62 Barlow, 'Memoir of the late Griffith Davies, Esq., F.R.S.'.

5 Yr Ymgyrchydd

1 W. Gilbert Williams, 'Achos y man Dyddynwyr', *Yr Herald*, 5 Rhagfyr 1938 (Archifdy Gwynedd Caernarfon, XD4 WGW 11/1–12).

2 Meurig Owen, 'Llyfr Bedyddiadau Eglwys Wilderness Row a Jewin Crescent Llundain 1799–1875', *Cymdeithas Hanes Y Methodistiaid Calfinaidd*, 23 (1999), 63–8.

3 Archifdy Prifysgol Bangor, 5890.

4 Llyfrgell Genedlaethol Cymru, 12749E.

5 Archifdy Prifysgol Bangor, 5881.

6 Byddai'n mynychu oedfaon gyda'r Annibynwyr yn y capel yma a hefyd yn Eglwys Loegr ond nid oedd caniatâd Jewin i'r eciwmeniaeth barhau pe byddai'n cael ei godi'n flaenor.

7 Christopher Lewis and Margaret de Valois, 'History of Actuarial Tables', yn Martin Cambell-Kelly, Mary Croarken, Raymond Flood a Eleanor Robson (goln), *The History of Mathematical Tables: From Sumer to Speadsheets* (Rhydychen: Oxford University Press, 2003), t. 84.

8 David Thomas, *Cau'r Tiroedd Comin* (Lerpwl: Gwasg y Brython, Hugh Evans a'i Feibion, 1953), tt. 34–40.

9 David J. V. Jones, *Before Rebecca, Popular Protests in Wales 1793–1835* (Llundain: Allen Lane, 1973), t. 50.

10 Thomas, *Cau'r Tiroedd Comin*, tt. 58–9.

11 Archifdy Prifysgol Bangor, 5884.

12 Archifau Cenedlaethol Kew, llythyr 31 Ionawr 1827, CRES 2/1576.

13 Archifdy Prifysgol Bangor, 5884.

14 Archifdy Prifysgol Bangor, 5884.

15 *Saint James's Chronicle*, 25 Ionawr 1827, *britishnewspaperarchive.co.uk*, cyrchwyd 1 Mawrth 2021.

16 *Morning Chronicle*, 23 Ionawr 1827, *britishnewspaperarchive.co.uk*, cyrchwyd 1 Mawrth 2021; *Sheffield Independent*, 3 Chwefror 1827; *Birmingham Journal*, 27 Ionawr 1827; *Kentish Weekly Post or Cantebury Journal*, 30 Ionawr 1827, *britishnewspaperarchive.co.uk*, cyrchwyd 1 Mawrth 2021.

17 *Saint James's Chronicle*, 19 Ebrill 1827, *britishnewspaperarchive.co.uk*, cyrchwyd 1 Mawrth 2021.

18 *Saint James's Chronicle*, 10 Gorffennaf 1827, *britishnewspaperarchive.co.uk*, cyrchwyd 1 Mawrth 2021.

19 Archifdy Prifysgol Bangor, 3869 (26).

20 Gŵr o Ddolgellau oedd Griffith Jones a cheir cyfeiriad gan Gilbert Williams (Archifdy Prifysgol Bangor, 21041) ei fod wedi rhoi araith yn Eisteddfod Trallwng yn 1824 am gadwraeth yr iaith Gymraeg.

21 *Saint James's Chronicle*, 19 Ebrill 1827, *britishnewspaperarchive.co.uk*, cyrchwyd 1 Mawrth 2021.

22 Thomas Barlow, 'Memoir of the late Griffith Davies, Esq., F.R.S.' (1855), Library of the Institute and Faculty of Actuaries, RKN:41110.

23 *Morning Chronicle*, 19 Ebrill 1827, *britishnewspaperarchive.co.uk*, cyrchwyd 1 Mawrth 2021.

24 David Gwyn, 'Resistance to Enclosure: The Moel Tryfan Commons', *Trafodion Cymdeithas Hanes Sir Gaernarfon*, 62 (2001), 81–97.

25 *Morning Advertiser*, 21 Mai 1827, *britishnewspaperarchive.co.uk*, cyrchwyd 1 Mawrth 2021.

26 *https://www.historyofparliamentonline.org/volume/1820–1832/member/wynn-thomas-1802-1832*, cyrchwyd 21 Mawrth 2021.

27 *https://historyofparliamentonline.org/volume/1820-1832/constituencies/caernarvonshire*, cyrchwyd 1 Rhagfyr 2022.

28 *Lleuad yr Oes*, Awst 1827, 405; *Evening Mail*, 11 Gorffennaf 1827, *britishnewspaperarchive.co.uk*, cyrchwyd 3 Mawrth 2021.

29 Archifdy Gwynedd Caernarfon, XD2 6063.

30 *Morning Chronicle*, 3 Gorffennaf 1827, *britishnewspaperarchive.co.uk*, cyrchwyd 1 Mawrth 2021.

31 Ceir manylion yr holl achos yn y *Chester Chronicle*, 31 Awst 1827, *britishnewspaperarchive.co.uk*, cyrchwyd 3 Mawrth 2021.

32 *https://en.wikipedia.org/wiki/Jonathan_Raine*, cyrchwyd 18 Rhagfyr 2020.

33 Archifdy Prifysgol Bangor, 5884.

6 Yr Alltud

1 Llyfrgell Genedlaethol Cymru, 2769C, Anerchiad at Genedl yr Hen Gymmry oddi wrth Cymreigyddion Caerludd, 22 Awst 1832. Ceir gwybodaeth yn *Y Gwyliedydd*, Ebrill 1833 ar waelod tudalen 121 yn nodi mai Einion Môn yw awdur yr anerchiad yma.

2 Huw Edwards, *City Mission: The Story of London's Welsh Chapels* (Talybont: Y Lolfa, 2014), tt. 33–49.

3 T. I. Ellis, *Crwydro Llundain* (Llandybïe: Llyfrau'r Dryw, 1971), tt. 61–2.

4 Eglwys Bresbyteraidd Cymru yw enw'r enwad heddiw.

5 J. Graham Jones, *Hanes Cymru* (Caerdydd: Gwasg Prifysgol Cymru, 1994), t. 91.

6   Gomer M. Roberts, *Y Ddinas Gadarn; Hanes Eglwys Jewin Llundain*, Pwyllgor Dathlu Daucanmlwyddiant (Dinbych: Gwasg Gee, 1974), t. 44.

7   John E. Davies, *Canmlwyddiant Cymanfa'r Pasg: Methodistiaid Calfinaidd, Llundain* (Dinbych: Gwasg Gee, 1912); Llyfrgell Genedlaethol Cymru, 8653.

8   Roberts, *Y Ddinas Gadarn*, t. 45.

9   'Llythyr oddiwrth Hen Genhadwr gydag achos y Bibl – Robert Williams, Tanybryn, Garn Dolbenmaen', *Y Drysorfa* (1855), 188.

10 Llyfrgell Genedlaethol Cymru, 12749E.

11 Eryn M. White, *The Welsh Bible* (Stroud: Tempus Publishing, 2007), t. 103.

12 Robert Rhys, *James Hughes 'Iago Trichrug'* (Caernarfon: Gwasg Pantycelyn, 2007).

13 Roberts, *Y Ddinas Gadarn*, tt. 54–5.

14 Report of the Committee for Building the Welsh Chapel Jewin Street Crescent (1823), Llyfrgell Genedlaethol Cymru, XAC900.

15 Llyfrgell Genedlaethol Cymru, 8653.

16 E. A. Williams, *Hanes Môn yn y Bedwaredd Ganrif ar Bymtheg* (cyhoeddedig gan Gymdeithas Eisteddfodol Gadeiriol Môn, 1927), t. 35, yn dyfynnu o lyfr Dr Owen Thomas, *Cofiant y Parch. John Jones Talysarn*.

17 Griffith Parry, *Cofiant a Chasgliad o Weithiau Barddonol y Parch. Robert Owen (Eryron Gwyllt Walia) Llundain* (Salford: J. Roberts, argraffydd, Chapel Street, 1880), t. 354.

18 Roberts, *Y Ddinas Gadarn*, t. 60.

19 John Pritchard, *Methodistiaeth Môn o'r Dechreuad hyd y flwyddyn 1887* (Amlwch: D. Jones, 1888), tt. 388–9.

20 David R. Fisher, The House of Commons, 1820–1832, *historyofparliamentonline.org/volume/1820-1832/member/marjoribanks-stewart-1774-1863*, cyrchwyd 30 Tachwedd 2020.

21 Roberts, *Y Ddinas Gadarn*, t. 210.

22 D. Ben Rees, *Pregethwr y Bobl: Bywyd a Gwaith Dr. Owen Thomas* (Lerpwl a Phontypridd: Cyhoeddiadau Modern Cymreig Cyf., 1979), t. 50.

23 John Davies, *Hanes Cymru* (Llundain: Allen Lane, Penguin Press, 1990), t. 293.

24 R. T. Jenkins a Helen M. Ramage, *A History of the Honorable Society of Cymmrodorion and of the Gwyneddigion and Cymreigyddion Societies (1751–1951)* (Llundain: Anrhydeddus Gymdeithas y Cymmrodorion, 20 Bedford Square, 1951), t. 151.

25 Davies, *Hanes Cymru*, t. 326.

26 William Davies Leathart, *The Origin and Progress of the Gwyneddigion Society of London* (Llundain: Hugh Pierce Hughes, 1831).

27 Geraint H. Jenkins, *Y Digymar Iolo Morganwg* (Talybont: Y Lolfa, 2018).

28 Archifdy Prifysgol Bangor, 3869(25).

29 Ellis, *Crwydro Llundain*, t. 59.

30 Jenkins, *Y Digymar Iolo Morganwg*, t. 113.

31 Cyhoeddodd Jac Glan-y-gors bamffledi yn ail-ddatgan syniadaeth Thomas

Paine, y chwyldroadwr Americanaidd a Roberts yn ei bamffled, 'Cwyn yn erbyn Gorthrymder', yn ymosod ar y drygioni yng Nghymru ac yn eu mysg Methodistiaeth, yr Eglwys sefydledig, y degwm a gweinyddiaeth y gyfraith yn y Saesneg yn y Gymru Gymraeg.

32 Jenkins a Ramage, *A History of the Honourable Society of Cymmrodorion and of the Gwyneddigion and Cymreigyddion Societies (1751–1951)*, t. 132.

33 *Seren Gomer*, Awst 1828, 51.

34 Cofnodion cyfarfodydd Cymdeithas Cymreigyddion Caerludd, Llyfrgell Genedlaethol Cymru, 685.

35 Evan Owen Pugh, 'Hanes Cymdeithas Cymreigyddion Llundain a'i changhennau yng Nghymru, hyd tua 1870: ar wahân i Gymdeithas Cymreigyddion y Fenni', traethawd MA, Llyfrgell Genedlaethol Cymru, 1963/77.

36 *Lleuad yr Oes*, III/3 (1829), 181–4.

37 Llyfrgell Genedlaethol Cymru, 685.

38 *Y Gwyliedydd*, Ebrill 1831, 127.

39 *Y Gwyliedydd*, Mehefin 1831, 191.

40 Llyfrgell Genedlaethol Cymru, 2769C.

41 Jones, *Hanes Cymru*, t. 82.

42 *Seren Gomer*, Mawrth 1832, 88.

43 *Y Gwyliedydd*, Awst 1832, 256.

44 *Y Gwyliedydd*, Medi 1832, 288.

45 John Lloyd (1792–1834) o Bwllgynnau, Ceidio, ger Llannerch-y-medd, Ynys Môn oedd Einion Môn a cheir marwnad iddo yn y *Gwladgarwr*, Ionawr 1835, 25, a hefyd gan Eryron Gwyllt Walia. Gweler y Parch. Griffith Parry, *Cofiant a Chasgliad o Weithiau Barddonol y Parch. Robert Owen*, tt. 119–21; *Y Gwyliedydd*, Tachwedd 1832, 343–5.

46 *Y Gwyliedydd*, Chwefror 1833, 55–8.

47 *Y Gwyliedydd*, Ebrill 1833, 120–1.

48 Yn 1841 ceir cyfeiriad mewn llythyr gan Robert Owen (Griffith Parry, *Cofiant a Chasgliad o Weithiau Barddonol y Parch. Robert Owen*, t. 375) at un o swyddogion Cymreigyddion Caerludd fod Griffith Davies a Hugh Owen am gyfarfod i ddiwygio'r Cymreigyddion.

49 Gw. http://www.ucl.ac.uk/bloomsbury-project/institutions/sduk.htm, cyrchwyd 3 Mehefin 2021.

50 Griffith Davies, 'Darlith ar Naws a Dibenion Cymdeithas', traddodwyd yng Nghymdeithas y Cymreigyddion yng Nghaerludd, 5 Chwefror 1829, Llyfrgell Genedlaethol Cymru, XH9 1820 C9.

51 *Y Cymro*, 1/1 (1830), 9–13 (rhan gyntaf y ddarlith).

52 Peter Lord, *Hugh Hughes: Arlunydd Gwlad 1790–1863* (Llandysul: Gomer, 1995), t. 196.

53 *Seren Gomer*, Ebrill 1832, 121.

54 *Y Cymro*, 1/1 (1830), 2.

55 *Y Cymro*, 2/1 (1830), 23.

56 *Y Cymro*, 3/1 (1830), 41.

57 Griffith Davies, 'Darlith ar Fordwyaeth', traddodwyd ar 1 a 8 Hydref 1829, *Seren Gomer*, XIII (1830), 105–6, a'r ail ran yn *Seren Gomer*, XIII (1830), 141–3.

58 Griffith Davies, 'Darlith ar Ddaearyddiaeth', traddodwyd 1 Ebrill 1830, *Seren Gomer*, XIII/177 (1830), 168–71, a'r ail ran yn *Seren Gomer*, XIII/178 (1830), 200–3; hefyd yn *Y Cymro* (Llundain), 1/6 (1830), 81–7.

59 Griffith Davies, 'Darlith ar Awyrolaeth', traddodwyd ar 7 Hydref 1830, *Y Gwyliedydd*, VIII (1831), 76 –81 a *Y Gwyliedydd*, VIII (1831), 110–13; Griffith Davies, 'Darlith ar Awsafiaeth (hydrostatics)', traddodwyd 7 Ebrill 1831, *Y Gwyliedydd*, IX/109 (1832), 109–10, a'r ail ran yn *Y Gwyliedydd*, IX (1832), 144–7, a'r drydedd rhan *Y Gwyliedydd*, IX/110 (1832), 173–8.

60 R. Elwyn Hughes, 'Cornvinius a Llywelyn Conwy, Juvenilia Cymraeg dau Naturiaethwr', *Cylchgrawn Llyfrgell Genedlaethol Cymru*, XX111 (1984), 366–76.

61 Lord, *Hugh Hughes*, t. 198.

62 *Y Cymro (Llundain)*, 111/11 (1831), 44.

63 *Y Cymro (Llundain)*, 44.

7 Arloesi ac Anrhydeddau

1   Einion Môn, Cywydd anerchiadol o 'Memoir of the Late Griffith Davies, Esq., F.R.S., 1855', gan Thomas Barlow, Library of the Institute and Faculty of Actuaries, RKN:41110.

2   B. Bryson, *Seeing Further: The Story of Science and the Royal Society* (Llundain: Harper Press, 2010): cyfrol sy'n cynnwys cyfraniadau gan 20 unigolyn o wahanol gefndiroedd; dau arall o Gymry Arfon a etholwyd yn Gymrodyr oedd William Henry Preece (1834–1934), peiriannydd trydanol o Gaernarfon, a William Charles Evans (1911–88), biocemegydd o Fethel.

3   *Abstract of the papers communicated to the Royal Society of London*, 3, 1830–7 (Llundain, 1837), t. 27.

4   *Abstract of the papers communicated to the Royal Society of London* (1837), t. 49.

5   The Royal Society, RCN 35691, tracts 128/8; the Royal Society, RCN 35690, Tracts 129/1.

6   Marie Boas Hall, *All Scientists Now: The Royal Society in the Nineteenth Century* (Caergrawnt: Cambridge University Press, 1984), t. 66.

7   The Royal Society, Certificate of election of Griffith Davies, EC/1831/22.

8   Charles Babbage, *Reflections on the Decline of Science in England and on some of its Causes* (Llundain: argaffwyd gan R. Cleg, Bread-Street Hill, Cheapside, 1830).

9   Adrian Tinniswood, *The Royal Society and the Invention of Science* (Llundain: Head of Zeus, An Apollo Book, 2019), t. 126.

10 Tinniswood, *The Royal Society and the Invention of Science*, t. 121.
11 The Royal Society, EC/1834/09; the Royal Society, EC/1835/14; the Royal Society, EC/1834/12.
12 The Royal Society, EC/1841/15; the Royal Society, EC/1841/30; the Royal Society, EC/1843/17; the Royal Society, EC/1841/18.
13 Maurice Edward Ogborn, *Equitable Assurances: The Story of Life Assurance in the Experience of the Equitable Life Assurance Society, 1762–1962* (Llundain: George, Allen and Unwin Ltd, 1962), t. 215.
14 Charles Lyell, *Principles of Geology* (Llundain: John Murray, 1830).
15 Gw. *Mathshistory.st-andrews.ac.uk/Societies/French_Statistical/*, cyrchwyd 17 Gorffennaf 2021.
16 *Journal des Travaux de la Société Française de Statistique Universelle*, IV/5 (1833), 66; *Journal des Travaux de la Société Française de Statistique Universelle*, IV/8 (1834), 114.
17 Isobel Watson, 'An Earlier Stage', *Journal of the Islington Archeology and History Society*, 1/3 (Hydref 2011), 18–19, *clcomms.com/iahs/201113/IAHS-autumn-2011-web.pdf*, cyrchwyd 17 Gorffennaf 2021.
18 Canolfan Hanes Lleol Islington, YA 006 104664 (Rheolau).
19 Canolfan Hanes Lleol Islington, YA 006 72160 (llyfr cofnodion 1832–6) a YA 006 72161 (llyfr cofnodion 1836–9).
20 Canolfan Hanes Lleol Islington, YA 006 104 667 (y darlithoedd).
21 Report of the State of Literary, Scientific and Mechanics' Institutions in England (Llundain: Published by the Society for the Diffusion of Useful Knowledge, 1841).
22 Report from the Select Committee on the Laws Respecting Friendly Societies, 1827 cyfrol 3 of Report of Committees, 1826–7, House of Commons.
23 *London Courier and Evening Gazette*, 26 Hydref 1827, *britishnewspaperarchive.co.uk*, cyrchwyd 26 Chwefror 2021.
24 Report from the Select Committee on the Laws Respecting Friendly Societies, 1827.
25 John Tidd Pratt, John Finlaison a Griffith Davies, 'Instructions for the establishment of friendly societies with a form of rules and table applicable thereto' (Llundain, 1835), The Library of the Institute and Faculty of Actuaries, RKN:20180.
26 M. E. Ogborn, 'The Professional name of Actuary', *Journal of the Institute of Actuaries*, 82 (1956), 245.
27 Un engraifft o hysbyseb gan y Wiltshire Friendly Society yn y *Salisbury and Winchester Journal*, 2 Chwefror 1829, *britishnewspaperarchive.co.uk*, cyrchwyd 1 Mawrth 2021.
28 Griffith Davies (Gwyneddwr), 'Traethawd ar Gymdeithasau Cyfeillgar' (Llanrwst: Argraffwyd gan John Jones, 1841), Llyfrgell Genedlaethol Cymru, XHS 1507 D255.
29 Archifdy Prifysgol Bangor, 5891.

30 Griffith Davies, 'Cyngor i'w gyd-wladwyr', *Y Gwyliedydd*, X/118 (1833), 47–8.

31 Nicola Bruton Bennetts, *William Morgan: Eighteenth-century Actuary, Mathematician and Radical* (Caerdydd: University of Wales Press, 2020), t. 193.

32 Benjamin Gompertz, 'A sketch of an analysis and notation applicable to the value of life contingencies', *Philosophical Transactions of the Royal Society*, 110 (1820), 214–94.

33 A. F. Burridge, 'Annals of the Actuaries' Club' (Llundain: argraffiad preifat, 1895).

34 G. H. Recknell, *The Actuaries' Club 1848–1948*, Library of the Institute and Faculty of Actuaries, RKN:213, t. 17.

35 Christopher Lewis a Margaret de Valois, 'History of actuarial tables', yn Martin Cambell-Kelly, Mary Croarken, Raymond Flood a Eleanor Robson (goln), *The History of Mathematical Tables: From Sumer to Spreadsheets* (Rhydychen: Oxford University Press, 2003), pennod 3, t. 90.

36 Reginald Claud Simmonds, *The Institute of Actuaries 1848–1948* (Caergrawnt: Cambridge University Press, 1948), t. 4.

37 Timothy L. Alborn, 'A Calculating Profession: Victorian Actuaries among the Statisticians', *Science in Context*, 7/3 (1994), 436.

38 Jenkin Jones, *A new rate of mortality amongst assured Lives* (Llundain: Longman, Brown, Green and Longmans, 1843).

8 Y Penteulu

1 Gwilym R. Jones, 'Dyffryn Nantlle', yn *Cerddi Gwilym R* (Y Bala: Llyfrau'r Faner, 1969), t. 96.

2 Archifdy Prifysgol Bangor, 5884.

3 Archifdy Prifysgol Bangor, 5884.

4 Robert Hughes, *Hunan-Gofiant ynghyda Phregethau a Barddoniaeth y diweddar Barch. Robert Hughes, (Robin Goch), Uwchlaw'rffynnon* (Pwllheli: cyhoeddedig gan William Hughes, 1893), t. 21; Geraint Jones, *Gŵr Hynod Uwchlaw'rffynnon* (Llanrwst: Gwasg Carreg Gwalch, 2008).

5 Archifdy Prifysgol Bangor, 5884.

6 A. W. Tarn a C. E. Byles, *A Record of the Guardian Assurance Company Limited 1821–1921* (cyhoeddiad preifat, 1921), t. 143.

7 *Sun*, 7 Hydref 1838, *britishnewspaperarchive.co.uk*, cyrchwyd 28 Mehefin 2021.

8 Gw. *https://bywgraffiadur.cymru/article/c-EDWA-THO-1779*, cyrchwyd 24 Tachwedd 2020.

9 Archifdy Prifysgol Bangor, 5891.

10 Gw. *https://bywgraffiadur.cymru/article/c-LLOY-JOH-1792*, cyrchwyd 11 Rhagfyr 2020.

11 *Y Drych*, 12 Awst 1886.

12 *Y Gwladgarwr*, III/25 (1835), 24–5.

13 Griffith Parry, *Cofiant a Gweithiau y Parch. Robert Owen, Llundain* (Salford: J. Roberts, argraffydd, Chapel Street, 1880), tt. 119–21.

14 Thomas Barlow, 'Memoir of the late Griffith Davies, Esq., F.R.S.' (1855), Library of the Institute and Faculty of Actuaries, RKN:41110.

15 Derec Llwyd Morgan, 'Sylwadau ar Gywydd Anerchiadol Einion Môn i Griffith Davies', nodiadau i'r awdur, 24 Mawrth 2021.

16 Archifdy Prifysgol Bangor, 5891.

17 William Hobley, *Hanes Methodistiaeth Arfon, Dosbarth Clynnog (o'r dechre hyd ddiwedd y flwyddyn 1900)* (Cyhoeddedig gan Gyfarfod Misol Arfon, 1910), t. 158.

18 Gwynedd Davies, 'Bywyd a Gwaith Griffith Davies y Cyfrifydd', traethawd buddugol yn Eisteddfod Frenhinol Genedlaethol, Caernarfon 1935, Archifdy Prifysgol Bangor, 15699.

19 Davies, 'Bywyd a Gwaith Griffith Davies y Cyfrifydd'.

20 Hobley, *Hanes Methodistiaeth Arfon*, t. 242.

21 Llyfrgell Genedlaethol Cymru, 12748E.

22 Archifdy Prifysgol Bangor, 5891.

23 Archifdy Prifysgol Bangor, 5891.

24 Tarn a Byles, *A Record of the Guardian Assurance Company Limited 1821–1921*, t. 143.

25 Lloyds' Register of Shipping 1828, t. 512, *https://archive.org/details/@ lrfhec?sort=-publicdate&&and[]=year%3A%221828%22*, cyrchwyd 29 Mehefin 2021.

26 Archifdy Prifysgol Bangor, 5891.

27 Archifdy Prifysgol Bangor, 5886.

28 Llyfrgell Genedlaethol Cymru, 12749E.

29 Archifdy Prifysgol Bangor, 5891.

30 *Saint James's Chronicle*, 20 Mehefin 1840, *britishnewspaperarchive.co.uk*, cyrchwyd 10 Mawrth 2021.

31 *Y Gwyliedydd*, VIII/390 (1884), 8.

32 Parry, *Cofiant a Gweithiau y Parch. Robert Owen, Llundain*, t. 103. Cyfieithwyd yr emyn i'r Gymraeg gan Eryron Gwyllt Walia ac mae'r emyn mewn tair iaith yn y llyfr.

33 Archifdy Prifysgol Bangor, MS 58 Ashby Tŷ Calch, llythyr 37.

34 Francis Henry Glazebrook, *Anglesey and North Wales Coast* (Bangor: Bookland and Co., 1964), tt. 81–2.

35 Hysbyseb yn y *Cambrian*, 30 Rhagfyr 1843, *britishnewspaperarchive.co.uk*, cyrchwyd 10 Mawrth 2021.

36 *Seren Gomer*, XXIV/307 (1841), 126.

37 Parry, *Cofiant a Gweithiau y Parch. Robert Owen, Llundain*, t. 76.

9 Addysg a Chymwynasau

1 Robert Hughes, 'Galargan er coffadwriaeth am y diweddar Griffith Davies, Yswain, F.R.S. o Lundain', *Y Drysorfa*, IX/CVIII (1855), 413–14.

2   Griffith Parry, *Cofiant a Chasgliad y Parch. Robert Owen, Llundain* (Salford: J. Roberts, argraffydd, Chapel Street, 1880), tt. 27–8; Robert Owen yw awdur yr emyn 'Hwn ydyw'r dydd y cododd Crist', Emyn 543, *Caneuon Ffydd*, Pwyllgor y Llyfr Emynau Cydenwadol, (Llandysul: Gwasg Gomer, 2001), t. 679.

3   E. A. Williams, *Hanes Môn yn y Bedwaredd Ganrif ar Bymtheg* (Cyhoeddedig gan Gymdeithas Eisteddfod Gadeiriol Môn, 1927), t. 35.

4   Huw Edwards, *City Mission: The Story of London's Welsh Chapels* (Talybont: Y Lolfa, 2014), t. 59.

5   Llyfrgell Genedlaethol Cymru, 12748E; William Edward Davies, *Sir Hugh Owen, His Life and Life-Work* (National Eisteddfod Association, 1885), t. 28.

6   *Carnarvon and Denbigh Herald and South Wales Independent*, 20 Tachwedd 1841, *papuraunewydd.llyfrgell.cymru/view/3643544*, cyrchwyd 3 Gorffennaf 2021.

7   Gomer M. Roberts, *Y Ddinas Gadarn: Hanes Eglwys Jewin Llundain*, Pwyllgor Dathlu Daucanmlwyddiant Eglwys Jewin, Llundain (Dinbych: Gwasg Gee, 1974), t. 77.

8   Roberts, *Y Ddinas Gadarn*, t. 98.

9   Roberts, *Y Ddinas Gadarn*, t. 78.

10 Gw. *en.wikipedia.org/wiki/Christian_mission_to_Jews*, cyrchwyd 28 Mai 2022.

11 Owen Thomas, *Cofiant y Parchedig Henry Rees yn cynnwys casgliad helaeth o'i lythyrau* (Wrecsam: argraffedig a chyhoeddedig gan Hughes a'i fab, 1890), cyfrol 1, t. 349.

12 Roberts, *Y Ddinas Gadarn*, tt. 75–6.

13 Llyfrgell Genedlaethol Cymru, 12853C.

14 Parry, *Cofiant a Chasgliad y Parch. Robert Owen, Llundain*, t. 33.

15 Llyfrgell Genedlaethol Cymru, 12853C.

16 John Andrew Jones, *Bunhill memorials: sacred reminiscences of three hundred ministers and other persons of note, who are buried in Bunhill fields, of every denomination* (Llundain: James Paul, 1 Chapter House Court, 1849), t. 90.

17 Thomas Morris Jones (Gwenallt), *Cofiant y Parch Roger Edwards, Yr Wyddgrug yn cynnwys ei waith dyddorol 'Y tri brawd a'u teuluoedd'* (Wrecsam: Hughes a'i fab, 1908), t. 117.

18 Archifdy Prifysgol Bangor, 5886.

19 E. A. Willats, *Streets with a Story: The Book of Islington*, http://www.islingtonhistory.org.uk/downloads/streets-with-a-story-19-april-2021-2.pdf, cyrchwyd 8 Rhagfyr 2022. Gwerthwyd 25 Duncan Terrace yn Ebrill 2011 am y swm o £3,425,000.

20 Llyfrgell Genedlaethol Cymru, Facs 950.

21 Ll. G. Chambers, 'Elfennau Rhifyddiaeth – Tamaid Anorffenedig', *Y Gwyddonydd*, 11/3 (1973), 6; Ll. G. Chambers, 'Elfennau Rhifyddiaeth – A fragment', *The Mathematical Gazette*, 79/485 (1995), 293–8.

22 Archifdy Prifysgol Bangor, 25616(4), llythyr David W. Dewhurst o Brifysgol Caergrawnt.

23 R. Elwyn Hughes, 'Arfonwyson – uchelgais a siom', *Cylchgrawn Llyfrgell Genedlaethol Cymru*, 31 (1999), 149–71.

24 R. Hughes, *Enwogion Môn (1850–1912)* (E. W. Evans, Swyddfa'r Goleuad, 1913), tt. 122–5 am Hugh Owen, a t. 70 am William Buckley Hughes.

25 John Davies, *Hanes Cymru* (Llundain: Allen Lane, Penguin Press, 1990), t. 382.

26 T. Marchant Williams, 'Notable Men of Wales', *Red Dragon*, Mai 1882, 291–300; *Norfolk Chronicle*, 9 Mehefin 1855, 3, *britishnewspaperarchive. co.uk*, cyrchwyd 9 Mawrth 2021.

27 W. Jones, *The Gwyneddigion for 1832 containing the Prize Poems etc of the Beaumaris Eisteddfod & North Wales Literary Society* (Llundain: cyhoeddwyd gan H. Hughes, 15 St Martin's Le Grand, 1839).

28 *Monmouthshire Merlin*, 23 Tachwedd 1844, 2, *britishnewspaperarchive. co.uk*, cyrchwyd 1 Mawrth 2021.

29 Roberts, *Y Ddinas Gadarn*, t. 72.

30 Archifdy Prifysgol Bangor, 37815; traethawd am Griffith Davies yng nghasgliad preifat disgynnydd o deulu'r Gilwern, Y Groeslon.

31 *Morning Advertiser*, 27 Ebrill 1853, *britishnewspaperarchive.co.uk*, cyrchwyd 1 Mawrth 2021.

32 D. Ben Rees, 'Henry Richard, Propagandydd dros Gymru', *Trafodion Anrhydeddus Gymdeithas y Cymmrodorion*, 7 (2000), 96–111.

33 Davies, *Hanes Cymru*, t. 348.

34 Hugh Owen, 'Trefn Addysg i Blant Cymru', *Y Drysorfa*, XIII/CLIV (1843), 294–5.

35 Davies, *Hanes Cymru*, t. 375.

36 Davies, *Hanes Cymru*, t. 419.

37 Williams, *Hanes Môn yn y Bedwaredd Ganrif ar Bymtheg*, t. 257.

38 Davies, *Hanes Cymru*, t. 337.

39 *Principality*, 14 Mawrth 1848, *britishnewspaperarchive.co.uk*, cyrchwyd 11 Mawrth 2021.

40 Pan oedd Brenin Siôr IV yn ymweld â Phlas Newydd, Môn yn 1821 ar ei daith i'r Iwerddon cyflwynwyd anerchiad teyrngarol iddo ar ran yr enwad gan John Elias a dau arall (Williams, *Hanes Môn yn y Bedwaredd Ganrif ar Bymtheg*, t. 56).

41 Archifdy Prifysgol Bangor, 3214.

42 Davies, *Hanes Cymru*, t. 378.

43 *Y Diwygiwr*, X/116 (1845), 75–6.

44 *Y Diwygiwr*, XI/136 (1846), 319–21.

45 Gw. *www.britannica.com/topic/East-India-Company*, cyrchwyd 1 Rhagfyr 2020.

46 Archifdy Prifysgol Bangor, 5891.

47 Griffith Davies, *Report and Valuation for the Madras Medical Fund with numerous tables for future guidance* (Llundain, 1840), Library of the Institute and Faculty of Actuaries, RKN:5906.

48 Griffith Davies, *Report and Valuation for the Bengal Military Fund* (Llundain: Argraffwyd gan William Clowes and Sons, 1844), Library of the Institute and Faculty of Actuaries, RKN:5905.

49 Griffith Davies, *Report on the proposed retiring fund for the Nizam's Government Military Officers* (1843), Llyfrgell Brydeinig, Swyddfa India a phapurau preifat, IOR/F/4/2025/91383.

50 Griffith Davies, *Report by Griffith Davies of the Guardian Assurance Office to the Governor Richard Raikes concerning a proposal to convert consols into terminal annuities* (Awst 1834), Archifdy Banc Lloegr, 13A84/7/61.

51 Tystysgrif gan Griffith Davies i'r Exeter and West of England permanent benefit building society and saving institution, *Exeter and Plymouth Gazette*, 7 Gorffennaf 1849, *britishnewspaperarchive.co.uk*, cyrchwyd 1 Mawrth 2021; hysbyseb gan y *Plymouth Provident Benefit Institution* yn y *Cambrian*, 18 Chwefror 1832, *britishnewspaperarchive.co.uk*, cyrchwyd 1 Mawrth 2021.

52 Adroddiad Richard Spooner AS, cadeirydd y London, Edinburgh and Dubin Life Assurance Company yn y *North Wales Chronicle and Advertiser for the Principality*, 22 Gorffennaf 1848, *britishnewspaperarchive.co.uk*, cyrchwyd 1 Mawrth 2021.

53 Cyfarfod y *Provident Clerks' Association* yn yr *Exeter and Plymouth Gazette*, 30 Hydref 1847, *britishnewspaperarchive.co.uk*, cyrchwyd 1 Mawrth 2021.

54 Maurice Edward Ogborn, *Equitable Assurances* (Llundain: George Allen and Unwin Ltd, 1962), tt. 232–3.

55 Barry Supple, *The Royal Exchange Assurance: A History of British Insurance 1720–1970* (Caergrawnt: Cambridge University Press, 1970), t. 326; Theodore M. Porter, *Trust in Numbers: The pursuit of objectivity in science and public life* (New Jersey: Princeton University Press, 1995), t. 41.

56 Llyfrgell Genedlaethol Cymru, 5580B.

57 Llyfrgell Genedlaethol Cymru, 5580B.

10 Yr Hybarch

1 *Post Magazine*, 450, 17 Chwefror 1849.

2 James Taylor, *Boardroom Scandal: The Criminalization of Company Fraud in Nineteenth Century Britain* (Rhydychen: Oxford University Press, 2013), tt. 70–4.

3 T. Alborn, *Regulated Lives: Life Insurance and British Society, 1800–1914* (Toronto: Toronto University Press, 2009), t. 55.

4 Reginald Claud Simmonds, *The Institute of Actuaries 1848–1948* (Caergrawnt: Cambridge University Press, 1948), t. 6.

5 Charles D. Higham, 'Notes as to the Actuaries' Club, the Institute of Actuaries Club and the Life Offices' Association, especially with regard

to their early history' (Llundain, 1929), The Library of the Institute and Faculty of Actuaries, RKN:206, t. 9.

6   Thomas Barlow, 'Memoir of the late Griffith Davies, Esq. F.R.S.' (1855), Library of the Institute and Faculty of Actuaries, RKN:41110.

7   G. H. Recknell, 'The Actuaries' Club 1848–1948', The Library of the Institute and Faculty of Actuaries, RKN:213, t. 32.

8   *Morning Post*, 17 Hydref 1848, *britishnewspaperarchive.co.uk*, cyrchwyd 1 Gorffennaf 2021.

9   'Memoir of the late John Finlaison, Esq., Actuary of the National Debt, Government Calculator and President of the Institute of Actuaries', *Journal of the Institute of Actuaries*, 10 (1861–3), 147–69.

10 Reginal Claud Simmonds, *The Institute of Actuaries 1848–1948* (printed for the Institute of Actuaries at the University Press, Cambridge, 1948), t. 32.

11 *Post Magazine*, 450, 17 Chwefror 1849.

12 *Carnarvon and Denbigh Herald and North and South Wales Independent*, 19 Mai 1849, *britishnewspaperarchive.co.uk*, cyrchwyd 1 Mawrth 2021.

13 Griffith Davies, 'A paper on the construction of logarithms' (1849), Library of the Institute and Faculty of Actuaries, RKN:982.

14 H. W. Porter, 'On some points with the Education of an Actuary', *The Assurance Magazine and Journal of the Institute of Actuaries* (1854), tt. 108–18, *jstor.org/stable/pdf/41134599.pdf*, cyrchwyd 2 Ebrill 2021.

15 Alborn, *Regulated Lives*, t. 58.

16 Timothy L. Alborn, 'A Calculating Profession: Victorian Acturaries among the Statisticians', *Science in Context*, 7/3 (1994), 433–68.

11 Cefnogi a Chrefydda

1   *The Bankers Magazine and Journal of the Money Makey*, XV (1855), 469–71.

2   Archifdy Prifysgol Bangor, 5587.

3   *Morning Advertiser*, 17 Awst 1855, *britishnewspaperarchive.co.uk*, cyrchwyd 1 Gorffennaf 2021.

4   Archifdy Prifysgol Bangor, 5587.

5   *Y Cyfaill o'r Hen Wlad yn America*, XII/11 (1849), 352.

6   Archifdy Prifysgol Bangor, 3214; Llyfrgell Genedlaethol Cymru, 5580B.

7   Archifdy Prifysgol Bangor, 5886; claddwyd dwy o ferched eraill Sarah a Samuel Dew gyda'u taid ym mynwent Abney Park – Sarah Ann Dew yn 1855 ac Elizabeth Grace Dew yn 1857.

8   John Pritchard, *Methodistiaeth Môn* (Amlwch: D. Jones, 1888), t. 255.

9   David Thomas, *Hen Longau Sir Gaernarfon* (Caernarfon: Cymdeithas Hanes Sir Gaernarfon, 1952), t. 223; Ship News, *The Times* (21312) Llundain, 30 Rhagfyr 1852; Ship News, *The Morning Post* (24670) Llundain, 15 Ionawr 1853.

10 Archifdy Prifysgol Bangor, 5891.

11 Ymhen 20 mlynedd byddai Griffith y mab yn priodi Jane Evans o'r Fron Goch, Pentraeth. Cyhoeddwyd y briodas yn *Baner ac Amserau Cymru*, 22 Medi 1866: 'Ar yr 20fed o Awst 1866 yng nghapel y Trefnyddion Calfinaidd yn Pentraeth gan y Parch. D.C.Davies, M.A., Llundain, Griffith Davies, Ysw., Llundain, a Jane, ail ferch Roger Evans, Ysw., Fron Goch.' Y Parch. David Charles Davies oedd gweinidog Jewin (1859–82).

12 Archifdy Prifysgol Bangor, 5888.

13 Gw. *https://bywgraffiadur.cymru/article/c-DAVI-RIC-1818*, cyrchwyd 20 Gorffennaf 2021.

14 Archifdy Prifysgol Bangor, 5888.

15 David Cannadine, *Victorious Century: The United Kingdom 1800–1906* (Llundain: Penguin Books, 2018), t. 260.

16 Cannadine, *Victorious Century*, t. 278.

17 *The Times*, 14 Mehefin 1849.

18 Gwyn Griffiths, *Henry Richard: Heddychwr a Gwladarwr* (Caerdydd: Gwasg Prifysgol Cymru, 2013), tt. 35–8.

19 Archifdy Prifysgol Bangor, 5887.

20 *The Principality*, 21 Gorffennaf 1848, *britishnewspaperarchive.co.uk*, cyrchwyd 9 Mawrth 2021.

21 Gomer M. Roberts, *Y Ddinas Gadarn: Hanes Eglwys Jewin Llundain*, Pwyllgor Dathlu Daucanmlwyddiant Egwys Jewin (Dinbych: Gwasg Gee, 1974), t. 101.

22 Archifdy Prifysgol Bangor, 5887.

23 Gwynedd Davies, 'Bywyd a Gwaith Griffith Davies y Cyfrifydd', traethawd buddugol yn Eisteddfod Frenhinol Genedlaethol, Caernarfon, 1935, Archifdy Prifysgol Bangor, 15699.

24 Llyfrgell Genedlaethol Cymru, 26,939.

25 Archifdy Prifysgol Bangor, Yale MSS 41.

26 Llyfrgell Genedlaethol Cymru, ex1918 ARCH/MSS (GB 0210).

27 Davies, 'Bywyd a Gwaith Griffith Davies y Cyfrifydd'.

28 *Shipping and Mercentile Gazette*, 15 Mehefin 1849, *britishnewspaperarchive. co.uk*, cyrchwyd 1 Mawrth 2021.

29 Roberts, *Y Ddinas Gadarn*, tt. 255–8.

30 Thomas Morris Jones (Gwenallt), *Cofiant y Parch. Roger Edwards, Yr Wyddgrug yn cynnwys ei waith dyddorol 'Y tri brawd a'u teuluoedd'* (Wrecsam: Hughes a'i fab, 1908), t. 126.

31 H. R. Evans, 'Dr Edward Richard of Tregaron and Finchingfield', *Transactions of the Honorable Society of Cymmrodorion* (1962), 93–155.

32 Owen Thomas, *Cofiant y Parchedig Henry Rees yn cynnwys casgliad helaeth o'i lythyrau* (Wrecsam: Hughes a'i fab, 1890), cyfrol 1, t. 347.

33 Griffith Davies, llythyr, *Y Drysorfa*, 111/XXXV (1833), 344–5.

34 Griffith Davies, llythyr, *Y Drysorfa*, 191 (1846), 341–2.

35 Llyfrgell Genedlaethol Cymru, 37816, Rules and Regulations of Free
    Church Widows Fund (Free Church of Scotland, 1845/6/11).

36 Sextus, 'Pregethwyr Methedig a hen y Methodistiaid Calfinaidd', *Eurgrawn
    Wesleyaidd*, 39/1 (1847), 28.

37 Llyfrgell yr Athrofa, *Y Drysorfa*, Ebrill 1841, 126–7.

38 Llyfrgell Genedlaethol Cymru, Trevecca College 1/3284, First General
    Report of the Trevecca College.

39 'The Jewish Mission in London', *Welsh Calvinistic Methodist Record*, 11
    (1853), t. 163.

40 Owen Thomas, *Cofiant y Parchedig John Jones, Talysarn mewn cysylltiad a
    hanes Diwinyddiaeth a phregethu Cymru* (Wrecsam: Hughes a'i fab, 1874),
    cyfrol II, t. 634.

41 R. Hughes, *Enwogion Môn (1850–1912)* (argraffwyd gan E. W. Evans,
    Swyddfa'r Goleuad, 1913), t. 192.

42 D. Ben Rees, *Pregethwr y Bobl: Bywyd a Gwaith Dr. Owen Thomas* (Lerpwl
    a Phontypridd: Cyhoeddiadau Modern Cymreig Cyf., 1979), t. 98; D.
    Griffith, 'Rhagor o adgofion am Lundain', *Y Geninen*, XXII/3 (1904), 164.

43 'Chapel Building for the Welsh in London', *Welsh Calvinistic Methodist
    Record*, 11 (1853), 22–3.

44 Emrys Jones, *The Welsh in London (1500–2000)* (Caerdydd: University of
    Wales Press on behalf of the Honourable Society of Cymmrodorion, 2001),
    tt. 96–101.

45 John Williams, 'Talfyriad o ddarlith – Cymry Llundain', *Y Traethodydd*, XI
    (1855), 233–7. Owen Thomas mae'n debyg yw'r awdur.

46 Roberts, *Y Ddinas Gadarn*, t. 111.

47 Owen Thomas, 'Cyflwr y Cymry yn y Brifddinas', *Y Drysorfa*, X/CXIII
    (1856), 172–6.

48 D. Ben Rees, *Hanes Rhyfeddol Cymry Lerpwl* (Talybont: Y Lolfa, 2019), tt. 90–1.

12 Pen y Daith ac Epilog

1   Robert Chambers, *Vestiges of the Natural History of Creation* (Llundain:
    John Churchill, 1844), t. 331. (Cyfieithiad o *Man is now seen to be an
    enigma only as an individual; in the mass, he is a mathematical problem*.)

2   Archifdy Prifysgol Bangor, 5890.

3   Thomas Barlow, 'Memoir of the late Griffith Davies, Esq., F.R.S.' (1855),
    Library of the Institute and Faculty of Actuaries, RKN:41110.

4   Archifdy Prifysgol Bangor, 5888.

5   Ewyllys Griffith Davies, *ancestry.co.uk/imageviewer/collections/5111/
    images/40611_311567_00471?treeid=&rc=8usePUB=true8_phsrc=PzZ413&_
    phstart=successSource&pld=569328*, cyrchwyd 18 Rhagfyr 2020.

6   Archifdy Prifysgol Bangor, 5890.

7   Cyn-Lywyddion Sefydliad yr Actiwarïaid,

https://www.actuaries.org.uk/system/files/documents/pdf/pastpres_inst.pdf, cyrchwyd 22 Rhagfyr 2020.

8 *Leeds Intelligencer*, 10 Mawrth 1855, *britishnewspaperarchive.co.uk*, cyrchwyd 3 Mawrth 2021.

9 Owen Thomas, 'Marwolaethau Enwogion', *Y Traethodydd*, XI (1855), 129–31.

10 Barlow, 'Memoir of the late Griffith Davies, Esq., F.R.S.'

11 *Post and Insurance Monitor*, XVI/13, (1855), 80.

12 *Post Magazine and Insurance Monitor*, XVI/28 (1855), 217–19; *The Assurance Magazine and Journal of the Institute of Actuaries*, 5/4 (1855), 337–8.

13 Barlow, 'Memoir of the late Griffith Davies, Esq., F.R.S.'

14 *The Cambrian Journal*, II (1855), 132–3.

15 'Griffith Davies Ysw, F.R.S.', *Yr Oenig*, 1/XII (1855), 470–2.

16 'Sefyllfa Wareiddiol y Cymry', *Y Traethodydd*, 1 Hydref 1857, 385.

17 Robert Hughes, 'Galargan er coffadwriaeth am y diweddar Griffith Davies, Yswain, F.R.S. o Lundain', *Y Drysorfa*, CVIII, Rhagfyr 1855, 413–14.

18 W. J. Hughes (Deiniolfryn), 'Griffith Davies y Chwarelwr a'r Rhifyddwr Enwog', *Y Genhinen*, XV/4 (1897), 275–8.

19 Gwynedd Davies, 'Bywyd a Gwaith Griffith Davies y Cyfrifydd', traethawd buddugol Eisteddfod Frenhinol Genedlaethol, Caernarfon, 1935, Archifdy Prifysgol Bangor, 15699.

20 'Manteision Addysg i'r Dosbarth Gweithiol', *Y Traethodydd*, XIX (1864), 21–9; G. Edwards, 'Education in Wales, and the Proposal for Founding a Welsh University', *The Cambrian Journal*, 1 Mehefin 1864, 76–104; *Y Traethodydd*, XII (1856), 293–306; D.W., 'Y Dyn Ieuanc', *Yr Arweinydd* (Aberystwyth), 11/13 (1877), 8–12.

21 W. M. Owen (Gwilym Llugwy), 'Hunan-Ddiwylliad y meddwl', *Yr Eisteddfod*, 1 (1865), 47–68.

22 Rhestr Testunau Eisteddfod Genedlaethol Frenhinol Cymru, 5–10 Awst 1935, Caernarfon, rhif y gystadleuaeth 41, t. 35.

23 Llyfrgell Genedlaethol Cymru, ex1918 ARCH/MSS(GB 0210); Archifdy Prifysgol Bangor, BMSS 15700.

24 Llyfrgell Genedlaethol Cymru, 12187E.

25 *Morning Post*, 9 Ebrill 1855, *britishnewspaperarchive.co.uk*; *The Times*, 26 Mawrth 1855, *britishnewspaperarchive.co.uk*; *The Critic: The London Literary Journal*, XIV/336 (1855), 175, *britishnewspaperarchive.co.uk*; *The Illustrated London News*, 7 Ebrill 1855, *britishnewspaperarchive.co.uk*; *Bombay Gazette*, 28 Mehefin 1855, *britishnewspaperarchive.co.uk*. Dyddiad cyrchu 4 Mawrth 2021.

26 *The Annual Register, or a view of the History and Politics of the Year 1855* (Llundain: argraffwyd gan Woodfall a Kinder, 1856), t. 262; Williams John Pinks, *The History of Clerkwell* (Llundain: argraffwyd gan Charles Herbert, Goswell Road, 1881), tt. 705–8; Cornelius Walford, *The Insurance Cyclopaedia* (Llundain: Charles & Edward, 1873), tt. 172–4; T. Iorwerth

Jones, 'The Contribution of Welshmen to Science', *Transaction of the Honourable Society of Cymmrodorion* (1932–3), 61–4; Alexander Jones, *The Cymry of the '76 or Welshmen and their descendants of the American Revolution* (Efrog Newydd: Sheldon, Lamport & Co., 1855), t. 131; T. R. Roberts, *Eminent Welshmen* (Caerdydd a Merthyr Tudfil: The Educational Publishing Company Ltd, 1908), tt. 42–3; Leslie Stephen, *Dictionary of National Biography* (Efrog Newydd: Macmillan and Co., 1888), cyfrol XIV, tt. 136–7, *Archive.org/details/dictionaryofnati14stepuoft/page/136/mode/2up*, cyrchwyd 25 Ionawr 2021.

27 *Post Magazine and Insurance Monitor*, 27 Mawrth 1926.
28 Griffith Davies, *Treatise on annuities; with numerous tables, based on the experience of the Equitable Society and on the Northampton rate of mortality* (Llundain: Charles and Edwin Layton, 1856), Library of the Institute and Faculty of Actuaries, RKN:4261.
29 'Notices of new works', *The Assurance Magazine and Journal of the Institute of Actuaries*, 6/4 (1856), 234.
30 Institute of Actuaries Centenary Assembly, 1948: Exhibition Catalogue: 'Exhibition illustrating the history of actuarial science in Great Britain with special reference to the Institute of Actuaries', Library of the Institute and Faculty of Actuaries, RKN:409.
31 Maurice E. Ogborn, 'Catalogue of an Exhibition Illustrating the History of Actuarial Science in the United Kingdom', *Journal of the Institute of Actuaries*, 100 (1973), 5–14; Library of the Institute and Faculty of Actuaries, RKN:14459.
32 Amgueddfa Genedlaethol Cymru, A 3805.
33 Peter Lord, gohebiaeth gyda'r awdur, 9 Mehefin 2021.
34 Llyfrgell Genedlaethol Cymru, Portreadau B11.
35 Lord, gohebiaeth gyda'r awdur, 9 Mehefin 2021.
36 Archifdy Prifysgol Bangor, 5895.
37 Peter Lord, *The Visual Culture of Wales: Imaging the Nation* (Caerdydd: University of Wales Press, 2000), tt. 339–40.
38 T. Ceiri Griffith, *Achau rhai o deuluoedd hen siroedd Caernarfon, Meirionnydd a Threfaldwyn* (Talybont: Y Lolfa, 2012). Mae hen nain Gwynedd Davies yn gyfnither i Griffith (tabl 101, t. 114), a thaid W. Gilbert Williams yn gefnder iddo (tabl 100, t. 113).
39 Davies, 'Bywyd a Gwaith Griffith Davies y Cyfrifydd'.
40 Archifdy Prifysgol Bangor, 21041.

MYNEGAI

Davies, Mary Holbut (gwraig gyntaf
  G.D.) 50, 57, 60, 71, 75, 88, 149,
  150, 191
Davies, Mary Holbut (merch G.D.)
  50–1, 88–9
Davies, Sarah Holbut (merch G.D.)
  gweler Dew, Sarah Holbut
Davies, Richard 193–4
Davies, Thomas (nai G.D.) 208
Davies, William (nai G.D.) 206
Davy, Humphry (Syr) 123–4, 127
Deal 149
de Fermat, Pierre 58
de Moivre, Abraham 58, 185, 216
De Morgan, Augustus 48, 85
Deddf Derfysg 91
Deddf Milisia (1801) 35
Deddfau goddefiad (1689) 104
Denmark Street 198
Deptford 105–6
Dew, Griffith Davies (ŵyr G.D.)
  191–2, 208
Dew, Margaret Ann (wyres G.D.) 191
Dew, Mary Elizabeth (wyres G.D.)
  191–2
Dew, Samuel (mab-yng-nghyfraith
  G.D.) 153–4, 171, 176, 191, 194,
  204–6, 208
Dew, Samuel Davies (ŵyr G.D.) 191
Dew, Sarah Holbut (merch G.D.) 3,
  88–9, 133, 149, 150, 152–4, 176–7,
  191–6, 204–5, 208, 216, 218
Dickens, Charles 180
Dictionary of National Biography 215
Diwygiwr, Y 172
Dodson, James 185
Dollond, George 48
Dolydd Byrion 32
Downes, John James 48, 133, 143,
  165, 208
Drenewydd, Y 201
Drych, Y 145

Drysorfa, Y 172, 199, 200, 202, 212
Drysorfa Gynulleidfaol, Y 172
Dublin Steam Packet Company 149
Dulyn 43, 149
Duncan Terrace 163, 176, 190, 193,
  201, 203, 207–8, 211
Dwyrain yr India (cwmni) 72

E
Eagle (cwmni) 138
Economic Life (cwmni) 133, 143, 165
Edwards, Edward 198
Edwards, Huw 104
Edwards, John (Siôn Ceiriog) 109
Edwards, Lewis 49
Edwards, Owen 7
Edwards, Roger (Y Parchedig) 162,
  197, 198
Edwards, Thomas (Caerfallwch) 96,
  107, 121, 144
Edwards, Thomas (Twm o'r Nant)
  109
Eglwys Loegr 17, 104, 106–7, 113,
  161, 170–1
Eglwys Rufain 107–8
Eglwys Sant Marc, Clerkenwell 154
Eglwys y Santes Fair, Islington 153
Eisteddfodau Cenedlaethol,
  Caernarfon (1862, 1935 a 1959)
  214–15
Elias, John 21, 28, 40, 106–8, 159,
  160–2, 171–2, 191, 215
Equitable Life (cymdeithas) 68–9, 70,
  75, 80, 84, 129, 133–4, 137
Eurgrawn, Yr 52
Euston (gorsaf) 192
Evans, Eleanor (morwyn) 203
Evans, Elizabeth 142
Evans, Evangeline Humphrey (gor-
  wyres G.D.) 3, 218
Evans, H. R. 198
Evans, John (cyfreithiwr) 27

Evans, John (cyn-ddisgybl i G.D.) 49, 150

Evans, Samuel 117

Evans, William 18–19, 20, 31

F

Faraday, Michael 123–4, 126

Fanny, Y (llong) 43

Felinheli, Y 36

Fellow of the Institutue of Actuaries (FIA) 187

Finlaison, John 133–4, 168, 182–6, 216

Fleming, Alexander 123

Ford, Mr a Mrs 44

Franklin, Benjamin 69

Franklin, John (Syr) 60, 118

Ferguson, James 45

Foryd, Y 17, 36

Fron, Y 7, 14, 26

FF

Ffrainc, ymosodiadau gan 40

Ffridd, Nantlle 159

Ffiwsilwyr Brenhinol Cymreig 35

G

Galloway, Thomas 138, 181

Gee, Thomas 160

Gelli Ffrydiau 99

geri marwol 194

Gilbert, Davies 67, 124, 126

Glanrhyd 19

Glaslyn (chwarelwr) 31

Glynllifon 7, 16, 24, 26, 36, 90–1, 100, 148, 201

Glynmeibion 99

Glynne, Edward 163

Glynne, Evan Owen 140, 163, 176

Glynne, Mary (ail wraig G.D.) 143, 150, 155, 176–7, 189

Glynne, William 96, 143, 155

Glynne, William (mab Mary a William Glynne) 163

Gompertz, Benjamin 48, 78, 108, 124–5, 130, 133, 138–9, 180, 185, 216

Grafton Street 202

Granville, Augustus Bozzi 127

Graunt, John 58, 90, 185

Gravesend 143–4, 152, 155

Greenwich 41, 143

Griffith, Edward 112

Griffith, Siôn 18–19

Griffiths, John 17

Groeslon, Y 14, 16

Groeslon-grugan 19

Gruffudd, Siôn 8, 14

Gruffydd, Owen 17

Guardian Assurance (cwmni) 71–9, 82, 84, 87, 89, 100, 129, 134, 137–8, 140, 143, 149, 154, 165, 173, 176, 181, 190–1, 204, 207, 218–19

Gurney, Samuel 78

Gwesty'r Goron, Heolan y Bwa 111

Gwyliedydd, Y 112–13, 136

Gymdeithas Frenhinol, Y 2, 5, 69, 80, 82, 123–9, 132, 138, 180, 188, 190

H

Hafoty Wen 8, 17

Hainault House, Chingwell 88

Halley, Edmond 58, 216

Hall, Sydney Prior 216

Hammersmith 44

Hand in Hand (cwmni) 165

Hardy, Peter 179, 184–5, 187

Harris, Howel 104

Hase, Henry 71

Haslam Mr (Bodrual) 52

Hawking, Stephen 123

Henderson, H. B. 174

Herbert, Henry George 94

Hewitt, T. S. 96

Higgins, W. M. 132

Griffith Davies